Julie Parsons

IK ZAG JOU

the house of books

Oorspronkelijke titel
I Saw You
Uitgave
Macmillan, Londen
Copyright © 2007 by Julie Parsons
Copyright voor het Nederlandse taalgebied © 2008 by The House of Books,
Vianen/Antwerpen

Vertaling
Annemarie Lodewijk
Omslagontwerp
Studio Jan de Boer BNO, Amsterdam
Omslagfoto
© plainpicture/Pictorium
Foto auteur
Jerry Bauer
Opmaak binnenwerk
ZetSpiegel, Best

ISBN 978 90 443 2226 2
D/2008/8899/152
NUR 332

Voor Harriet, Sarah en John,
zoals het was in het begin

MIJN DANK AAN

Rechercheur Kevin Morrisey en rechercheur Martin Donohue, An Garda Síochána, Garech Onorch a Brun, Paul Bowler, Rory O'Riordan, *Partners at Law*, dr. Edward Rabinowitz en Jessica Johnson voor hun hulp bij aspecten van dit verhaal.

Alison Dye voor haar nimmer aflatende steun en het lezen van het manuscript.

Joan O'Neill, Phil MacCarthy, Sheila Barrett, Renate Ahrens Kramer, Cecilia McGovern en Cathy Leonard voor hun zinnige kritiek en thee, koekjes en medeleven.

Julie Crisp voor haar scherpe oog voor een toevalligheid en haar rigoureuze redactionele gevoel.

En Emily Moriarty omdat ze me aan het lachen maakt.

Hij lag ineengezakt in het hoekje van de schuur. Zijn handen, die achter zijn rug waren vastgebonden, zaten met een ketting vast aan een ring in de muur. Zijn gezicht was bedekt met breed grijs plakband. Alleen zijn ogen, flets blauw en roodomrand, waren nog zichtbaar. Hij wilde roepen, om hulp schreeuwen. Maar hij kon geen geluid maken. Hij wilde op de muur bonzen om de aandacht te trekken. Maar hij kon zijn handen en armen niet bewegen. Hij wilde de zware, houten deur intrappen om naar buiten te komen. Maar zo ver reikten zijn voeten niet. Hij had dorst. Maar er was geen water. Hij had honger. Maar er was niets te eten. Er was al dagenlang niets te eten. Hij wist niet eens meer hoeveel dagen. Hij had geprobeerd ze bij te houden door het aantal keren te tellen dat de straal zonlicht door de kleine kier had geschenen in het hout dat het raam bedekte. Eén, twee, drie, vier, vijf, zes. Tot zes wist hij het nog, maar daarna werd alles overstemd door pijn, verwarring en angst.

En toen was hij blind.

En toen dacht hij dat hij ergens anders was en dat er een tafel vol met eten was en een stromende kraan, en dat hij zijn hoofd maar hoefde om te draaien en zijn mond open hoefde te doen om een zilveren straaltje water op zijn tong te laten druppelen. Zijn arme, opgezwollen tong.

En toen was er niets meer. Alleen de stank van zijn rottende lichaam.

En toen was zelfs dat er niet meer.

Ballyknockan, bij Blessington, County Wicklow
April 2000

Het was een heerlijke dag om even weg te zijn van kantoor, dacht de makelaar. Een prachtige voorjaarsdag. Een wolkeloze hemel en warm genoeg om met open autoraampjes over de grote weg van het stadscentrum naar Blessington te rijden. Volgens haar gegevens stond de woning in Ballyknockan, een dorpje van natuurstenen huizen tussen de donkergroene naaldbomen waarmee de hellingen van de bergen van westelijk Wicklow waren begroeid. Ze ging wat langzamer rijden om zich te kunnen oriënteren en draaide de uitgeprinte e-mail op de passagiersstoel naar zich toe, zodat ze hem gemakkelijker kon lezen. Het huis was eigendom geweest van een Duits echtpaar, Hans en Renate Becker. Zij hadden het als vakantiewoning gebruikt, maar nu zij allebei overleden waren wilden hun dochters het verkopen. De e-mail was van Petra Becker. Haar Engels was vrijwel onberispelijk.

Ik weet niet in welke staat de woning verkeert. Wij zijn er al vele jaren niet geweest. Vroeger had mijn vader er een huisbewaarder voor, maar met hem hebben wij al heel lang geen contact gehad. Ik zal u per post de sleutels opsturen. Brengt u het alstublieft zo snel mogelijk op de markt. Wij hebben begrepen dat de waarde van huizen in Ierland enorm gestegen is. Wij horen graag van u hoeveel het op dit moment waard is.

Fräulein Becker had gelijk. Dit soort huizen, hoe klein dan ook, waren veel geld waard. Vijfendertig kilometer naar het werk rij-

11

den was tegenwoordig niets meer, dacht de makelaar, terwijl zij over een hobbelig laantje het dorp uitreed en tot stilstand kwam bij een spijlenhek tussen een groepje dennenbomen. Ze stapte uit en morrelde aan de roestige klink. Die was stroef en gaf niet mee. Ze huiverde. Er streek een briesje door de naalden van de bomen en vanaf de top van de heuvel kwam een mistflard naar beneden drijven. Ze stapte weer in de auto en reed langzaam het weggetje naar het huis op. De buitenkant zag er prima uit, hoewel de tuin overwoekerd en verwaarloosd was. Niks wat een jongen met een grasmaaier niet in een middagje kon rechtzetten.

Ze zocht in haar tas naar de sleutels. Binnen was het donker. Ze vond het lichtknopje, maar kennelijk was de elektriciteit afgesloten. Ze maakte snel een rondje over de begane grond. Een simpele indeling. Links van de kleine hal een grote keuken in landelijke stijl en rechts een woonkamer met een grote open haard. Boven bevonden zich één tweepersoonsslaapkamer, twee éénpersoons en een badkamer, compleet met vrijstaande badkuip. Voor zover zij kon zien vertoonde het dak geen lekkages en voelde het huis droog aan. Ze zou de elektriciteit weer laten aansluiten en terugkomen met een fotograaf, en tegen de tijd dat hartje zomer het hoogseizoen voor de huizenverkoop aanbrak, zou dit een bijzonder goed verkoopbare woning zijn.

Ze deed de voordeur op slot en liep om het huis heen naar de achterkant. In de e-mail had iets gestaan over bijgebouwen of een garage. Vaak een belangrijk punt bij de verkoop van dit soort oude woningen. Mogelijkheden voor renovatie of zelfs uitbreiding. Achter het huis lag een binnenplaats, waarvan de keien geheel overwoekerd waren met gras. En een rij schuren. Ze probeerde de deuren. Veel bijzonders was het niet. De laatste zat op slot. Er hing een zwaar hangslot aan de grendel. Ze probeerde de sleutels, maar er zat er niet één bij die paste. Het raam was dichtgetimmerd met een stuk hout. Toen ze eraan trok gaf het een beetje mee. Ze raapte een stok op van de grond en gebruikte hem om kracht te zetten. Het hout gleed weg en eronder werd een kapot raam zichtbaar. Ze ging ervoor staan en hield haar handen om haar ogen. Vanachter haar hoofd scheen een straal licht op de vloer. Ze zag iets. Nog zo'n kolenzak misschien? Of een vuilniszak met rommel? Er moest hier nog heel wat worden opgeruimd.

Ze gaf nog een ruk aan het hout en ditmaal kwam de hele plank los. Het licht stroomde de duisternis binnen. En nu kon ze alles goed zien. Het ding had een bekende vorm. Rond en glad en ivoorkleurig. Twee donkere gaten staarden haar aan. De rest zat verborgen onder een soort breed, grijs plakband. Ze rekte zich uit om beter te kunnen zien. Een jasje, met een wit overhemd erin, een lange broek en een paar schoenen lagen erbij alsof ze zomaar op de grond waren gegooid. En nog net zichtbaar waren de botten van een hand en vingers, en de glinstering van een ketting.

I

Juli 2005. Wat een prachtige zomer, dacht Michael McLoughlin, terwijl hij op het terras voor zijn keuken zat. Hij leunde achterover tegen de houten latten van zijn oude tuinbank en hief zijn gezicht op naar de late middagzon. Midden op de dag was het hier bijna te heet geweest, maar nu was het heerlijk. Hij keek uit over Dublins uitgestrekte buitenwijken in de richting van de baai en Howth Head. De zee was zo mooi, gestreept als een stuk agaatsteen. Donkerblauw in de richting van de horizon. Lichtgroen, turkoois bijna, dichter bij de kust. Met hier en daar wat fijne witte stipjes waar een zeebriesje het glinsterende wateroppervlak verstoorde. Hij pakte zijn verrekijker en richtte die op de boten. Een paar motorjachten met de Franse vlag in top en drie Engelse. Er lag zelfs een Amerikaanse boot, een grote, meer dan vijftien meter lang, schatte hij, met die stoere, traditionele uitstraling die zeewaardige jachten altijd hebben. En her en der verspreid over de baai, als een handjevol kinderspeelgoed, lagen de zeilbootjes. Aan de noordkant die van de club in Clontarf, en dichter bij huis die van de clubs in Dun Laoghaire. Waar hij vanavond naartoe zou gaan. Voor het feest ter gelegenheid van zijn pensionering.

Pensionering, nu al? Hij kon het nauwelijks geloven. Na zevenentwintig jaar bij de politie hadden ze hem verteld dat hij eraan toe was. Maar hij had het nog tien jaar weten te rekken voordat duidelijk werd dat zijn tijd er nu toch echt opzat. Of hij ermee zat? Hooguit omdat hij nog niet zeker wist hoe hij de rest van zijn leven ging doorbrengen. Ervan uitgaand natuurlijk dat er nog een rest van zijn leven wás. Dus was hij verstandig geweest en had hij alle cursussen 'ter voorbereiding op uw pensionering' gevolgd die door maatschappelijk werk waren georganiseerd. En hij had zijn best gedaan om aandachtig te luisteren en niet een van die grinnikende cynici op de achterste rij te zijn. En misschien had hij er toch het een en ander geleerd, want hij had voor de rest van de zomer een geweldig baantje weten te bemachtigen. Hij ging boten afleveren in Frankrijk en Spanje – een aantal voor een jachtverhuurbedrijf in Bretagne, waarvoor hij boten terug ging brengen waarmee in de vakantie naar Ierland was gevaren, en andere voor mensen die zelf geen tijd hadden om hun boten naar de Middellandse Zee te brengen voor een paar weekjes varen. Het bedrijf was eigendom van een knaap voor wie hij in de loop der jaren wel vaker als bemanningslid had gewerkt. Veel geld leverde het niet op. Niet meer dan zijn natje en droogje, een zakcentje voor een borrel en een paar weken in een van de appartementen of villa's van het bedrijf. En wie weet waar dat toe zou leiden? Er was weinig wat hem tegenwoordig nog aan Dublin bond. Zijn moeder werd goed verzorgd in het verpleegtehuis. Ze zou hem missen, maar ze zou het wel begrijpen. Ze wist dat hij eenzaam was. Dat er weinig liefde was in zijn leven. Ze zou hem het beste wensen.

Hij stond op en liep naar binnen. Het was donker in vergelijking met al dat licht buiten. Hij zocht op de tast zijn weg naar de badkamer, kleedde zich uit en stapte onder de douche. Hij moest nodig een paar pondjes afvallen. Op de meeste van die boten had je benedendeks niet veel ruimte. Bovendien had hij opeens een visioen van zijn ouder wordende, kwabbige lichaam in een korte broek. Niet bepaald een mooi plaatje. Hij ging op zijn hurken zitten en liet het water over zijn nek en schouders stromen. Zijn dijspieren trilden en even dacht hij dat hij zijn evenwicht ging verliezen en voorover zou vallen. Hij zette zijn handen tegen de betegelde muren en duwde zich weer omhoog. Hij haalde snel en hijgend adem. Jezus, hij had zich niet gerealiseerd hoe slecht zijn conditie was. De afgelopen paar jaar had hij het grootste deel van de tijd achter een bureau gezeten, op de luchthaven bij Immigratie. Te veel administratie, niet voldoende beweging. Maar daar ging nu een eind aan komen. Hij had nog drie weken voor zijn eerste tocht. Als hij elke dag een uur trainde en drastisch minderde met alcohol en vette kost, dan zou hij tegen die tijd een stuk fitter zijn, hoopte hij.

Hij draaide de kraan dicht, pakte een handdoek en liep zijn slaapkamer binnen. Hij rommelde wat in zijn kleerkast en haalde zijn linnen colbertje tevoorschijn. Hij had het al jaren niet gedragen en wist eigenlijk zeker dat het kledingvoorschrift voor vanavond stemmige kleding was. Maar wat dan nog? Het was zijn feestje, dus trok hij aan waar hij zelf zin in had. Hij was altijd al een beetje een buitenbeentje geweest. Deed niet aan golf, had geen belangstelling voor voetbal, zelfs niet voor Gaelic football, en was een betere kok dan de meeste politievrouwen die hij kende. En hij was een eenling. Geen vrouw, momenteel. Geen kinderen, nauwelijks familie. Daarom had hij de jachtclub uitgekozen voor het feestje. Daar kenden ze hem tenminste. Daar zou iemand hem in elk geval wel als vriend begroeten. Hem het gevoel geven dat hij een plekje had in de wereld.

Hij kleedde zich snel aan. Het jasje paste hem nog. En het zag er niet slecht uit, ook al was de kleur eerder ivoor dan gebroken wit. Wanneer hij de zon tegemoet ging, kon hij misschien wel eens een echt linnen pak kopen, met bijpassende pantalon en vest. Hij draaide zich om van de spiegel en klopte op zijn zakken. Portefeuille, telefoon, sleutels, leesbril, alle noodzakelijkheden van de middelbare leeftijd. En als speciale traktatie vanavond een paar sigaren. Cohiba's, de beste Cubanen. Hij bewaarde ze voor bijzondere gelegenheden, in hun eigen houten humidor. Het kistje had aan zijn vader toebehoord, die ook een liefhebber van sigaren was geweest. Niet dat hij ze zich vaak kon veroorloven. Daarom was de functie van het kistje veranderd. Zijn moeder gebruikte het om haar favoriete recepten in te bewaren en een verzameling schatten. Een zilveren medaillon, een parelsnoer. En een paar zwart-witkiekjes van Michael en zijn zus, Clare, genomen met zijn vaders Box Brownie. Toen zijn moeder naar het verpleegtehuis was gegaan, had McLoughlin de humidor gekregen. Hij had hem opgeknapt en gevuld met zoveel sigaren als hij zich kon veroorloven. En soms legde hij, in het onderste vakje, onder het uitneembare rozenhouten paneeltje, zijn eigen schatten.

Nu koos hij een twaalftal sigaren uit. Genoeg om uit te delen aan de jongens en een paar voor hemzelf. Hij vulde zijn lederen sigarenkoker en stak hem in zijn zak. Hij maakte aanstalten om het deksel te sluiten. Toen stopte hij. Dit was zo'n prachtige zomer. Net als die andere mooie zomer, tien jaar geleden. Het jaar dat Mary Mitchell was gestorven. Dat hij haar moeder, Margaret, had ontmoet. Dat hij verliefd op haar was geworden. Dat hij had gedacht te zullen sterven van verlangen. Hij tilde het bakje met de resterende sigaren uit het kistje. Eronder lag een bruine envelop in een plastic zakje. Hij pakte hem op en woog hem op zijn hand. Hij liet zijn vingers over het gladde oppervlak glijden. Hij hoefde er niet in te kijken. Hij zag alle beelden nog net zo duidelijk voor zich als die avond in de schuur achter het huis in Ballyknockan. Mary Mitchell in de dagen voor haar dood, haar hoofd kaalgeschoren en ontdaan van haar zwarte krullen, haar lichaam bont en blauw. Vernederd en mishandeld. Het moment van haar dood, haar ogen halfgesloten, haar pupillen strak en verwijd, een glimlach bevroren op haar brede, gulle mond. De foto's lagen uitgespreid op de grond, naast Jimmy Fitzsimons. Hij lag daar, hulpeloos, vastgeketend aan een ring in de muur, zijn gezicht bedekt met plakband. Waar Margaret hem had achtergelaten om te sterven. En hij had gedacht dat McLoughlin hem kwam redden. Dat de politieman zou doen wat hij moest doen. Maar in plaats daarvan had hij haar vingerafdrukken van het plakband, de handboeien en de ketting geveegd. Hij had de foto's opgeraapt en in zijn zak gestoken. Hij kon de gedachte niet verdragen dat Mary bezoedeld zou worden door Jimmy's dood. Hij had de foto's mee naar huis genomen en ze in zijn moeders schatkistje gelegd. Hij had ze zorgvuldig bewaard. Hij had Mary's nagedachtenis zo goed mogelijk beschermd en was altijd van haar moeder blijven houden.

Hij slaakte een diepe zucht. Hij legde het plastic zakje terug in het kistje en plaatste het dunne, houten paneeltje er weer zorgvuldig bovenop. Toen legde hij de sigaren erop, deed het deksel dicht en sloot het kistje af met het kleine koperen sleuteltje. Toen draaide hij zich om. Het was tijd om te gaan. Juist vanavond kon hij niet te laat komen. Hij trok de voordeur open. Het was zo'n prachtige avond. Hij stapte in zijn auto en startte de motor. De zon scheen in zijn ogen. Hij hield zijn hand omhoog om ze te beschermen. En dacht even dat hij Mary zag. Zoals ze geweest moest zijn toen ze nog leefde. Dansend in de stralen van de late middagzon.

'Welterusten, Mary. Welterusten,' fluisterde hij.

Hij zette de wagen in de eerste versnelling. Toen reed hij langzaam de heuvel af in de richting van de zee.

2

Heerlijk om weer terug te zijn in Monkstown. Om op een koele, heldere ochtend op de drempel te staan en over de smalle weg uit te kijken over de zeedijk en de zee daarachter. Margaret kon het zout en het zeewier en de scherpe lucht van de zwarte modder ruiken. Het was een frisse geur, schoongewassen door het water dat tweemaal per dag de Baai van Dublin in- en uitstroomde. Ze keek omhoog naar de hemel. Ze was vergeten hoe het licht hier altijd anders was, hoe het van de ene minuut op de andere kon veranderen. Hoe wolken zich vormden, weer oplosten, zich opnieuw vormden en de zonnestralen filterden, zodat het licht door het spectrum bewoog. Zo anders dan het harde, onveranderlijke blauw van de hemel boven Queensland, waar zij had gewoond sinds zij die laatste keer uit Dublin was vertrokken. Toen ze Jimmy Fitzsimons' auto van het huis in Ballyknockan naar het parkeerterrein in Dun Laoghaire had gereden. Toen ze had gewacht tot het tijd was om aan boord te gaan van de veerboot naar Holyhead, de trein naar Londen had genomen en vervolgens de ondergrondse naar Heathrow. Waar ze op een vliegtuig naar Brisbane was gestapt. Ze wilde niet terug naar Nieuw-Zeeland, waar Mary was opgegroeid. Ze had al haar banden daar verbroken. Het huis verkocht en haar artsenpraktijk gesloten. Ze had iedereen die ernaar vroeg verteld dat ze terugging naar Ierland. Meer had ze niet gezegd.

Op de luchthaven van Brisbane had ze een auto gehuurd, waarmee ze naar het noorden was gereden, eerst naar Sunshine Beach en toen naar Noosa, waar ze in een klein hotelletje aan het strand had gelogeerd. Net lang genoeg om zich een beetje te kunnen oriënteren. Vervolgens had ze een huis gekocht in de buurt van het kleine plaatsje Eumundi. Een laag houten huis met aan drie kanten een brede veranda en twee hectaren land eromheen, zodat er vanaf de weg niets van te zien was. En daar was ze gebleven. En had ze de dagen afgeteld. Totdat ze zeker wist dat Jimmy dood was.

Ze liep weer naar binnen. Dit huis, waar zij was opgegroeid, stond al een jaar leeg. Er waren wel huurders geweest, maar toen die verhuisden had zij het niet opnieuw verhuurd. Dus toen ze had besloten om terug te gaan, was het heel gemakkelijk geweest om vanaf het vliegveld een taxi te nemen en regelrecht naar Monkstown, naar Brighton Vale, te rijden, het hek open te doen, het pad op te lopen, de zes treden naar de voordeur te beklimmen, haar sleutel in het slot te steken en hem om te draaien.

Er was niet veel veranderd. Haar huurders waren blij geweest met zo'n mooi huis in zo'n mooi plaatsje voor zo'n bescheiden huur. Ze hadden het niet erg gevonden dat het een beetje kaal en verwaarloosd was. Ze hadden het wel eens over hun verhuurster.

'Dat arme mens... Kun je je voorstellen dat je op zo'n manier je enig kind verliest?'

'Zeg dat wel. Ik zou het niet kunnen verdragen. Het is al erg genoeg als je kind sterft, maar dat het wordt vermoord! Je moet er gewoonweg niet aan dénken.'

'En dan die rechtszaak. De politie valt heel wat te verwijten. Hoe is die kerel eronderuit gekomen?'

'Het had iets te maken met de tijd dat ze hem hebben vastgehouden voor ondervraging. Ik heb nooit geweten dat daar zulke strenge regels voor waren. Maar op de een of andere manier klopt dat toch niet.'

'Kwestie van burgerrechten. Ik neem aan dat je wel wat waarborgen moet inbouwen. Onschuldig tot het tegendeel is bewezen.'

'Ja, nou, misschien, maar het klonk wel alsof hij het had gedaan. Of niet soms?'

En een paar jaar later hadden ze het op het nieuws gehoord.

'Wauw, ongelooflijk. Weten ze zeker dat hij het is?'

'Kennelijk. Het schijnt dat zijn lichaam jarenlang opgesloten heeft gelegen in die schuur.'

'Maar hoe is hij gestorven? Is hij vermoord?'

'Verhongerd, vermoedt de patholoog.'

'Maar wie – wie zou zoiets doen? En hoe?'

Waarom, hoe en wie? De voor de hand liggende vragen.

De laatste keer dat Margaret Mary levend had gezien, was in dit huis geweest. Die warme zomeravond tien jaar geleden. Het was zaterdag. Een vakantiedag in augustus. Ze had in de tuin de krant zitten lezen. Ze had net naar binnen willen gaan om iets te eten te maken voor haar moeder. Ze had gevraagd of Mary nog even bleef om haar te helpen.

'Godallemachtig, dat is toch niet zoveel gevraagd? Je weet hoe moeilijk het is om haar op te tillen.' Ze was boos en geïrriteerd geweest.

'Ze wil niet dat ik haar help, mam, dat weet je toch. Ze vindt het niet prettig als ik haar in bed zie. Ze wil niet eens dat jij haar zo ziet. Volgens mij kun je beter een fulltime verpleegster voor haar zoeken, of nog beter, waarom probeer je haar niet in het ziekenhuis te laten opnemen? Of wat dacht je van een verpleeghuis voor terminale patiënten? Die hebben ze hier toch ook wel?' Mary stond al in haar tas te rommelen om te zien of ze alles had, haar sleutels, haar portefeuille, haar make-up. Ze liep het huis alweer binnen.

'Dat is niet wat ik wil. Dat weet je. Daarom zijn we teruggekomen. Omdat ze mijn moeder is en omdat ze stervende is, en omdat het mijn verantwoordelijkheid is om voor haar te zorgen.' Ze sprak met stemverheffing.

'Ja, ja, dat zeg je aldoor.' In de deuropening bleef Mary even staan en draaide zich naar haar om. 'Waarom ben je niet gewoon eerlijk? Je houdt niet eens van haar, en volgens mij is ze ook niet erg dol op jou. Waarom zet je er dan geen punt achter? Zorg dat ze wordt opgenomen, dan kunnen wij naar huis. Of nog beter, naar Parijs of Rome of misschien zelfs naar Berlijn. Dublin hangt me de keel uit. Ik heb wat meer opwinding nodig in mijn leven. Maar goed,' ze verdween uit het zicht in de duisternis van het huis, 'ik ga ervandoor. Je hoeft niet op te blijven.'

'Mary,' Margaret was opgestaan en liep achter haar aan, 'ga

nu niet zo weg. Wacht even. Bel even als je niet thuiskomt. Hoor je me? Bel me.' Maar terwijl ze nog aan het praten was hoorde ze de voordeur al dichtslaan.

Ze hoorde hem nu opnieuw dichtslaan toen ze de tuindeur opende en er een tochtvlaag door het huis waaide. Ze dacht dat ze hem had dichtgedaan, maar het slot zat los en schoot af en toe weer open. Nog een karweitje om te klaren, dacht ze, terwijl ze de zon in liep. Het gras moest gemaaid, de bloembedden gewied en de heggen gesnoeid. De tuin was een puinhoop. Haar vader zou zich wild zijn geschrokken als hij dit had gezien. Morgen zou ze zich erom bekommeren. Morgen zou ze zich om alles bekommeren. Vandaag was ze veel te moe. Op het terras van flagstones stond een opengeklapte houten ligstoel met een zeildoek zitting. Ze ging erin zitten en leunde achterover. Haar vingers tastten onder de stoel en vonden een glas wijn. Ze bracht het naar haar mond en dronk. Ze dronk het glas leeg en zette het voorzichtig terug op de stenen. Toen deed ze haar ogen dicht. Haar hoofd zakte opzij en haar ademhaling vertraagde tot die nog maar nauwelijks hoorbaar was. Morgen was er tijd genoeg om te doen wat moest gebeuren. Of misschien de volgende dag, of de volgende, of de volgende. De maand juli was nog maar net begonnen. Nog bijna een hele maand te gaan voor de verjaardag van Mary's dood. Zoveel om over na te denken. Zoveel herinneringen. Maar nu was er de vertroosting van de slaap.

3

McLoughlin schrok wakker. Hij schoot met bonzend hart overeind en zijn mond vulde zich met speeksel. Jezus, wat voelde hij zich beroerd. Hij stond langzaam op en wankelde toen zijn gewicht naar voren kwam vanaf het bed. Hij stak zijn hand uit en greep zich vast aan de rand van de ladekast en zag zijn gezicht in de spiegel die erbovenop stond. Dat zag er niet best uit. Hij stapte over zijn kleren heen, die over de grond verspreid lagen, en pakte zijn ochtendjas van de achterkant van de deur. Het licht dat in de gang naar binnen scheen deed pijn aan zijn ogen en liet zijn hoofd bonken. Hij strompelde de keuken in en trok de koelkast open. Wat hij nodig had was jus d'orange met ijs, gevolgd door pijnstillers en een groot glas water. Hij schoof de glazen deuren open en liep het terras op, waarna hij zich op het bankje liet zakken en gulzig begon te drinken. Alweer een prachtige dag. Niet dat het hem veel kon schelen. Hij ging toch nergens naartoe, behalve dan terug naar bed. De geneugten van de pensioengerechtigde leeftijd. Niemand om verantwoording aan af te leggen.

Hij deed zijn ogen dicht. Het was een fijne avond geweest. Hij had natuurlijk veel te veel gedronken, maar dat hadden de anderen ook. Hij dacht niet dat hij al te veel indiscreties had begaan. Hij was in de verleiding gekomen de assistent-commissaris, die mee was gekomen om de honneurs waar te nemen, te vertellen wat een klootzak hij hem eigenlijk vond. Maar hij had zich verbeten en geglimlacht en zijn mond gehouden. Hij had de cheque en het cadeau, in de vorm van een kristallen Waterford-karaf met zes glazen, in ontvangst genomen, waarna hij was opgestaan en alle aanwezigen had bedankt voor hun aanwezigheid.

Hij had een paar grappige anekdotes verteld van lang geleden, en had er zelfs aan gedacht de namen van de mannen te vermelden met wie hij sinds Templemore bevriend was gebleven. Hij voelde dat er een bepaalde verwachting in de lucht hing. Wat zou hij over Finney zeggen? Finney, die de detentie van Jimmy Fitzsimons had verkloot, Finney, die de reden was waarom Fitzsimons onder zijn straf uit was gekomen. En Finney, die er op de een of andere manier, door middel van een ongelooflijke konten hielenlikkerij, in was geslaagd in vliegende vaart promotie te maken, McLoughlin, zijn oude baas, ver achter zich latend, en nu op de nominatie stond om binnen een jaar hoofdcommissaris te worden.

McLoughlin had zich afgevraagd of hij zijn gezicht zou laten zien. Dat zou net iets voor die klootzak zijn geweest. Hij was niet de enige die hem verwachtte. Hij had de blikken op sommige gezichten wel gezien en flarden opgevangen van de gefluisterde gesprekken. Het zou iets geweest zijn waar nog jarenlang over gesproken zou worden. Finney en McLoughlin, de jonge troonpretendent en de oude rot in het vak, die voor het allerlaatst tegenover elkaar stonden. Maar uiteindelijk was Finney niet komen opdagen. En dat was maar beter ook. Niet alleen had McLoughlin de energie niet om de strijd aan te gaan. Er was ook nog het feit van het lichaam dat een paar jaar terug in het huis in Ballyknockan was gevonden. Finney had de leiding gekregen over het onderzoek. Hij was er niet ver mee gekomen. Een lijkschouwing had aangetoond dat het om een jonge man ging, met een lengte van plusminus één meter tachtig. Doodsoorzaak was uitdroging en verhongering. Een vergelijking met de lijst van vermiste personen bracht geen overeenkomsten met de gebitsgegevens aan het licht. Er werd een monster genomen van het stoffelijk overschot voor een DNA-test. Maar het ging allemaal zó langzaam dat Finney ongeduldig was geworden. Hij vond een forensisch archeoloog. Zij gebruikte de botten van het gezicht en het hoofd om er eerst een model van te maken en aan de hand daarvan een gecomputeriseerd beeld. McLoughlin herinnerde zich de consternatie op kantoor toen de e-mail binnenkwam.

'Jezus, moet je dit zien. Ik geloof mijn ogen niet. Hé, waar is McLoughlin? Dit moet hij zien.'

McLoughlin had al op iets dergelijks zitten wachten sinds hij die koude, donkere avond het hangslot had dichtgeklapt en was weggelopen van de schuurdeur. Vroeg of laat zou die deur weer opengaan en zou Jimmy worden gevonden.

Nu zat hij naast Finney en staarde naar het beeldscherm. 'Wat wil je dat ik doe? Met zijn moeder gaan praten?' Hij probeerde behulpzaam te klinken.

Finney stond op. 'Niks. Helemaal niks. Mijn mensen werken eraan. Ik wilde alleen een bevestiging van je dat het lichaam dat van Jimmy Fitzsimons is.'

'Oké.' McLoughlins stem klonk neutraal. 'Ja, voor zover ik kan zien, aan de hand van de reconstructie door professor Williams, gaat het hier om Jimmy Fitzsimons. Wil je het zwart op wit?'

McLoughlin dronk zijn glas jus d'orange leeg. Hij stond op en liep terug naar de keuken. In de kast stond een grote fles San Pellegrino. Hij draaide de metalen dop eraf. Luchtbelletjes schoten omhoog, de vrijheid tegemoet. Hij vulde zijn glas, voegde er een handvol ijs en een kneepje citroen aan toe, en zette de fles toen in de koelkast. Hij liep naar buiten en ging weer zitten. De zee was prachtig vandaag. Zodra zijn kater een beetje wegtrok, zou hij de heuvel af wandelen, naar de jachtclub om te kijken of er wat te zeilen viel. Ze zaten midden in het wedstrijdseizoen. Er was vast wel ergens een plekje voor hem.

En toen herinnerde hij zich opeens iets. Er was iets wat hij had gezegd dat hij zou doen. Wat was het ook weer? O, shit, het kwam allemaal terug. Waarom had hij zich over laten halen iemand een plezier te doen? Het moest de drank zijn geweest. Dat verrukkelijke gevoel van ongekend geluk dat hem na het derde glas overviel. 'Maar natuurlijk, zeg het maar, ik doe het voor je. Natuurlijk doe ik het, maak je maar geen zorgen. Laat dat maar aan mij over.' Op het moment zelf meende hij het altijd. Pas achteraf realiseerde hij zich dat hij zich weer eens in de nesten had gewerkt. Hij pijnigde zijn hersenen om het zich te herinneren. In wat voor nesten zat hij nu weer? Hij stond op en rekte zich uit. Voordat hij erover kon gaan piekeren, kon hij maar beter weer naar bed gaan.

Maar toen hij ging liggen en net zijn bonkende hoofd op het kussen had gelegd, begon zijn mobieltje te piepen. Twee keer. Hij pakte het op en opende zijn berichten. Het waren er twee. Allebei van Tony Heffernan. Natuurlijk. Nu herinnerde hij het zich weer. 'Je zou haar er een enorm plezier mee doen.' Heffernan had hem in een hoek gedreven. 'Ze is er kapot van. Ze is er echt heel erg slecht aan toe. Nu jij officieel met pensioen bent, zou jij het voor haar kunnen doen. Gewoon wat inlichtingen inwinnen. Niks bijzonders. Je weet toch wie zij is?' Heffernan was wat dichterbij komen staan en stond nagenoeg in zijn oor te fluisteren. 'Nee, ik weet niet wie ze is. Hoe zei je dat ze heette?' Het werd steeds rumoeriger in de bar. Het was de drukte na het eten. Ze begonnen allemaal een beetje los te komen. Meer dan genoeg wijn bij het eten. Een paar cognacjes en nu nog wat biertjes voordat de vrouwen hen mee naar huis sleepten. 'Sally Spencer. Ze is getrouwd geweest met James de Paor. Die herinner je je wel. De jurist.' 'De Paor, die advocaat? Natuurlijk herinner ik me die. Ik heb een paar keer met hem te maken gehad. Hij was een woesteling. Hoe ken je haar?' McLoughlins interesse was gewekt. 'Janet, mijn vrouw – mijn tweede vrouw.' Heffernan grijnsde van plezier toen hij haar naam noemde. 'Zij heeft bij haar op school gezeten. Op zo'n protestantse kostschool. Schooluniformen en hockey. Hoe dan ook, Sally heeft een moeilijke tijd gehad. Haar eerste man is al op jonge leeftijd aan kanker overleden en liet haar achter met twee kleine kinderen en geen geld. Toen is ze een klein winkeltje begonnen waarin ze allerlei snuisterijtjes verkocht, je kent dat wel. Om te zorgen dat er brood op de plank kwam. Toen ontmoette ze De Paor. Hij was net gescheiden. Geen echte scheiding natuurlijk, maar een van die Engelse, net niet helemaal legale scheidingen. Hoe dan ook, ze konden het geweldig goed met elkaar vinden en binnen de kortste keren zat ze met hem in Londen en waren ze getrouwd. Iedereen, al haar oude vrienden en ook haar familie, was heel erg verrast.'

'Ik ben ook verrast. Je zei toch dat zij protestant is? En dan trouwt ze met De Paor, de vriend en beschermer van elk voortvluchtig IRA-lid?'

'Ja, het was een hele schok. Maar goed, om een lang verhaal kort te maken, je weet dat De Paor een jaar of twintig geleden is gestorven? Verdronken in het meer waaraan hij dat prachtige huis had. In Wicklow.'

McLoughlin knikte. 'Is dat wat er is gebeurd? Ik kan het me half en half herinneren.'

'Ja, het was een ongeluk met een boot. Hoe dan ook, die arme Sally, want nu is haar dochter, Marina, daar ook verdronken, een paar weken geleden. Voor zover ik weet heeft Johnny Harris de autopsie verricht en hij beweert dat het zelfmoord was. Ze heeft ook een briefje achtergelaten. Maar Sally is ervan overtuigd dat het geen zelfmoord was. Dus vroeg ik me af...' Heffernans stem stierf weg.

'Wat vroeg je je af?'

'Of jij een keertje bij haar langs wilt gaan, Michael. Ze is een schat van een vrouw. Je mag haar vast. Ze is er helemaal kapot van. Janet heeft pas nog met haar geluncht. Ze zegt dat Sally niet kan geloven dat het zelfmoord was. Volgens haar was haar dochter daar het type niet voor.'

'Kom nou, Tony. Dat zeggen ze allemaal.' McLoughlin verplaatste zijn gewicht naar zijn hielen. 'Niemand kan zich voorstellen dat zijn zoon of dochter suïcidaal is.'

'Dat weet jij. Dat weet ik. Maar Sally weet dat niet. Wil je dit alsjeblieft voor me doen? Ik kan me er niet mee bemoeien. Niet officieel althans. Ga bij haar langs, maak een babbeltje met haar. Toon wat belangstelling. Meer is er misschien niet eens voor nodig. Dat iemand gewoon een keer aardig voor haar is.'

Aardig, allemachtig. McLoughlin dronk zijn glas leeg en gaf de barkeeper een seintje nog eens in te schenken. Zover was het dus al gekomen. Dat hij aardig moest zijn. Een schouder om op uit te huilen, een vriendelijk gezicht, een schenker van mededogen. Niks meer en niks minder. En toen, net toen hij op het punt stond zich over te geven aan een diepe, alcoholische somberheid, was zijn oude vriend Johnny Harris, die zijn pathologenschort had omgewisseld voor een ruitjespak dat nog van zijn vader moest zijn geweest, opgesprongen en had een begeesterde uitvoering ten beste gegeven van 'What Shall We Do With The Drunken Sailor', compleet met geïmproviseerde coupletten, die hier en daar wat wenkbrauwen deden fronsen maar McLoughlin juist opvrolijkten. Daarna werd het allemaal een beetje wazig. Maar nu had hij dit sms'je dat zijn status bevestigde als aardige vent, zo'n vent die alles voor je overheeft, gewoon een hele goeie vent.

BEDANKT VOOR DE GEWELDIGE AVOND.
SALLY BELT JE LATER VANDAAG.
TOT BINNENKORT.

Hij zette het geluid van zijn mobieltje uit en liet het op de grond vallen. Hij draaide zich op zijn zij. Als dat mens belde verzon hij wel een excuus. Het laatste waaraan hij op dit moment behoefte had was weer zo'n treurende moeder. Daar kreeg je alleen maar problemen mee. Dat was een ding dat zeker was.

4

Margaret kon niet slapen. Misschien kwam het doordat de nachten zo licht waren. Het leek wel alsof de hemel nooit helemaal donker werd. Hij verloor langzaam maar zeker aan kleur, zodat hij niet langer helderblauw was, maar flets en grauw, tot vlak voor zonsopgang, wanneer hij zacht duifgrijs werd. Maar misschien had het ook niets te maken met de kleur van de hemel. Misschien kwam het doordat ze geen moment wilde verliezen van haar tijd hier, in dit huis, waar zoveel herinneringen lagen.

Ze had een bed opgemaakt in de kleine kamer met uitzicht op de tuin waar ze als kind had geslapen en waar Mary die laatste zes weken voor haar dood had geslapen. In de kast onder de trap had ze een paar plastic zakken gevonden met lakens en kussenslopen, dekbedden en dekens. Ze waren schoon, hoewel de plooien waarin ze waren opgevouwen nog steeds naar mottenballen roken. Het linnengoed was van een uitstekende kwaliteit. Het ging op z'n minst een leven lang mee, had haar moeder vaak gezegd, wanneer zij aan de synthetische stoffen snuffelde die tegenwoordig in de winkels lagen, die niet gestreken hoefden te worden en gemakkelijk waren in onderhoud. Natuurlijk had ze gelijk. Margaret had haar strenge houding ten opzichte van natuurlijke materialen geërfd. Mary had haar uitgelachen. Maar toen ze een keer terugkwam van een logeerpartij bij vriendinnen, had ze moeten toegeven dat de lakens raar aanvoelden.

'Ze voelen viezig aan op je huid, mam, vind je ook niet? En ze ruiken niet zo lekker als onze lakens.'

Ze had Mary in een van haar moeders lakens willen wikkelen voordat ze in haar kist werd gelegd. Ze had haar er strak in willen wikkelen, zoals ze dat verpleegsters met doden had zien doen. Het had altijd zo menselijk en waardig geleken, het frisse, witte katoen, strak om het lichaam gewikkeld, teneinde het intact te houden en te garanderen dat er niets meer mee kon gebeuren. Maar de begrafenisondernemer had zijn zin gekregen en Mary had haar roze lievelingsjurk aan gekregen. Alsof het ook maar iets uitmaakte. Niets kon verhullen wat haar voor haar dood was aangedaan. Het afgeschoren haar. De blauwe plekken bij haar ogen en haar mond. De striemen op haar hals. En onder haar jurk de brandwonden, de littekens waar hij met het scherpe lemmet van een stanleymes in haar borsten en buik had gesneden. En de inwendige verwondingen die hij haar had toegebracht.

Ze had gedacht dat die beelden met het verstrijken van de tijd zouden vervagen. Maar dat was niet gebeurd. Soms waren ze er opeens wanneer ze 's avonds haar ogen sloot, net zo vers en ruw als de eerste keer dat ze ze had gezien. En ze waren nog erger nu ze hier in dit smalle bed lag, met haar hoofd op haar oude kussen. Dit was ook het bed waarin Mary was verwekt. Dat weekend, al die jaren geleden, toen Margarets ouders uit waren gegaan en Patrick Holland een avondje bij haar langs was gekomen. Ze had voor hem gekookt, en na het eten hadden ze, alsof ze al jaren getrouwd waren, aan weerszijden van de haard zitten drinken en praten. Toen de vlammen waren gedoofd waren ze naar boven gegaan, naar haar kamer, en onder het dekbed gekropen, waar ze hadden liggen praten totdat het tijd voor hem was om naar huis te gaan, naar zijn vrouw.

Ze had hem niet gevraagd om te blijven. Hij was uit bed gestapt om zich aan te kleden. Opeens was hij opgehouden en had op haar neergekeken, waarna hij haastig de sprei had weggetrokken en bij haar was komen liggen, naar haar lichaam grijpend alsof hij haar nooit meer aan zou raken. Na afloop had ze zo vast geslapen dat het al middag was voordat ze wakker werd.

Nu stond ze op. Het had geen zin om naar het plafond te blijven liggen staren, met al die herinneringen die om aandacht vochten. Ze liep naar beneden, naar de keuken. Ze vulde de ketel. Toen ging ze aan de tafel zitten. Haar laptop stond open, het beeldscherm zwart. Ze drukte op de toetsen en wachtte op het verwelkomende gebrom. Haar handen vormden zich in hun vertrouwde stand toen ze inlogde, haar wachtwoord invoerde en wachtte tot haar e-mails het scherm verlichtten. Goed nieuws uit Australië. De makelaar, Damien Baxter, had een bod op haar huis gekregen. En er was nog een geïnteresseerde koper. Hij zou het haar laten weten wanneer ze hun limiet hadden bereikt, maar voorlopig hield hij nog even alle mogelijkheden open. Ze had het huis van zijn vader, Don, gekocht toen ze negen jaar geleden in Noosa was aangekomen. Hij was een aardige man geweest, beleefd en attent, en zijn zoon had zijn vaders kalme, bescheiden deskundigheid geërfd. Ze had niet veel geld te spenderen. Het was een heel slecht moment geweest om haar woning in Nieuw-Zeeland te verkopen. Maar ze had haar spaargeld. Een gevoel voor zuinigheid dat ze van haar vader had. Een appeltje voor de dorst dat ze in de loop der jaren opzij had gelegd. En Don had het huis voor haar gevonden en er een goede prijs voor weten te bedingen. Het was vervallen en slecht onderhouden, maar hij had haar zijn neef, Jeff, aanbevolen, die aannemer was, en samen hadden zij het opgeknapt. Witte muren en vloeren van inheems hout. Een grote, open keuken met eetkamer. Haar eigen kleine slaapkamer met badkamer. En vier kamers om te verhuren. Logies en ontbijt voor passerende rugzaktoeristen, natuurliefhebbers die een tijdje in het regenwoud van Queensland wilden doorbrengen. Het huis zat altijd vol. Vooral door mond-tot-mondreclame. Haar naam en adres, allengs van de ene persoon aan de andere doorgegeven.

'Mooi huis. Heel schoon. Eenvoudig, maar gezellig. Heerlijk eten. Bij het ontbijt mag je zoveel eten als je op kunt. Roereieren om een moord voor te doen. Goede koffie en thee. En ze bakt haar eigen brood en muffins en scones. Voor onderweg krijg je een lunch van haar mee waaraan je twee dagen genoeg hebt.'

En een tijdlang was het goed gegaan. Ze was tevreden geweest. Maar soms kwam er een gezicht voorbij dat herinneringen naar boven bracht. En dan begon ze weer te piekeren. Ze begon online de Ierse kranten te lezen. Niet dat ze dat wilde. Ze wilde zoveel mogelijk afstand bewaren. Ver, ver weg van alles wat met thuis te maken had. Maar ze werd ertoe aangetrokken. Het ging tegenwoordig allemaal zo gemakkelijk met het internet. Zo ogenblikkelijk. En toen was hij daar op een dag geweest. Vijf jaar geleden. Een foto van het huis in Ballyknockan. Er was een lichaam gevonden. Identiteit onbekend. En toen langzaam, beetje bij beetje, onvermijdelijk. Steeds meer informatie. Naam en leeftijd. En vervolgens de rest. De moord op het meisje. De verdachte. Daarna de rechtszaak. De schok van het plotselinge einde. Een wazig fotootje van Mary, van haar studentenkaart. Haar eigen gezicht, op een foto die was genomen tijdens de begrafenis, met een verdriet zo overweldigend dat ze zichzelf nauwelijks herkende. Een politieonderzoek. Onder leiding van inspecteur Finney. Finney nota bene. Finney, wiens incompetentie haar had gegeven wat ze wilde. De kans om persoonlijk wraak te nemen op de man die haar leven had verwoest.

Ze controleerde dagelijks de websites, maar het onderzoek naar de dood van Jimmy Fitzsimons was al snel van de pagina's verdwenen. Zes maanden na de vondst van zijn lichaam verklaarden enkele alinea's dat 'bronnen bij de politie' hadden toegegeven dat er geen enkele vooruitgang was geboekt bij het onderzoek naar de vraag wat er met hem was gebeurd. De zaak zou vanzelfsprekend open blijven, in afwachting van verdere informatie.

Toen, een paar maanden later:

De bekende advocaat en rechtskundig adviseur Patrick Holland is overleden. De heer Holland overleed tijdens een vakantie in Marbella. Hij verloor gisteren omstreeks twee uur 's middags tijdens het zwemmen het bewustzijn. Hij is overgebracht naar het ziekenhuis, maar bleek bij aankomst te zijn overleden. Een autopsie zal de doodsoorzaak moeten aantonen, maar waarschijnlijk is hij overleden aan een hartaanval. Hij laat een echtgenote, Crea, en drie kinderen, Daniel, Alice en Patrick, achter.

Waarom had zij niet geweten dat Patrick dood was? Waarom was haar hart blijven kloppen toen het zijne was gestopt? Ze keek nog een keer naar de datum – wat had zij die dag gedaan? – en rekende het tijdverschil uit. Patrick was op 14 juni om twee uur 's middags gestorven in het zwembad van zijn villa even buiten Marbella. Er was een tijdverschil van acht uur. In Eumundi was het op dat moment tien uur 's avonds geweest. Zomer in Spanje. Winter in Australië. Fris, maar nog steeds zonnig. Ze zocht de bewuste dag op in haar agenda. Al haar kamers zaten vol. Die avond was er een Engels echtpaar aangekomen. Ze had voor hen gekookt en hun een paar flessen wijn verkocht om bij de maaltijd te drinken. De andere gasten, een jongen uit Sydney, twee Duitse meisjes en een Amerikaanse zoöloog, waren in Noosa gaan eten. Ze waren tegen middernacht teruggekomen. Zij had nog een tijdje bij hen gezeten en een wijntje gedronken. De Amerikaan was nieuwsgierig naar haar. Ze had al zijn vragen afgewimpeld. Hij was aantrekkelijk op zo'n typisch Amerikaans-intellectuele manier. Het zou heel gemakkelijk zijn geweest. De volgende dag zou hij vertrekken. Geen verplichtingen, alleen de troost van een warm lichaam om haar door de nacht te helpen.

Ze had haar glas leeggedronken en was opgestaan. Hij maakte aanstalten om haar te volgen, maar zij had snel haar hoofd geschud, glimlachend welterusten gezegd en de kamer verlaten. Het zou een vergissing zijn geweest. En wat was er met Patrick gebeurd nadat zij naar haar kamer was gegaan? Tegen die tijd lag hij in de ambulance, was het ambulancepersoneel met hem bezig, hield zijn hart ermee op, was de hartspier al aan het afsterven, hielden zijn organen ermee op en verschrompelden zijn hersencellen door zuurstofgebrek. Ze wist het niet meer. Waarschijnlijk was ze naar de badkamer gegaan, had ze haar tanden gepoetst en haar gezicht gewassen en had ze haar pyjama aangetrokken. Een boek gepakt om te lezen en het weer weggelegd. Het leeslampje uitgeknipt. Eerst op haar ene zij gaan liggen, toen op de andere en daarna liggen woelen en draaien. Ergens tussen twee uur en half drie in slaap gevallen. Geslapen tot de vogels haar om zes uur hadden gewekt. Het vertrouwde gelach van de kookaburra, de zwartkopzwiepfluiters, het mannetje en het vrouwtje die elkaar toeriepen. Tijd om op te staan en het brood te bakken waarom ze bekendstond. Het ontbijt klaarmaken. De Amerikaan moest die ochtend een vliegtuig halen in Brisbane. Ze had voor acht uur een taxi besteld. Waarschijnlijk had ze gebeld om de rit te bevestigen. Daarna had ze vermoedelijk de reserveringen voor die dag doorgenomen. Een boodschappenlijstje gemaakt voor haar wekelijkse gang naar de supermarkt. Terwijl Patricks lichaam in het mortuarium van een ziekenhuis in Málaga lag. Al begon te verstijven door de rigor mortis. Al begon te vergaan.

Ze had het overlijdensbericht uit de krant uitgeprint. Er stond dat hij drie kinderen achterliet. Nou, dat klopte. Ooit had hij er vier gehad. Nu waren het er nog drie. Hij had gewild dat ze een abortus onderging. Hij had haar het geld gegeven. Zij was naar Engeland gegaan. En toen Mary een jaar oud was, naar Nieuw-Zeeland. Zo ver mogelijk bij hem vandaan. Ze was bij hem uit de buurt gebleven. Maar hij had haar wel geholpen, later, toen ze hem werkelijk nodig had. Hij was met haar meegegaan naar Ballyknockan. Hij had Jimmy Fitzsimons met een klap op zijn hoofd bewusteloos geslagen. Hij had haar geholpen hem naar de schuur te slepen en hem vast te ketenen. Hij was samen met haar weggelopen, in de wetenschap wat er zou gebeuren. Dat had hij allemaal voor haar en voor Mary gedaan. Op een dag, had zij gedacht, op een dag komt hij me opzoeken en zullen we samen zijn. Zoals het had moeten zijn.

Maar die dag zou nu nooit meer komen. En nu hij dood was hoefde ze hem ook niet langer te beschermen. Ze zette haar laptop uit. Ze schonk kokend water in de theepot, deed de achterdeur open en liep de tuin in. De hemel was helderblauw. Ze rilde, doodmoe opeens. Ze liep de keuken weer in, schonk thee in een beker, deed er wat melk bij en ging naar boven. Nu kon ze slapen. Nu het ochtend was en de tijd voor geesten voorbij was. Ze zou slapen tot de zon hoog aan de hemel stond. En ze haar verleden opnieuw onder ogen kon zien.

5

Lake House stond in de Wicklowbergen, amper vijftien kilometer buiten de stad, maar een totaal andere wereld. Het dak was net zichtbaar vanaf de grote weg door Sally Gap. Even verderop lag Lough Dubh, waar Marina Spencer was overleden. In de zomer was het een zilveren lint tussen de met heide begroeide heuvels, in de winter een gitzwart, glinsterend vlak. McLoughlin keek naar de rij foto's die aan de muur hing. Naast hem stond Sally Spencer.

'Je hebt geen idee hoe schitterend het er is. Zo ontzettend mooi.' Ze stak haar hand uit om met haar vingertop heel even de dichtstbijzijnde foto aan te raken en ging toen weer op de bank zitten. Ze nodigde McLoughlin uit de stoel naast de open haard te nemen.

'Het landgoed is al sinds jaar en dag in James' familie. Hij was er zo trots op. Ik weet nog dat hij, toen ik hem pas kende, niet kon wachten om me er mee naartoe te nemen. We gingen elk weekend. Al voordat we getrouwd waren. Zomer en winter. Zelfs toen Sally Gap was ingesneeuwd, want hij had een Land Rover met speciale banden en dan namen we voorraden mee alsof we naar de noordpool gingen. Ik nam Marina en Tom dan mee en hij zijn zoon Dominic. En dan was het zo gezellig.' Sally's ogen vulden zich met tranen. 'Ik herinner me een nieuwjaarsdag dat het zo erg gesneeuwd had dat we zelfs met die speciale banden niet meer weg konden komen. Toen hebben we met z'n allen in één kamer geslapen en hebben de hele nacht het vuur laten branden. Zo leuk.'

McLoughlin zei niets. Hij nam een slokje van de thee die zij op het tafeltje naast hem had neergezet.

'Maar toen we eenmaal getrouwd waren, werd alles anders. Dominic wilde niets met mij te maken hebben. En ook niet met mijn kinderen. Tot op dat moment hadden ze best goed met elkaar overweg gekund, op de gebruikelijke akkefietjes na, maar na de trouwerij kwam daar verandering in. Vooral met Marina. Hij zat voortdurend op haar af te geven. Haar te sarren. Te pesten. Je kent dat toch wel?

McLoughlin knikte. Hij kende dat wel.

'Ik heb me wel afgevraagd of hij zich misschien tot haar aangetrokken voelde. Maar volgens mij was dat het toch niet. Ik denk dat hij jaloers was, rancuneus. Ik vermoed dat hij altijd een vermoeden heeft gehad dat ik verantwoordelijk was voor de scheiding van zijn ouders. Maar dat was onzin. Dat was allemaal al gebeurd voordat ik James leerde kennen. Ze waren uit elkaar gegroeid. Waren niet meer...' ze zweeg even en wendde haar blik af '... niet meer intiem. James wilde scheiden. Zijn vrouw, Dominics moeder, stemde daarmee in. En ze leken samen alles aardig voor elkaar te hebben. Ze hadden de gedeelde voogdij over Dominic, en ik weet dat hij met allebei zijn ouders een goede band had. Ik dacht dat het op den duur vanzelf wel goed zou komen tussen hem en mij, maar... ik weet het niet. Ergens is er iets heel erg misgegaan en dat is nooit meer goed gekomen.'

De tranen rolden nu uit haar ogen.

'Hoe oud was hij?' McLoughlin schoof onrustig heen en weer op zijn stoel. Hij voelde zich hier niet prettig bij.

'Zeventien. Ouder dan mijn eigen kinderen. Heel erg volwassen. Welbespraakt, aantrekkelijk, wereldwijs. Achteraf denk ik dat ik niet voldoende heb stilgestaan bij de hechte band tussen hem en zijn moeder. Hoeveel invloed zij op hem had. En hij was erg bezitterig wat betreft Lake House en het landgoed. Waarschijnlijk dacht hij dat ik op het geld van zijn vader uit was.' Ze glimlachte en haalde een papieren zakdoekje uit haar zak. 'Hij moest eens weten. Dat kon me allemaal niets schelen. Achteraf gezien spijt het me eigenlijk dat James en ik de moeite hebben genomen om te trouwen. Het heeft alleen maar voor problemen gezorgd. Maar goed, daar kunnen we nu niets meer aan veranderen.'

Het was heel stil in Sally's kleine huisje. Het stond een beetje verscholen in Trafalgar Lane, waar zich ooit de stallen hadden bevonden achter Trafalgar Terrace, een rij victoriaanse herenhuizen die uitkeken op Dublin Bay in het noorden. Het was een mooi huis, zonnig en fris, hoewel hier en daar sporen van achterstallig onderhoud zichtbaar waren. De zon die door de ramen scheen verraadde hoe lang het geleden was dat ze waren gezeemd, en de glans van het meubilair ging verscholen onder een laagje stof. Sally zelf maakte ook een vermoeide, onverzorgde indruk. Ze was klein en heel erg mager. Haar gezicht zag grauw van vermoeidheid en haar ogen waren roodomrand. Haar blonde haar zat in een slordige paardenstaart. Ze leunde naar voren en aaide de ruwe vacht van het hondje dat aan haar voeten lag te slapen.

'Sorry, sorry. Het lijkt wel alsof ik de laatste tijd niets anders doe dan huilen. Ik probeer wel sterk te zijn, maar...' Ze haalde haar schouders op en probeerde te glimlachen. 'Ik kan nog steeds niet geloven dat het echt is gebeurd. Toen James overleed, dacht ik dat zoiets ergs me nooit meer kon overkomen. Op de een of andere belachelijke manier dacht ik dat ik mijn portie dood en tragedie ruimschoots had gehad. Dat ik er voor altijd immuun voor zou zijn. En nu dit.'

Ze stond op en liep naar de schoorsteenmantel. Ze pakte een foto in een zilveren lijstje, draaide zich om en liet hem aan McLoughlin zien. 'Dit is mijn Marina. Ze was zo'n schat. Altijd al, vanaf het moment dat ze werd geboren. Ze was een schattig kind en een mooie jonge vrouw. En het verdrietige is dat ik voor het eerst echt het gevoel had dat ze haar leven op de rit had. Hier.' Ze kuste het koude glas dat de foto bedekte en overhandigde hem toen aan McLoughlin.

Sally had gelijk. Marina was mooi. Donker haar dat uit haar gezicht was geborsteld en donkerbruine ogen. Een brede glimlach. Hoge jukbeenderen. Het soort vrouw dat je opviel.

'Hoe oud was ze?' McLoughlin gaf de foto weer terug.

Sally drukte hem beschermend tegen zich aan en ging weer zitten.

'Toen die foto is gemaakt? Of toen...'

'Toen ze overleed.'

'Ze was tweeëndertig. Maar dat gaf je haar niet. Mensen schatten haar altijd veel jonger.'

'Jouzelf vast ook. Je lijkt veel te jong om een kind van die leeftijd te hebben.'

Zij glimlachte, en even waren zijn woorden niet alleen maar vleierij. 'Ik was heel jong toen ik haar kreeg. Net achttien. Mijn man en ik waren elkaars jeugdliefde. We zijn getrouwd toen ik zes maanden zwanger was. Niet dat we dat erg vonden. We waren stapelverliefd. Ik was net van de middelbare school en Robbie studeerde. Maar hij werkte parttime en zo wisten we het net te redden.'

'En je hebt nog een kind?'

'Mijn zoon, Tom, werd twee jaar later geboren. En toen ik met James trouwde hebben we samen Vanessa nog gekregen. Zij was nog maar een baby toen James overleed.' De tranen vloeiden alweer. 'Ik had al twee kinderen grootgebracht zonder vader. Het laatste wat ik wilde was dat nog een keer te moeten doen.' Ze begon te snikken.

McLoughlin wendde zijn blik af. Wat deed hij hier in vredesnaam? Hij had mensen jarenlang slecht nieuws moeten brengen. Hij had er genoeg van. Hij keek uit het raam. Boven de hoge huizen aan weerszijden zag hij dat de hemel volmaakt lichtblauw was. Een zacht briesje ruiste door de bladeren van de oude platanen. Windkracht vier of vijf, schatte hij. Perfect zeilweertje. Hij keek om zich heen en zag de tafelklok op de boekenplank. Het was half drie. Als hij dit een beetje snel afrondde, was hij nog op tijd om zijn vriend Paul te treffen, en kon hij hem nog wat meer informatie vragen over het volgende tochtje naar Frankrijk.

'Ik weet niet of ik je hierbij wel kan helpen, Sally. Ik weet zeker dat de plaatselijke politie alles in het werk heeft gesteld om de doodsoorzaak van je dochter te achterhalen. Als zij dachten dat het zelfmoord was, tja, ik weet dat het moeilijk te accepteren is, maar misschien hadden ze toch wel gelijk.' Hij kon Tony

Hefferman wel vermoorden om het feit dat hij hem hiermee had opgezadeld. 'En ik heb van Tony begrepen dat er een briefje was?' Sally keek hem aan. Haar ogen, zag hij, waren groen gespikkeld. Net vijverwater, dacht hij. 'Je kon het nauwelijks een briefje noemen. Het was een stukje papier dat ze in haar tas hebben gevonden. Er stond iets in over vergeving. Meer niet.' Ze zweeg even en keek neer op haar handen. 'Luister. Ik kan je betalen, als dat een overweging is.' Hij schudde zijn hoofd. 'Nee, heus, het gaat mij niet om geld. Ik zie gewoon oprecht niet in wat ik voor je zou kunnen betekenen.' Hij voelde zijn wangen rood worden.

Ze stond op en liep naar een groot, mooi bureau. Toen zij opstond, rekte het hondje zich geeuwend uit, rolde zich om en viel weer in slaap. Sally trok de bovenste lade open. Met een plakboek in haar handen draaide ze zich weer naar hem om. 'Ik zou graag willen dat je dit meenam en er eens naar keek. Ik heb alles verzameld wat te maken had met de dood van mijn man, die verongelukt is. Sinds het overlijden van Marina heb ik alles verzameld wat over haar geschreven is. Ik heb veel brieven ontvangen van mensen die haar hebben gekend. Lees ze. Lees wat haar vrienden dachten. Neem nu nog geen besluit. Ik zal je uiteindelijke beslissing respecteren, hoe die ook luidt.' Ze stak hem het plakboek toe, alsof ze hem een kostbaar geschenk overhandigde. 'Marina heeft geen zelfmoord gepleegd. Misschien is het een ongeluk geweest. Misschien was ze dronken en is ze in het meer gevallen. Maar dat denk ik niet. Sinds James is verdronken, is Marina altijd doodsbang geweest voor water. Ze zat namelijk bij hem in de boot toen het gebeurde. Ik geloof niet dat ze sindsdien ooit nog in een boot is gestapt. Er is die avond iets gebeurd bij het huis. Iets waarvoor er nog geen verklaring is. Neem dit mee. Alsjeblieft.'

Het plakboek lag naast hem op de passagiersstoel toen hij even later de smalle laan uitreed naar de grote weg. De glimmende zwarte kaft leek een geheel eigen energie af te geven. Hij stak zijn hand ernaar uit en liet zijn vingers naar de zijkant glijden. Hij sloeg het boek open.

Hij stopte voor het kruispunt. Voor hem lag Dublin Bay, blauw en prachtig. Hij keek naar rechts en naar links, stak toen voorzichtig over en reed de smalle oprit op, over de spoorbrug, in de richting van de Martellotoren. Toen sloeg hij weer linksaf, de kleine doodlopende straat in waarvan de huizen uitkeken op zee. Hij was altijd dol geweest op deze huizen. Ze waren begin negentiende eeuw gebouwd voor marineofficieren. Het waren pretentieloze maar prachtig geproportioneerde woningen, met zes treden naar de voordeur en erkers aan weerszijden daarvan. Het was een tijd geleden sinds hij hier was geweest. In de maanden na Margarets vertrek had hij hier zijn wagen wel eens geparkeerd om naar de zee te turen en aan haar te denken. Nu vond hij vlak voor het huis een parkeerplekje. Hij pakte het plakboek. Het was zwaar. Hij legde het op het stuur. Dit had iets Pandora-achtigs, dacht hij. Eigenlijk wilde hij niet weten wat erin zat. Maar, net als bij de doos van Pandora wist hij dat het in elk geval niets goeds kon zijn. Deze pagina's bevatten heel Sally Spencers tragische verhaal en al haar wanhoop. En hij stond op het punt ze vrij te laten.

Hij legde het boek weer naast zich neer en stapte uit de wagen. Hij stond voor het huis en bukte zich om het hekje te openen. Het piepte en knarste luidruchtig over het hobbelige stenen pad. Hij liep over de kalkstenen flagstones. Ze waren gescheurd en gebarsten en paardebloemen en boterbloemen hadden zich er vrijelijk tussen kunnen vermenigvuldigen. Vanaf de straat was er allemaal rommel de tuin ingewaaid. Plastic tasjes, chipszakjes en chocoladewikkels hadden zich vastgezet in de struiken langs de muren. Onder aan het trapje bleef hij staan. De smeedijzeren trapleuning was aan het roesten en de verf op de deur begon af te bladderen.

Langzaam liep hij de treden op. De luiken voor de ramen op de begane grond waren gesloten. Eén van die kamers, herinnerde hij zich, was een slaapkamer. Daar had Margarets moeder de laatste maanden van haar leven gelegen en de straat in de gaten gehouden terwijl ze telkens wegzakte in haar kunstmatige slaap. De kamer aan de andere kant was een zitkamer, met een marmeren schoorsteen en mooi pleisterwerk. De vele keren dat hij hier was geweest had hij er slechts een glimp van opgevangen. Margaret had hem er nooit binnen gevraagd. Ze hadden altijd in de keuken gezeten, of buiten in de tuin. McLoughlin bukte zich en tilde de klep van de brievenbus op. Met een luid gekletter liet hij hem weer vallen. Toen tilde hij hem nogmaals op en bukte zich om naar binnen te gluren. Binnen baadde de hal in het zonlicht. Over de stoffige houten vloer vielen donkerrode, groene en gele blokken licht van het glas-in-loodraam op de overloop. In een hoek lag een hele berg reclame-drukwerk. Hij richtte zich op, hield zijn handen langs zijn gezicht en keek naar binnen door het smalle raampje naast de deur. En realiseerde zich hoe belachelijk hij eruit moest zien. Wat deed hij hier? Het was tijd om vooruit te kijken in plaats van achterom. Langzaam liep hij het trapje weer af. Hij trok het hek dicht en stapte in zijn auto. Voorzichtig keerde hij de wagen. Lastige plek om weer uit te komen. Zijn verdiende loon. Had hij hier maar niet moeten komen. Hij keek naar Sally Spencers plakboek. Later. Daar zou hij later naar kijken. En dan zou hij haar vertellen dat hij niets voor haar kon doen. Het speet hem heel erg, maar hij ging weg en wist niet wanneer hij weer terug zou zijn.

Margaret lag opgekruld op haar zij, haar ogen open. Het was doodstil in huis. Door de zware houten luiken hoorde ze de geluiden van de buitenwereld. Passerende auto's, een claxon, het geraas van de DART-trein die snelheid meerderde na zijn vertrek uit het station van Seapoint. Af en toe hoorde ze kinderstemmen, soms de stem van een volwassene die iets riep. En dan had je nog het gekrijs van de zeemeeuwen die hoog boven het huis zweefden. Maar nu klonk er een ander geluid. Het was het piepen van het hek dat over het hobbelige stenen pad werd geduwd. Ze tilde haar hoofd op en luisterde. Nu was het weer stil. Ze ging weer liggen en sloeg haar armen om zich heen. En hoorde voetstappen buiten, het gerammel van de klep van de brievenbus die werd opgetild, weer op zijn plek viel en even later opnieuw werd opgetild. Ze bleef doodstil liggen wachten op het schelle gerinkel van de deurbel. Maar het enige wat ze hoorde waren opnieuw die voetstappen, ditmaal het trapje af en terug over het pad, gevolgd door het geknars van het hek dat open- en dichtging. Ze kwam overeind. Ze stapte uit bed en liep op haar tenen naar het raam. Ze drukte haar gezicht tegen de kier tussen de luiken. De tuin was verlaten. De straat stond vol met auto's. Een groepje tieners zat op de zeewering. Ze zaten te lachen en tegen elkaar te roepen, hun bewegingen overdreven, gestileerd. Ze stapte weg van de luiken en kroop weer in bed. Ze had het koud gekregen en was moe. Ze wikkelde het donzen dekbed om zich heen en deed haar ogen dicht. En sliep.

6

'Je bent gisteren bij haar langs geweest. Ze was zo blij dat je de moeite had genomen. Bedankt. Je vond haar vast aardig.' Heffernan hief zijn glas om te proosten en nam toen een grote slok. Hij liet zich weer op de barkruk zakken en trok aan zijn stropdas. 'Jezus, wat is het heet vandaag. Mazzelaar die je bent. Je stopt met werken midden in de heetste zomer sinds mensenheugenis. Het is niet om uit te houden op de luchthaven. Wie wil er nu politieman zijn bij Immigratie in een tijd waarin verdomme de halve wereldbevolking ergens anders wil wonen?' Hij kreunde. 'We hadden weer een vervelend akkefietje vandaag. Weer zo'n verrekte Nigeriaan die een paar meisjes het land in probeerde te krijgen.'

'Wat is dat toch met die Nigerianen? Het is ook altijd wat.' McLoughlin pakte zijn glas op en draaide het rond. 'Prostitutie, drugs, wat was het?'

Heffernan haalde zijn schouders op. 'Waarschijnlijk allebei. Die meisjes waren bedoeld voor de een of anders vleesmarkt ergens. Arme kinderen. Die vent ging helemaal door het lint toen we hem aanhielden. Die kinderen hadden geen paspoort, geen visum, niks. Hij hield vol dat het zijn dochters waren. En toen we hem vertelden dat we hen terug zouden sturen naar Lagos, verkocht hij Derek Flynn een kopstoot. Je had het moeten zien! Overal bloed. Van hem en van Derek. We moesten ze allebei naar de eerstehulppost brengen.'

'Hoe is het nu met Derek? Ik neem aan dat hij zich op aids zal moeten laten testen, de arme donder.'

'Hij had in elk geval geen drugs bij zich, dus dat scheelt weer. We hebben hem gearresteerd voor geweldpleging, maar voor je het weet komt hij natuurlijk alweer op borgtocht vrij. Hij heeft al een vluchtelingenstatus, dus kunnen we niets met hem beginnen. Tenzij we hard kunnen maken dat hij die meisjes in de prostitutie wilde laten werken. Echt een lekkere vent. Zijn vrouw kwam naar het ziekenhuis. Mooie vrouw, drie kinderen aan haar rokken. En je kon zien dat ze als de dood voor hem was.' Heffernan dronk zijn glas leeg. 'Nog een keer hetzelfde?' McLoughlin staarde somber naar zijn drankje. Mineraalwater. De gedachte alleen al maakte hem depressief.

'Ach, kom op, Michael, drink iets normaals. Als ik naar die mistroostige blik van je kijk, word ik helemaal somber.'

'Oké, oké, doe mij dan maar een biertje. Heineken, Carlsberg, zoiets.'

'Gods goedheid kent geen grenzen.' Heffernan maakte een spottende buiging. 'Nu heb ik tenminste weer rust. Hé, Joe,' riep hij over de bar, 'komt er nog wat van?'

Na de kroeg had hij naar huis willen gaan, maar Heffernan was blijven aandringen. Hij had met Janet afgesproken om een pizza te gaan eten en wilde dat McLoughlin ook meeging. Hij kon wel merken dat ze allebei heel graag wilden dat hij Sally Spencer zou helpen. Of probeerden ze soms voor koppelaar te spelen, vroeg hij zich af. Nu Heffernan en Janet gelukkig getrouwd waren, wilden ze iedereen aan de man of aan de vrouw brengen. In het restaurant zat hij te kijken en te luisteren hoe zij lachten en grapjes maakten en van elkaars gezelschap genoten. Hij was blij voor Tony. Hij verdiende het. Hij had jarenlang geleden onder het juk van een verschrikkelijk huwelijk met het wraakzuchtige wijf dat zijn eerste vrouw was geweest. Hij had zijn kinderen door een hel zien gaan. Hij was ze vaak lange periodes achtereen uit het oog verloren, maar op de een of andere manier was dit huwelijk voor iedereen een goede zet geweest. Ze waren zelfs met elkaar op vakantie geweest. De foto's bewezen het.

'Moet je zien, Michael.' Janet legde de foto's op tafel. 'We hebben het zó leuk gehad.'

'Waar in Spanje zijn jullie geweest?' McLoughlin deed zijn best om enthousiast te klinken.

'In Jimena, een klein plaatsje, ongeveer een uur rijden vanaf Málaga. Hoog in de heuvels. We hebben er in een huis gezeten van een kennis van Sally's dochter.' Janet spreidde de foto's uit, zodat er geen ontkomen aan was. 'Marina is ook nog een paar dagen langsgekomen. Kijk maar, hier.' Met haar vinger schoof ze een van de foto's naar hem toe. 'Dit is Marina met Tony en de kinderen. Bijna niet te geloven dat ze een paar weken later dood zou zijn.'

McLoughlin herkende haar zelfs zonder zijn bril. Dezelfde brede glimlach, hoge jukbeenderen, donkere ogen en glanzende haren. 'Luister,' zei hij, enigszins in verlegenheid gebracht, 'luister, echt, jullie vriendin is ontzettend aardig en ze is er ongetwijfeld ellendig aan toe, maar ik kan niets voor haar doen. Ik ben geen politieman meer. Ik ben een burger. Ook al zou ik het willen, ik heb geen toegang meer tot de gegevens. Ik kan geen gebruik meer maken van de faciliteiten. Het beste wat ze kan doen is accepteren dat haar dochter zichzelf van het leven heeft beroofd. En als ze dat niet kan, waarom gaat ze dan niet terug naar de politie van Blessington? Brian Dooley is een geschikte kerel. Hij luistert heus wel naar haar.' Hij schoof de foto terug naar Janet en stond op. 'Ik moest maar eens gaan. Ik probeer van de drank af te blijven en alles wat daarbij komt kijken. Over een week vertrek ik naar Frankrijk. Sorry, Janet, het is mijn werk niet meer. Oké?'

Hij keek niet hoe ze reageerde. Hij pakte zijn jas en liep weg van het tafeltje.

'Ik zie je nog wel, Tony.' Hij liep naar de deur.

Hij wilde hier niet bij betrokken raken. Wilde niets weten van het verdriet van een andere vrouw om haar dode dochter. Had hij al genoeg meegemaakt met Margaret en Mary. Moest je zien wat voor problemen hem dat had opgeleverd. Na die avond in het huis in Ballyknockan had hij een halfjaar in een kliniek gezeten. Eerst was hij verschrikkelijk aan de boemel gegaan. Toen had de dokter hem antidepressiva voorgeschreven. Uiteindelijk was hij naar de maatschappelijk werker gegaan. Een aardige vent, die een opname voor hem had geregeld in een particuliere kliniek in Glenageary. Een heleboel lieve Filippijnse zustertjes. Hij had er geslapen en veel gezond gegeten. Overdag veel televisiegekeken. En hij kreeg er therapie. De eerste paar sessies deed hij niets anders dan huilen. De therapeute was een Amerikaanse, een vrouw van ongeveer zijn eigen leeftijd, met lichtblond haar, van dat Scandinavische blond, in een losse wrong op haar hoofd. Ze zei niet veel. Toen hij begon te praten had hij het over zijn vader. Steeds opnieuw vertelde hij het verhaal van de dag van zijn dood. Het was op een donderdag. De eerste donderdag van de maand. De dag dat de kinderbijslag werd uitgekeerd. Grote uitbetalingen op het plaatselijke postkantoor. Er had een gewapende begeleider bij moeten zijn. Die had er moeten zijn, maar die was er niet. Na de dood van Joe McLoughlin was er altijd een gewapende begeleider bij geweest. Hij was het bloedoffer. Hij was degene die eerst had moeten sterven. De Provo's hadden het Securicorbusje opgewacht. Twee van hen hadden bij de bookmaker naast het postkantoor rondgehangen. Een derde zat in de auto die buiten stond geparkeerd. Toen Joe en zijn partner aankwamen had hij met zijn lichten geknipperd om de man ertoe te bewegen een plaatsje op te schuiven zodat zij op de beste plek konden parkeren. De man reageerde niet. Joe stapte uit en liep naar hem toe. Net toen de twee overvallers met bivakmutsen op uit het postkantoor kwamen gerend, de geldzakken achter zich aan slepend. En de man in de auto richtte zijn pistool op Joe's gezicht. En schoot de helft ervan weg.

'Ik kreeg het meteen te horen. Ik werkte als groentje op bureau Bridewell. Over de radio kwam het bericht dat er in Dundrum een politieman was doodgeschoten. Ik wist dat het mijn vader was. Er viel een verschrikkelijke stilte. En dan die blikken op al die gezichten. Zijn lichaam werd overgebracht naar het mortuarium in Store Street. Ze vroegen mij hem te identificeren. Dat wilde ik niet. Ik durfde niet naar hem te kijken. En toen kwam mijn moeder. Ik heb het haar laten doen. Ik rationaliseerde het. Ik zei dat het haar recht was. Zij was zijn vrouw. Maar dat was het niet. Ik was zijn zoon. Ik had moedig genoeg moeten zijn om de manier waarop hij het graf in zou gaan onder ogen te zien. Maar ik kon het niet. En dat heb ik mezelf nooit kunnen vergeven.'

'En je moeder?' De stem van de therapeute klonk zacht. 'Wat vond zij ervan?'

'We hebben er nooit over gesproken. Zij heeft hem geïdentificeerd. Ze heeft bij hem gezeten tot ze haar bij hem weghaalden. Ik weet niet wat zij ervan vond.' Maar dat wist hij wél. Hij wist dat zij teleurgesteld was. Al die vreselijke dagen, toen de gesloten kist thuiskwam en het huis gevuld was met familieleden, buren en politiemensen van alle bureaus in het land. En het overbrengen naar de kerk en de nacht met zwaar drinken die daarop volgde en de volgende dag de rouwmis, de begrafenis, de driegangenlunch in het hotel, en daarna weer thuis, waar de drank rijkelijk vloeide en alle oude verhalen keer op keer werden verteld. En hij wist wat zijn moeder dacht.

'Hoe kon jij dat weten? Kun je gedachten lezen?' De therapeute leunde naar voren in haar stoel.

'Ik kan geen gedachten lezen, maar wel lichaamstaal. Ik ken mijn moeder. We keken elkaar niet aan. Niet één keer. Tijdens al die rotdagen niet.'

'En nu? Hoe lang is het geleden dat je vader is gestorven?'

'Bijna dertig jaar.' Hij keek naar zijn handen. 'Nu, ja, nu heeft ze mij nodig. Ze zit in een verpleegtehuis. Mijn zus woont in Londen, dus ben ik de enige die haar nog opzoekt en haar een beetje in de gaten kan houden. Nu heb ik wel een goede relatie met haar.'

'En hebben jullie het wel eens over je vader?'

'Jawel. Maar dáárover praten we nooit. Ik denk dat we het geen van beiden kunnen opbrengen om erover te beginnen. Ik weet ook niet waarom ik er nu over ben begonnen.'

Maar dat wist hij wél. Hij wilde over Margaret praten, maar er waren dingen die hij niet kon vertellen. Hij betwijfelde of de zwijgplichtregel nog zou gelden als hij hier zijn hart luchtte over alles wat er die avond was gebeurd. Daarom had hij zijn vader maar ter sprake gebracht. En toen hij niets meer over hem wist te vertellen, had hij andere gruwelijke zaken opgehaald. Een moeder die haar twee kinderen had gesmoord en vervolgens zelf een overdosis had genomen; een man die brand had gesticht in zijn eigen huis, waarbij zijn vrouw en baby waren omgekomen; een zoon die zijn invalide moeder had laten verhongeren en haar lichaam maandenlang op zolder verborgen had gehouden. Het waren allemaal waar gebeurde zaken. En hij was er destijds behoorlijk aangeslagen door geweest. Maar hij was er niet zelf bij betrokken geweest, zoals bij de dood van Jimmy Fitzsimons.

De dood van Jimmy Fitzsimons. De langzame, gruwelijke dood van Jimmy Fitzsimons. Hij had het uit zijn hoofd gezet. Hij had die hele plek uit zijn hoofd gezet. Hij had elk moment in de auto kunnen stappen en ernaartoe kunnen rijden, maar dat had hij niet gedaan. Hij was doorgedraaid. Hij ging naar de kliniek. Hij werd beter. Hij had het uit zijn hoofd gezet.

Nu zat hij in het donker in de auto. Er klonk muziek uit de radio. Frank Sinatra. Dat prachtige nummer: 'Bewitched, Bothered and Bewildered'. Hij herinnerde zich een avond in mei – was het in 1986, '87? Ergens in die tijd. Frank Sinatra was naar Dublin gekomen. Janey had kaartjes gekocht voor het concert in het voetbalstadion aan Lansdowne Road. Hij wilde niet mee. Hij had midden in een moordzaak gezeten. In Blackrock Park was een meisje gevonden. Verkracht en doodgeslagen. Ze waren alle aanknopingspunten nagegaan. Het had nog niets opgeleverd. Hij wilde liever met de mannen gaan drinken om erover te praten. Maar Janey had aangedrongen. En ze kreeg gelijk. Het was een magische avond. De stem van de oude Frank had zijn beste tijd gehad, maar hij wist zijn publiek nog steeds te betoveren. En na afloop, toen de menigte door de hekken naar buiten stroomde, was ergens vóór hen een vrouw gaan zingen. Haar schrille stem reikte niet erg ver, maar dat gaf niet. Ze waren haar allemaal bijgevallen, een vloedgolf van stemmen. Ze zongen: 'Bewitched, Bothered and Bewildered'.

Janey had zijn hand gepakt en hij had haar naar zich toe getrokken en haar gekust. En het had hem die keer oprecht gespe-

49

ten dat hij weer aan het werk moest en niet met haar mee naar huis kon gaan.

Hij begon te zingen, in de auto, in het donker, terwijl de lichten van de stad de hemel in een ziekelijke oranje gloed zetten. Het orkest zette in achter Sinatra's stem en zwol langzaam aan tot een springvloed van muziek. En terwijl hij zong voelde hij de tranen weer en zijn keel kneep zich samen en zijn stem stokte en stierf weg en liet hem achter met een plotseling gevoel van diepe droefenis.

Hij voelde aan de handrem, controleerde of de auto in de versnelling stond en zette de motor af. Hij opende het portier en stapte uit, liep naar de kofferbak en stak de sleutel in het slot. Het metaal voelde warm aan. Hij opende de kofferbak. Eerder vandaag had hij boodschappen gedaan. Groenten van dat leuke kleine groentewinkeltje in Glasthule en kaas van Caviston's. Een zachte geitenkaas ergens uit de buurt van Cork en een dikke plak Bandon cheddar. Hij had nog overwogen om inktvis mee te nemen. Nog een geluk dat hij het niet had gedaan. Die was niet lang goed gebleven in deze hitte. De geitenkaas verspreidde een sterke geur, die aan het smerige grensde. Hij verzamelde de plastic tasjes en tilde ze op. En zag, eronder, de glanzende zwarte omslag van Sally Spencers plakboek. Met een zucht pakte hij het op, nam het onder zijn arm en gooide de kofferbak met een klap dicht. Hij draaide zich om naar het huis. En terwijl hij dat deed dwarrelde er een velletje papier naar zijn voeten, ronddraaiend in de stille avondlucht, als een veertje. Hij bukte zich om het op te rapen. En zag een gezicht dat hij zich herinnerde. Dat hij die avond in Ballyknockan voor het laatst had gezien. Patrick Holland: Mary's vader, Margarets minnaar. Die haar had geholpen Jimmy Fitzsimons te vermoorden. En die, wist hij, nu dood was. Een hartaanval op vakantie in Spanje. Een grootse begrafenis in Dublin. Alle prominente figuren uit de wijde omgeving verzameld om afscheid van hem te nemen. Hele mensenmassa's die zich na het verlaten van de kerk om de in het zwart geklede weduwe schaarden, om haar hun sympathie en steun te betuigen. McLoughlin had zich een beetje afzijdig gehouden. Hij had de menigte afgezocht. Hij was er zeker van geweest dat Margaret er zou zijn. Hij kon zich niet voorstellen dat ze Holland naar zijn graf zou laten gaan zonder afscheid te nemen. En toen hij haar bij de kerk niet zag, was hij de rouwstoet naar het kerkhof gevolgd. Daar was hij ver genoeg vandaan gaan staan om zich geen indringer te voelen en voldoende dichtbij om te kunnen zien wie er waren. Even sloeg zijn hart een slag over toen een lange, slanke vrouw met een zonnebril en een zwarte omslagdoek om haar schouders uit een taxi stapte en naar het groepje rouwenden bij het open graf liep. Hij zag Hollands weduwe een zacht kreetje van herkenning slaken toen ze elkaar omhelsden. En de vrouw zette haar zonnebril af en leek natuurlijk helemaal niet op Margaret. Toen was hij weggegaan. Weggeslopen, hier en daar wegduikend achter grafzerken, waarbij hij zijn best had gedaan niet te struikelen over de gebarsten tegels van de oude paden. Hij had zich gerealiseerd dat Mary hier ook begraven was. Heel gepast, vond hij. Vader en dochter in hetzelfde stukje aarde.

Hij trok de koelkast open, borg zijn boodschappen op en pakte een flesje bier. Erdinger, Duits tarwebier, dat er een beetje troebel uitzag en naar gist rook. Hij wipte de kroonkurk eraf en schonk het in een glas. Hij ging aan tafel zitten en legde het krantenknipsel neer. Streek het glad. Het was een verslag van de begrafenis van James de Paor. Patrick Holland had een toespraak gehouden. Hij liep snel de tekst door. Dezelfde school bezocht, vrienden op de universiteit, in hetzelfde jaar afgestudeerd als advocaat. Tussen de regels door een verwijzing naar hun verschillende politieke opvattingen. En een citaat: 'James was een van de besten van ons. We waren het niet altijd met elkaar eens, maar ik heb nooit een seconde getwijfeld aan zijn integriteit en zijn toewijding aan alles waarin hij geloofde. Zijn dood is een tragedie voor ons allemaal'.

Er stonden drie foto's bij. Een was van Holland die de kist uit de kerk hielp dragen. De tweede was ook van Holland, ditmaal terwijl hij Sally troostte. Ze zag er heel jong uit en, ondanks haar duidelijk zichtbare verdriet, heel mooi. En de derde liet een groepje rouwenden zien. Hij herkende meteen Marina. Zij stond met haar arm om een jongere jongen heen geslagen, met dezelfde hoge jukbeenderen en een flinke bos blond haar. Op enige afstand van hen stond een oudere jongen. Een jonge man eigenlijk. Hij stond een beetje stijfjes naast een lange, donkere vrouw. McLoughlin las het onderschrift. Dominic de Paor, Helena de Paor, Marina Spencer, Tom Spencer. Dominic de Paor was een opvallend knappe verschijning. Hij was lang en goedgebouwd en had een grote neus. Zijn gebruinde gezicht vertoonde geen enkele uitdrukking, maar zijn lichaam zei genoeg. Hij was gespannen, en met zijn gedachten ergens anders.

McLoughlin keek naar de foto's. Helena de Paor. Dat moest de eerste vrouw zijn. Hij deed haar denken aan een Japanse. Een geisha bijna. Haar zwarte haar was weggekamd van haar brede voorhoofd, haar gezicht een wit masker en haar wenkbrauwen donkere verfstrepen. Haar zoon had veel van haar weg. Hun lichamen leken wel met elkaar verkleefd. Hij opende het plakboek en sloeg de pagina's om, op zoek naar de lege plek waar het knipsel vandaan kwam. Hij pakte zijn glas en nam een slok. Toen begon hij te lezen.

Tegen de tijd dat hij van tafel opstond was het donker buiten. Het eerste lege flesje Erdinger onder de tafel had inmiddels gezelschap gekregen van drie identieke flesjes. Een vier-flesjes-klus, dacht hij. Net als vroeger, wanneer ze na afloop van hun dienst naar de kroeg gingen en de rest van de avond bij elkaar zaten om de zaak door te nemen waaraan ze op dat moment werkten. Meestal waren dat zes-pints-avonden. De volgende ochtend haalde hij dan zijn notitieblok tevoorschijn. En daar stond dan, in zijn kleine, nette handschrift, alles wat ze besproken hadden, elke conclusie waartoe ze gekomen waren, alle wegen die ze besloten hadden in te slaan.

Het was een gewoonte waaraan hij nog steeds vasthield. Hij pakte de envelop waarop hij aantekeningen had gemaakt en zijn glas, en schoof de terrasdeuren open. Hij stapte naar buiten. De lichtjes van de stad vormden nu een schitterend tapijt. Het uitzicht 's avonds gaf hem altijd het gevoel dat hij vloog. Hij keek omhoog naar de hemel. Zelfs de concurrentie van de lichtjes daar beneden kon de schittering van de Grote Beer die de duisternis overspande niet temperen. Hij hief begroetend zijn glas op. De onveranderlijkheid ervan gaf hem een gevoel van veiligheid en zekerheid. Hij dronk zijn glas leeg en liep om het huis heen. Hij rook de geur van gemaaid gras van de berg tuinafval achter in de tuin en de zoete geur van de violieren die zich in alle bloembedden hadden uitgezaaid. Een erfenisje van Janey. Zij had ze het eerste jaar dat ze hier waren komen wonen geplant. Toen ze nog gelukkig was.

Hij controleerde of hij de auto had afgesloten, liep toen de oprit weer op, duwde de zware houten hekken dicht en schoof de grendel op zijn plek. In zuidelijke richting doemden in de verte de contouren van Three Rock Mountain op. Daarachter lag Kippure, en vlak bij de oostelijke flank Djouce Mountain. Ten westen van Kippure het meer van Blessington en het natuurstenen dorpje Ballyknockan, en aan de andere kant van de heuvels Moanbane en Mullaghcleevaun en Duff Hill, in de vallei, met Fancy Mountain aan de ene kant en Djouce aan de andere, Lough Dubh, waar James de Paor twintig jaar geleden was verdronken en waar ook zijn stiefdochter, Marina, was verdronken. De één ten gevolge van een ongeluk, de ander door zelfmoord, zeiden de kranten. Hij leunde tegen het hek. Het was hier heel stil vanavond. Er was nauwelijks een geluid te horen, behalve dan zijn voetstappen op het asfaltbeton van de oprit en zijn ademhaling. Soms werd de rust wreed verstoord. Zoals die dag op het meer. Hoog zomer, het charmante negentiende-eeuwse huis. James en Sally, hun één jaar oude dochter, Vanessa. Dominic en zijn vrienden van school. En zijn stiefbroer en -zus, Marina en Tom. Zwemmen in het meer, zeilen en vissen. Picknicks in de bossen die achter het huis omlaagvoerden naar het water. Toen, op een dag, werd de stilte verscheurd door het gebrul van een speedboot. Een groepje jongelui, tieners, had de boot van zijn aanlegplaats gestolen. James en Marina waren in de jol het water opgegaan om hun de les te lezen. Maar er ging iets mis. De buitenboordmotor sloeg af. James was opgestaan om te proberen hem weer aan de praat te krijgen toen de speedboot langs-denderde. Door de golfslag begon de jol vervaarlijk te slingeren en James viel in het water. Marina probeerde hem te redden maar hij verdronk. Een tragisch ongeluk. En toen, twintig jaar later, nog een tragisch ongeluk. Een feest in het huis, ditmaal ge-geven door Dominic de Paor. De volgende ochtend kon niemand Marina vinden. Er werd gedacht dat zij met een paar van de an-dere gasten terug was gegaan naar Dublin. Maar haar lichaam werd, bekneld tussen de rotsen, gevonden op de plek waar het kleine beekje van het bovenste gedeelte van het meer overliep in het onderste. Bloedonderzoek toonde aan dat zij driekwart van een hele fles wodka had gedronken. Ook werden er sporen van cocaïne aangetroffen. En een van de roddelbladen had details weten te achterhalen uit wat een zelfmoordbriefje werd ge-noemd. Het was gericht aan haar moeder. Er stond in dat ze spijt had van wat ze had gedaan. Ze kon het zichzelf niet vergeven. Ze hoopte dat het haar vergeven zou worden; was het niet in dit leven, dan wel in het volgende.

McLoughlin gaf een duwtje tegen het hek, om zich ervan te verzekeren dat de grendel stevig genoeg was. Toen liep hij terug naar het huis. Hij begon datzelfde oude Frank Sinatra-nummer te zingen. Hij zong het langzaam en zachtjes, steeds opnieuw, terwijl hij omliep naar het terras. Hij pakte zijn glas en keek uit over de lichten van de stad, naar de duisternis van Dublin Bay en de Ierse Zee daarachter. De vuurtoren van Kish lichtte twee keer op, en dertig seconden later nog een keer. De vuurtoren van Baily in het noorden lichtte één keer op, en twintig seconden later nog een keer. De vuurtoren van West Pier zond zijn drie groene flitsen elke zeven punt vijf seconden uit. Hij stond te kij-ken hoe de lichten zich herhaalden en herhaalden en herhaalden en draaide zich toen om, om de keuken binnen te gaan. Hij spoelde het glas om onder de koude kraan en zette het neer om te drogen. Hij sloeg het plakboek dicht en liep de gang door naar de badkamer, waar hij water in zijn gezicht plensde en grondig zijn tanden poetste. Morgenochtend zou hij Sally Spen-cer bellen. Hij wilde meer weten over dat zelfmoordbriefje. Hij kleedde zich uit en stapte in bed. De woorden van het liedje maalden door zijn hoofd en hij neuriede de melodie. Toen draaide hij zich op zijn zij en viel in slaap.

De vuurtoren van Kish flitst elke dertig seconden. Die van Baily in het noorden is ook wit en flitst één keer in de twintig seconden. De West Pier in Dun Laoghaire laat elke zeven punt vijf seconden drie groene flitsen zien, en de vuurtoren op de East Pier is wit en licht elke vijftien seconden twee keer op. En de Poolbeg? De Poolbeg heeft een afgebroken licht, rood, twee keer, elke twintig seconden. Afgebroken licht. Een constant licht, dat met vaste tussenpozen verduisterde. Kan ik mezelf daar nu mee vergelijken? dacht ze, terwijl ze voor het raam stond en naar de lichten van de vuurtorens in de baai keek. Ik ben verduisterd, verduisterd door mijn daden. En hoe kan ik mezelf weer naar het licht brengen?

Ze draaide zich om en deed de voordeur open. Het was nog warm buiten, maar ze huiverde en trok haar jack aan. Ze voelde in de zakken. Sleutels, portemonnee, mobieltje. Ze trok de deur achter zich dicht en liep het trapje af. Ze moest haar longen vullen met frisse lucht. De zilte zeelucht diep inademen. Ze zou het niet al te lang meer kunnen doen. Ze moest ervan genieten zolang het nog kon. Snel liep ze de weg af langs de Martellotoren. Toen rende ze het stenen talud af naar de zee.

7

McLoughlin stond voor het kleine rijtjeshuis, net om de hoek van Ranelagh Road. Hier had Marina Spencer de laatste anderhalf jaar gewoond, had haar moeder gezegd. Hij stak de Chubbsleutel in het slot en probeerde hem om te draaien. Hij voelde weerstand, en even dacht hij dat het slot klemde. Hij draaide de sleutel een halve slag terug en probeerde het nog een keer. Ditmaal kon hij hem helemaal doordraaien en klikten de cilinders van het slot. Hij trok de sleutel eruit, selecteerde de Yale-sleutel uit de sleutelbos in zijn hand en stak hem in het slot. De sleutel draaide soepel rond. Hij duwde tegen de deur, die met piepende scharnieren openging. Het geluid deed pijn aan zijn tanden. Hij stapte over de drempel en deed de deur achter zich dicht.

'Ik zal je haar sleutels geven.' Sally Spencer had de sleutelbos uit een grote bruine leren tas gehaald. 'Deze zijn van het huis en deze van de auto. Ik neem aan dat deze van haar werk zijn. Van de rest weet ik het niet.' Ze stak hem de tas toe. 'Misschien moet je deze ook maar meenemen. Zo'n beetje heel Marina's leven zit erin.' Ze schudde de tas heen en weer. 'Haar paspoort, rijbewijs, portefeuille, pasjes, mobieltje. Onbetaalde rekeningen, betaalde rekeningen, boodschappenlijstjes. Make-uptasje, haarborstel, tandenborstel, tandpasta. Brieven, foto's, agenda, noem maar op.'

'Heb je deze tas van de politie gekregen?' McLoughlin woog hem in zijn hand.

'Uiteindelijk, ja. Toen ze klaar waren met hun onderzoek.'

'Lag hij niet in het meer?' Hij draaide de tas om en zag de krassen en vlekken.

'Nee, ze hebben hem in het huis gevonden. Hij lag kennelijk onder een bed.' Sally's mond trilde. 'Je gaat er toch wel echt heen, hè? Om precies te zien waar ze is gevonden?'

'Ja, maar eerst de rest. Ik wil haar computer zien. En je moet me wat meer vertellen over het briefje. Het zelfmoordbriefje. Waar is dat gevonden?'

'In de tas. Maar het was geen briefje.' Sally keek hem weer aan. 'Het was een los stukje papier, met een paar woorden.'

'Dus je hebt het gezien? Was het met de hand geschreven?'

'Ze hebben het aan me laten zien. Min of meer. Ze hadden het in een plastic zakje gedaan.'

'Zo'n zakje voor bewijsstukken?'

'Ja, inderdaad. Het was niet handgeschreven, het was getypt. Nou ja, computergeschreven, niet getypt, om precies te zijn. En er klopte iets niet. Het klonk niet als Marina.'

'Hoe klonk het dan? Wat stond er precies in?' McLoughlin probeerde zijn stem zo te laten klinken dat zij niet het gevoel zou hebben dat hij haar aan een kruisverhoor onderwierp.

Ze haalde haar schouders op. 'Iets over dat ze mij om vergeving vroeg. En dat, als ik haar nu niet kon vergeven, dan misschien in het volgende.'

'Het volgende?'

'Ja, het volgende. Ze leken te denken dat ze daarmee het volgende leven bedoelde. Maar dat slaat nergens op. Marina was de meest overtuigde atheïst die ik ooit heb gekend. Ze was geen agnost. Ze had geen enkele twijfel. Ze geloofde niet in een leven na de dood. We hebben het er heel vaak over gehad. Zelfs toen haar vader stierf, ze was toen zes, en ik het leed probeerde te verzachten door haar te vertellen dat hij bij God en de engeltjes was. Zelfs toen keek ze me al aan alsof ik gek was geworden. Je kon veel van Marina zeggen, maar een hypocriet was ze niet.'

McLoughlin zei niets. Het had geen zin haar nog meer verdriet te doen. Maar hij herinnerde zich de vele lezingen over zelfdoding die hij had uitgezeten. Er bestond een standaardvorm voor een zelfmoordbriefje. Het was gebruikelijk om vergeving te vragen. Het was gebruikelijk om te verwijzen naar een leven na de dood. De gemoedstoestand, de geestelijke toestand, hoe je het ook wilde noemen, die de gedachte aan zelfmoord de kans gaf zich in iemands hoofd te nestelen, veranderde de persoon in kwestie op de meest fundamentele wijze.

'Weet je, Sally, ik heb gezegd dat ik hier eens naar zou kijken. Ik heb niet al te veel tijd. Over een week of zo moet ik naar Frankrijk. Maar ik zeg het je nogmaals: als de politie denkt dat Marina zichzelf van het leven heeft beroofd, dan kun je er zeker van zijn dat ze dat inderdaad heeft gedaan. Tot dat soort conclusies komen ze niet zomaar.'

'Dat weet ik, dat weet ik, dat weet ik allemaal.' Haar boosheid en ongeduld maakten McLoughlin zenuwachtig. 'Ik weet dat de patholoog-anatoom van justitie de autopsie heeft verricht. Ik weet dat hij heeft gezegd dat het dood door een ongeluk of zelfmoord was. Dat weet ik allemaal. Alleen geloof ik het gewoon niet. Luister,' ze stak haar handen op, 'moet je horen. De week nadat Marina zichzelf van het leven zou hebben beroofd, kreeg ik een telefoontje van een van haar buren. Er stond een bezorger voor de deur. Hij had een nieuwe koel-vriescombinatie bij zich die zij drie dagen voor haar dood had besteld. Leg mij dat maar eens uit. Als je suïcidaal bent ga je toch geen koelkasten bestellen? Nee toch?' Ze stond bijna te schreeuwen. Herhaalde keer op keer dezelfde woorden.

Hij wachtte tot ze klaar was. Toen pakte hij de tas. 'Je hoort nog van me.'

Het hondje stond op en kwispelde verwachtingsvol met zijn staartje. Zijn bruine kraaloogjes keken naar zijn riem, die aan een haakje achter de deur hing. Sally pakte hem bij zijn halsband. Ze knikte als verdoofd in McLoughlins richting en liet zich weer op de bank zakken. Hij kon zien dat ze doodmoe was. Het was genoeg geweest voor één dag. Hij vermoedde dat ze al zou slapen voordat hij zijn auto de straat uit had gereden. Slaap was goed. Slaap werkte helend. En wat die nieuwe koel-vriescombinatie betreft, hij had al zo vaak variaties op dat verhaal gehoord. Nieuwe banken die waren besteld. Vakanties die waren geboekt. Kaartjes voor een concert van de Rolling Stones in Rio. Ze maakten allemaal deel uit van het verschrikkelijke mysterie dat zelfmoord heet.

De koel-vriescombinatie was in het kleine halletje gestouwd en zat nog in haar piepschuimverpakking. McLoughlin wist niet veel van huishoudelijke apparatuur, maar dit was een duur merk. Roestvrij staal. Mooi ding. Hij wurmde zich erlangs, de zonnige, open keuken in. Alles zag er mooi uit. Nog veel meer roestvrij staal. Aan een stang aan het plafond hingen pannen. De gebruikelijke snufjes van de eenentwintigste eeuw. Oven op ooghoogte, keramische kookplaat, een keukeneiland met een ronde roestvrijstalen waskom en een kraan in de vorm van een strak aangetrokken boog. Een glazen deur gaf toegang tot een kleine patio met een houten vloer. Er zat een sleutel in het slot. Hij draaide hem om en stapte naar buiten. Een heerlijk zonnig hoekje. In de granieten tuinmuren schitterden micadeeltjes en het hout straalde hitte uit. In grote terracotta potten waren kruiden geplant. Een miniatuur-laurierboompje en de gevederde blaadjes van venkel. Oregano en tijm. Een grote, geurende rozemarijnstruik, en een paar kleinere potten met de roze bloempluimpjes van bieslook en een paar soorten munt. Hij stak zijn hand uit en voelde aan de aarde. Die voelde koel en vochtig aan. Er zal wel iemand komen om de plantjes water te geven, dacht hij. Hij keek om zich heen. De patio kon vanuit andere huizen aan alle kanten worden gezien, maar achter geen van de ramen zag hij een teken van leven.

Hij ging weer naar binnen, deed de keukendeur op slot en liep naar de zitkamer, aan de voorkant van het huis. De inrichting was eenvoudig, met een houten vloer en een zwarte leren bank. Boven de kleine, smeedijzeren open haard een groot abstract schilderij in rood-, oranje- en geeltinten. Op de salontafel lag een stapel glossy tijdschriften. McLoughlin ging zitten. De kussens van de bank zonken met een zachte zucht ineen onder zijn gewicht. Hij bladerde vluchtig door de tijdschriften. In sommige bladen waren pagina's gemarkeerd, of er waren met potlood aantekeningen in de kantlijn gekrabbeld, en in één tijdschrift zaten zelfs stukjes stof in verschillende kleuren bij een artikel over een nieuwe serie verftinten. Hij legde de tijdschriften weer keurig op een stapeltje. Er stonden geen boeken, foto's of andere persoonlijke spullen in de kamer. Het was er schoon en opgeruimd, net als in de keuken, maar het had de kamer van een willekeurig iemand kunnen zijn.

Hij stond op, liep weer terug naar de gang en besteeg de steile trap. Boven bevond zich een badkamer, net zo mooi en stijlvol als de keuken. Daarnaast lag een kleine slaapkamer. Het grootste deel van de ruimte werd in beslag genomen door een groot bed, en de rest was gevuld met een spiegelwand waarachter zich inbouwkasten bevonden. McLoughlin schoof de deur open. De kleding hing aan een stang. Eronder stonden schoenen keurig naast elkaar. Een lange rij lades bevatte lingerie, T-shirts, sweaters en een hele verzameling sjaals en handschoenen. Alles was even netjes en ordelijk. Hij doorzocht de kleren en voelde in de binnenzakken, maar hij vond niets bijzonders. Een paar verfrommelde papieren zakdoekjes, een buskaartje en een paar geldstukken. Hij schoof de spiegeldeur weer dicht en bekeek zichzelf eens goed. Hij mocht wel eens naar de kapper. Hij hield er niet van als het haar boven op zijn hoofd te lang werd. Het wekte de indruk dat hij zijn langzaam maar zeker toenemende kaalheid probeerde te verbergen.

Hij liep de slaapkamer uit en ging door de andere deur op de overloop naar binnen. Dit leek er meer op, dacht hij. Een werk- of studeerkamer. Een bureau vol paperassen, boeken en een paar bekers, met daarin opgedroogd koffiedrab. En midden op het bureau een groot Apple-beeldscherm. Hij ging aan het bureau zitten, stak zijn hand uit naar het aan/uitknopje en drukte het stevig in. Hij wachtte op het gezoem, de bekende klikjes en geluidjes en het geleidelijk aan tot leven komen van het apparaat. De muren van de kamer hingen vol met afbeeldingen, deels uit tijdschriften gescheurd en deels foto's. Er hing ook een collage van familiekiekjes. Hij herkende een jonge Sally, klein, slank en blond, met een wipneusje en heel blauwe ogen, en een kind dat alleen maar Marina kon zijn. En een knappe man, met Marina's ogen en jukbeenderen en haar brede glimlach. Wat had Sally ook weer gezegd? Dat Marina zes was toen haar vader overleed? Ze zagen er heel gelukkig uit samen. Maar McLoughlin wist wanneer scepsis op zijn plaats was. Hoeveel familiekiekjes laten iets anders zien dan de fijne momenten? vroeg hij zich af. Hij had heel veel huizen bezocht en kon zich niet herinneren ooit een familiefoto te zijn tegengekomen die iets anders liet zien dan geluk. Het was alsof de camera dienstdeed als een soort transformator, een alchemie voor het omzetten van ellende in blijdschap, van wanhoop in hoop. Hij boog zich dichter naar de muur en bekeek de foto's wat zorgvuldiger. Ze lieten verschillende taferelen uit ruwweg dezelfde periode zien. Zo te zien was Marina een jaar of drie. Haar broertje was nog een baby. De foto's waren op verschillende locaties genomen – in een tuin, ergens aan zee en weer andere aan boord van een boot. Ze zat afwisselend aan het roer of aan een zeil te hijsen, en er waren er een paar waarop zij en haar broertje op de boeg zaten en hun beentjes over de rand lieten bungelen. Op alle foto's droeg ze een reddingsvest, een van die ouderwetse, onpraktische dingen met een stijve kraag die de nek en het hoofd ondersteunden.

Hij draaide zich om van de muur en trok de bureaulades open. Ze zaten volgepropt met notitieboekjes, schetsboeken, dozen houtskool en pastelkrijt, allerlei pennen en potloden en kleine flesjes gekleurde inkt. Hij zat er wat in te rommelen toen opeens het computerbeeldscherm oplichtte en tot leven kwam. De blauwe Apple-achtergrond was bedekt met mappen. Zo te zien hadden ze allemaal met haar werk te maken. Hij opende ze een voor een. Tekeningen en foto's, begrotingen, verslagen van voltooide opdrachten, kopieën van facturen. Haar werk liep goed. Ze verdiende geld. Hij sloot de bestanden af en liep nogmaals de mappen door. Een ervan had als titel 'van mij' en hij opende de map. Hij bevatte vijf e-mails, die hij een voor een opende. De namen van de afzenders leken op de afzenders van Spam. Verzonnen gebruikersnamen. Bij geen ervan stond er iets in de ruimte voor 'onderwerp'. Hij las ze door. Elke e-mail bestond uit slechts één zin. IK ZAG JOU. De vier woorden stonden telkens in enorme kapitalen. Hij las ze hardop: 'Ik zag jou.' Dat was alles. Drie woorden. Meer niet. Hij opende de andere mappen nog eens en werkte snel maar systematisch de bestanden door. Maar er was verder niets wat niets met haar werk te maken had. Hij leunde achterover in de stoel en drukte toen het PRINT-icoontje in. De e-mails gleden op de grond. Hij raapte ze op, vouwde ze dubbel en nog een keer en stak ze in zijn binnenzak. Toen sloot hij de computer af en zette hem uit. Hij had honger. Het was vast bijna lunchtijd. Hij liep naar beneden, opende de voordeur en stapte de zon in en haalde de sleutelbos uit zijn zak.

Hij liep weg van het huis. Op de een of andere manier was zijn eetlust verdwenen. Hij haalde zijn mobieltje tevoorschijn, liep de namenlijst door en drukte op een knopje om de verbinding tot stand te brengen.

'Ha, Johnny. Hoe is het met je stem? Beter dan met je hoofd, mag ik hopen.' Hij zweeg even. 'Hoor eens, zou jij iets voor me kunnen doen? Marina Spencer – herinner je je die naam? Kan ik je vanmiddag bellen? Je staat bij me in het krijt na dat spektakel van laatst, en ik kom die schuld innen. Tot gauw.'

Johnny zou het wel uitzoeken. De rotzooi van het pure goud scheiden. De speculaties eruit zeven, zodat de naakte feiten overbleven. Zodat er geen enkele twijfel meer kon bestaan wanneer hij Marina's moeder weer onder ogen kwam. Geen enkele twijfel.

8

Margaret knielde voor haar dochters graf. 'Hallo, lieverd,' zei ze zacht. 'Hoe is het vandaag met jou?' Ze begon het onkruid tussen de kiezels uit te trekken die Mary's laatste rustplaats markeerden. 'Wat een rommel. Voor al die jaren dat ik weg ben geweest had ik eigenlijk iemand anders moeten vragen om dit te doen, vind je ook niet?'

De hoop onkruid groeide gestaag. Terwijl ze de rommel verwijderde, kwam ze de stenen en schelpen weer tegen die ze uit Nieuw-Zeeland had meegebracht toen ze naar Dublin was teruggekomen voor Jimmy Fitzsimons' proces. Ze had ze bij elkaar gezocht op het strand voor het huis in Torbay. Nu nam ze een grote fles water en een doekje uit haar mandje en maakte ze schoon. 'Ziezo, dat ziet er al veel beter uit, vind je niet? Moet je zien hoe mooi die pauaschelp glimt. Al die mooie kleuren. Weet je nog dat we samen gingen snorkelen? Eerst vond je het niet leuk, maar toen je eenmaal had geleerd hoe je onder water moest ademen en je ogen open kon doen was het zo mooi. Herinner je je die keer dat we die kleine octopus zagen? Hij schrok zo van jou dat hij wegschoot. En jij was ook flink geschrokken. Je kreeg allemaal zeewater binnen. Weet je nog?'

Ze leunde een beetje naar achteren. Het zag er veel beter uit. Het was netjes en onkruidvrij, en de schelpen en stenen zagen eruit alsof ze hier thuishoorden.

'Ik moest je uit het water trekken, en toen ik probeerde je op te tillen schaafde je je been aan de rotsen. En het zoute water prikte zó erg dat je moest huilen. En de enige manier om je weer stil te krijgen was je te beloven dat we op weg naar huis langs de ijszaak zouden gaan.' Ze glimlachte bij de herinnering aan die dag, stond op en rekte zich uit. Haar bovenbeenspieren waren stijf van de onnatuurlijke houding en ze rekte haar rug en schouders. Het was alweer een zonnige dag, en warm genoeg om zonder jas van huis te zijn gegaan. Ze haalde een grote vuilniszak uit haar mandje, propte het onkruid erin en knoopte hem stevig dicht. Ze keek om zich heen om te zien of er ergens een afvalbak stond. Het was hier druk vandaag. Vanaf de plek waar zij stond kon ze de stenen muren van het kapelletje zien. Er stond een groot gezelschap voor te wachten, en terwijl zij stond te kijken, tilde een groepje dragers een kist uit een lijkwagen en droeg hem op de schouders naar binnen.

Ze keek neer op haar dochters grafsteen en las de inscriptie:

'To see a world in a grain of sand,
And a heaven in a wild flower,
Hold infinity in the palm of your hand,
And eternity in an hour.'

Mary was dol geweest op het werk van William Blake. Ze had te allen tijde een uitgave van zijn *Songs of Innocence and Experience* bij zich gehad. Het boek was nooit teruggevonden. Boven de inscriptie stonden Mary's naam en haar geboorte- en sterfdatum gegraveerd: 1975-1995. Dit jaar zou ze dertig zijn geworden. Ze had al moeder kunnen zijn. Ze had alles kunnen zijn. En ik had oma kunnen zijn, dacht Margaret. Ik had de toekomst zich kunnen zien uitstrekken naar de eeuwigheid. Generaties van mijn nakomelingen. Om mijn herinnering levend te houden. Maar nu is er niets meer van mij. Niemand om in de spiegel te kijken en mij in haar trekken te herkennen. Niemand om aan mijn verjaardag te denken. Niemand die om me zal huilen of treuren. Niemand die een grafsteen voor mij zal neerzetten en mijn graf zal verzorgen. Even dacht ze dat ze zou bezwijken onder de loden last van haar wanhoop.

Ze boog haar hoofd. 'Dag, lieveling. Ik zie je morgen weer. Slaap lekker, schat.'

Langzaam liep ze het pad af, langs engelen en heiligen en gekruisigde Christussen. Toen bleef ze staan en stak haar hand in haar broekzak. Ze haalde er een velletje papier uit en vouwde het open. Ze liep naar het kapelletje. Vage muziekklanken dreven naar buiten toen zij langs het voorportaal liep en om het gebouw heen naar de achterkant. Ze gooide de vuilniszak in een afvalbak die eigenlijk al vol zat en vervolgde haar weg in de richting van de taxushaag die ze in de verte zag. De bewaker in het huisje bij de poort had het nummer van het graf voor haar opgeschreven en haar de weg gewezen. 'Het is daar, naast die bomen. Ziet u dat grote grafmonument met die witte engel erbovenop? Nou, het graf dat u zoekt ligt daar vlak naast. Wat was de naam ook weer?' Hij keek weer in het registerboek op het bureau. 'Holland, was het toch? Overleden in 2000. Ja, hier staat het, Patrick Charles Holland. U kunt het niet missen.'

In het grote graf met de engel erop lagen Patricks vader en moeder begraven, en zijn babyzusje, dat op driejarige leeftijd was gestorven. Patricks grafsteen was bescheidener. Zwart marmer, met een inscriptie in zilver. Het graf was bedekt met marmerschilfers en een grote bos witte lelies vervulde de windstille lucht met hun verstikkend zoete geur. Margaret zette haar mandje neer. De woorden kwamen vanzelf van haar lippen:

'Wees gegroet, Maria, vol van genade. De Heer is met u.
Gij zijt de gezegende onder de vrouwen,
en gezegend is Jezus, de vrucht van uw schoot.'

Nooit vergeten, de aloude woorden, de aloude gebruiken. Een decennium lang rozenkransen bidden. In moeilijke tijden, in ogenblikken van crisis, kwamen de woorden ongevraagd. Haar vader was een man met een sterk geloof en een sterke overtuiging geweest. Een conservatieve katholiek. Opgevoed op de traditionele manier, met een geloof dat eerder gedomineerd werd door angst dan door liefde. Dat had ze zich pas gerealiseerd toen ze zwanger raakte van Mary. Ze had gedacht dat zijn intellect, zijn opleiding, zijn belangstelling voor boeken en muziek, voor theater en film iets voor hem betekenden. Dat was ook wel zo, maar niet zo veel als zijn religie. Toen ze hem over de baby had verteld, had ze gedacht dat hij haar zou vergeven, dat hij het zou begrijpen, dat hij na een periode van woede en verdriet weer van haar zou houden en haar zou steunen. Maar ze had zich vergist. Hij had haar zwijgend aangehoord. Toen had hij een woede-uitbarsting gekregen die ze nooit eerder had gezien. Ze wilde van hem horen dat alles in orde zou komen, dat hij voor haar zou zorgen, maar in plaats daarvan had hij haar met alle kracht die in hem was met de vlakke hand vol in haar gezicht geslagen. En toen ze achteruitwankelde, haar evenwicht verloor en op de grond viel, staarde hij haar alleen maar aan. En toen ze haar armen naar hem uitstak en hem vroeg haar te helpen, had hij zich afgewend.

Toen ze die nacht in bed lag had ze gebeden. Maar de genadige God gaf geen antwoord. En in de ochtend verliet ze het huis zonder nog met haar vader te spreken. Ze zou nooit meer een woord met hem wisselen. Ze ging naar Londen, naar een abortuskliniek, maar daar was er iets gebeurd. De genadige God kwam tussenbeide. Toen ze al op de behandeltafel lag, met het infuus in de rug van haar hand, schonk Hij haar de kracht om nee te zeggen. Om te zeggen dat ze geen abortus wilde. Dat ze een andere oplossing zou zoeken.

Maar waar had die andere oplossing toe geleid? Door al die jaren in Nieuw-Zeeland, waar ze geen contact had gehad met thuis, was ze in slaap gewiegd door een vals gevoel van veiligheid. Ze had nooit weg moeten gaan. Ze had nooit terug moeten komen naar Ierland. Die oude God was een wraakzuchtige God. Hij had hier op de loer gelegen. En Hij had toegeslagen en haar het enige afgenomen dat er iets toe deed.

Maar toch bleven de woorden komen. En ze begon opnieuw te bidden, steeds opnieuw en opnieuw, een eentonige dreun die de pijn verzachtte en de zintuigen verdoofde, zodat ze de stem, de meisjesstem, aanvankelijk niet eens hoorde: 'Hallo, neemt u me niet kwalijk, maar ik vroeg me af, weet u misschien hoe ik hier aan water kan komen?'

Ze draaide zich half om. Het meisje hield een bosje goudsbloemen in haar ene hand en een glazen vaas in de andere. Ze was klein en tenger, met glanzend bruin haar dat tot op haar rug hing. Haar ogen waren grijs en haar huid was bleek, met een flauw roze blosje op haar wangen. Haar oren werden versierd door een hele rij zilveren ringetjes en om haar hals droeg ze een paar zware zilveren kettingen. Ze droeg een lange rode rok en een witte blouse met een geborduurde strook en pofmouwen. Ze had zo uit een prentenboek gestapt kunnen zijn.

'O, dat weet ik eigenlijk niet. Misschien kun je het aan die man bij de poort vragen. Hij weet het vast wel.' Margaret probeerde te glimlachen terwijl ze antwoordde.

Het meisje fronste. 'Liever niet. Ik heb geen zin om weer helemaal terug te lopen.' Even leek het alsof ze zou gaan huilen.

'Hier.' Margaret stak het meisje haar fles toe. 'Er zit nog wat in. Als je wilt, kun je dat gebruiken.'

Het meisje glimlachte en pakte de fles aan. 'Graag, bedankt.' Ze opende de fles en goot hem leeg in de kleine glazen vaas. Ze wees naar de bloemen op Patricks graf. 'Die zijn prachtig, de lelies die u hebt neergezet. Ik moet er alleen zo van niezen. Ik ben allergisch voor pollen.'

'Die bloemen? O, die zijn niet van mij.' Margaret schudde haar hoofd.

Het meisje keek haar verbaasd aan. 'Hebt u die niet op oom Patricks graf gezet?'

'Oom Patrick?' vroeg Margaret. 'Was hij je oom?'

'Niet mijn echte oom, geen familie, maar hij was een heel goede vriend van mijn vader en ik noemde hem altijd "oom".' Het meisje staarde naar haar voeten. Ze droeg roodleren klompschoenen met houten zolen. 'Mijn vader is gestorven toen ik nog heel klein was en hij ligt daar begraven.' Ze wuifde met de bloemen in de richting van de bomen. 'Ik wilde hem vandaag maar eens komen opzoeken. Het is hier zo mooi in de zomer. Het is hier rustig en niemand valt je lastig.'

'Ja.' Margaret keek haar glimlachend aan. 'Ik snap wat je bedoelt. Het zijn eigenlijk rare plekken, begraafplaatsen, vind je ook niet? Verrassend mooi, ondanks al het verdriet dat ze vertegenwoordigen.' Ze zweeg even. 'Jouw bloemen zijn ook erg mooi. Ik ben dol op goudsbloemen. Heb je ze zelf gekweekt?' Een blos verspreidde zich op het gezicht van het meisje. 'Eerlijk gezegd niet, nee. Ik heb ze gepikt uit de tuin van een buurvrouw. Ik had het haar willen vragen, maar ze was niet thuis. Maar ik weet zeker dat ze het niet erg zal vinden. Ik zal het haar vertellen wanneer ik weer thuis ben. Echt waar.'

Margaret moest bijna lachen. Het meisje leek opeens onhandig, verlegen en heel erg jong.

'Nou, dat komt vast wel goed. Het is tenslotte voor een goed doel, nietwaar?' Ze boog zich over de bloemen. 'Mmm, ze ruiken heerlijk. Goudsbloemen schijnen heel goed te zijn voor de bloedsomloop. Arabieren schijnen ze aan hun paarden te voeren.'

'Dat wist ik niet. Mijn vader hield van paarden. Volgens mijn moeder heeft hij zelf ook ooit paarden gehad. Toen hij nog leefde had hij een heel mooi huis en veel land in de Wicklowbergen. Daar hield hij paarden. En herten. Maar goed, ik zal ze er maar eens in zetten.' Ze zette de bloemen voorzichtig in de vaas. 'Bent u familie van oom Patrick? Ik heb u nog nooit gezien. Hoewel,' ze hield haar hoofd een beetje scheef, zodat haar zilveren oorringen rinkelden, 'u lijkt wel een beetje op zijn vrouw, tante Crea. Eerlijk gezegd dacht ik dat u haar was toen ik u net zag. Bent u misschien haar zus of zoiets?'

'Nee,' zei Margaret. 'Ik ben een oude vriendin van Patrick, van jaren geleden. Ik heb lang in het buitenland gewoond.'

'O, ik begrijp het. Oké, nou, ik moest maar eens gaan. Ik vond het erg leuk om met u te praten. Maar...' Ze keek naar het groepje grafzerken onder de hoge taxushaag.

'Maar natuurlijk.' Margaret glimlachte. 'Leuk je ontmoet te hebben.'

'Ja, vind ik ook. Ik had natuurlijk meer bloemen mee moeten nemen. Mijn zus ligt hier ook, maar dan in het nieuwe gedeelte, dichter bij de weg. Daar is het lang zo mooi niet. Het is er lawaaiig – het verkeer, snapt u.' Het meisje zag er opeens uit alsof ze elk moment kon gaan huilen.

'Je zus? O, wat erg. Was ze ouder of jonger dan jij?' Margaret wilde het meisje aanraken, haar troosten.

'Ze was ouder. Behoorlijk wat ouder. Ik ben bijna achttien en zij was al in de dertig. Eigenlijk was ze mijn halfzus. Mijn vader was niet haar vader, begrijpt u?' Het meisje schuurde met de punt van haar klompschoen over de grond.

'Wat ontzettend verdrietig. Voor jou, en ook voor je moeder,' fluisterde Margaret. 'Maak je maar geen zorgen om die bloemen. Dat had ze heus wel begrepen. Waarom ga je niet toch even bij haar kijken? Dat zal ze vast fijn vinden.'

'Denkt u?' Het gezicht van het meisje klaarde op, en ze keek Margaret hoopvol aan. 'Ze vinden het fijn als je ze komt opzoeken. De doden, bedoel ik. Ik weet zeker dat ze zich vervelen en zich eenzaam voelen. Ik probeer altijd zoveel mogelijk grappige en interessante dingen te onthouden om aan hen te vertellen. Ik lees hun ook wel voor. Vindt u dat gek?'

'Nee, ik vind het geweldig. Mijn dochter ligt hier ook. En omdat ik in het buitenland ben geweest, had ik haar al heel lang niet bezocht. Ik weet zeker dat ze me heeft gemist. Maar ik vind het prachtig dat je zo goed voor hen zorgt. Wat lees je voor?'

Het meisje opende haar patchwork tas en haalde er een pocketboekje uit. 'Ik ben voor school de sonnetten van Shakepeare aan het lezen. Voor mijn eindexamen, en ik ben er helemaal weg van. Ze zijn moeilijk te begrijpen, maar de taal is zo mooi! Dus lees ik ze hardop voor, en dat helpt echt. Luister maar.' Zij schraapte haar keel en zocht een bladzijde op.

Full many a glorious morning have I seen
Flatter the mountain-tops with sovereign eye,
Kissing with golden face the meadows green,
Gilding pale streams with heavenly alchemy –'

Ze zweeg. 'Klinkt dat niet prachtig? Ik vind het zo mooi.'

'Ja, ik ook.' Margaret pakte haar tas. Ze had opeens tranen in haar ogen.

'Nou, ik zal maar eens gaan.' Het meisje stopte het boek weer in haar tas. 'Bedankt voor het water, en...' ze glimlachte '... nou ja, gewoon bedankt.'

Margaret keek hoe het kleurige figuurtje haar weg tussen de graven zocht. Toen draaide ze zich weer om naar Patricks grafsteen. Ze bukte zich en verschikte wat aan de bloemen. 'Ik kom terug, en dan zal ik je niet meer zo lang laten wachten.' Toen liep ze weg over het kiezelpad. Een roodborstje hipte voor haar uit, en sprong op zijn dunne pootjes van graf tot graf, waarna het haar met zijn heldere kraaloogjes aankeek. Ze klakte met haar tong en het vogeltje kwetterde terug. Toen, met een druk gefladder van zijn gladde, bruine vleugeltjes, vloog hij op naar de donkere takken van een grote eik. Ze kon het meisje nu zien, haar rok een fleurige vlek in de sombere omgeving. Ze zat in kleermakerszit op de grond, met het boek in haar hand. Ze stak haar hand op toen Margaret haar passeerde.

Margaret zwaaide terug en liep toen naar haar toe. 'Ik wilde je eigenlijk vragen – ik hoop niet dat je het erg vindt. Maar ik vroeg me af wie je vader was.' Ze boog zich naar voren om de inscriptie te kunnen lezen.

'James de Paor,' zei het meisje, met een trotse klank in haar stem. 'Hij was jurist, net als oom Patrick. Bent u ook juriste?'

'Nee, ik ben arts.' Ze zweeg even. 'Je moet nog erg jong zijn geweest toen hij overleed. Een baby nog.'

'Niet echt een baby meer. Ik was bijna één en heb geen enkele herinnering aan hem. Hoewel iedereen beweert dat ik op hem lijk.' Ze strekte haar benen even voor zich uit en kruiste ze toen weer. 'Eigenlijk is het wel grappig. Geërfde karaktereigenschappen. Volgens mijn moeder zeg ik soms dingen die haar aan mijn vader doen denken. En er zijn dingen waar ik van hou of waaraan ik een hekel heb, bepaalde etenswaren bijvoorbeeld, die volgens haar hetzelfde zijn als bij hem. Ik denk wel eens dat ze zo graag wil dat ik op hem lijk, dat ze het erom doet. Begrijpt u wat ik bedoel?'

'Jawel.' Margaret knikte. 'Vroeger dacht ik dat het allemaal in de opvoeding zat en dat aanleg er niet toe deed, maar ik ben daar niet meer zo zeker van. Hoe dan ook, het is fijn dat je op hem lijkt. Dat maakt het vast gemakkelijker voor je moeder. Het idee dat een deel van hem nog voortleeft in jou.'

'Ja, zolang ze maar niet wil dat ik rechten ga studeren. Zulke goede cijfers ga ik niet halen bij mijn eindexamen. Ik mag blij zijn als ik letteren kan gaan doen. Maar dat kan me niet schelen. Bovendien zit ze sinds de dood van mijn zus zo in de put dat het haar waarschijnlijk ook weinig kan schelen.'

Ze sloeg haar boek weer open en bladerde erdoorheen. Margaret keek toe. Ze luisterde naar haar stem toen het meisje het gedicht nog een keertje hardop voorlas. En ze deed met haar mee terwijl ze over het pad naar de uitgang liep:

'Kissing with golden face the meadows green,
Gilding pale streams with heavenly alchemy...'

Ze liep door de hoge poort naar buiten, in de richting van het kanaal. Daar zou ze een taxi nemen die haar snel terug zou brengen naar het huis aan zee. Ze was moe. Wanneer ze thuis was, zou ze gaan slapen. En misschien dat het ditmaal een droomloze slaap zou zijn.

9

'Waarom ben je er zo zeker van dat het zelfmoord was? Waarom geen ongeluk?' McLoughlin zat op het puntje van een hoge kruk aan de laboratoriumwerktafel die dienstdeed als Johnny Harris' bureau, lunchtafel en lessenaar.

Harris pakte een zwarte olijf uit een plastic bakje. Hij stak hem in zijn mond, zoog erop, rolde hem rond en spuugde de pit in zijn hand. 'Mmm. Deze zijn lekker. Waar heb je ze gehaald?' Hij nam er nog een.

'In zo'n oosters winkeltje aan het eind van South Richmond Street. De mensen achter de toonbank zijn heel onvriendelijk, maar ze hebben heerlijke dingen. Die olijven verkopen ze los. En ze hebben nog veel meer soorten. Groot, klein, groen, zwart, gevuld, ongevuld. Maar ze hebben ook blikjes kleine groene olijfjes die heel lekker zijn en ongelooflijk goedkoop. Hier,' hij stak een hand in het plastic tasje dat aan zijn voeten stond, 'neem er maar een.'

Hij zette het blikje op Harris' krant, daarmee de half ingevulde sudoku bedekkend waar Harris' blik voortdurend naar bleef afdwalen. Harris pakte het blikje op en bekeek het aandachtig, waarna hij het weer neerzette. 'Heb je verder nog iets interessants in die tas?' Zijn wangen puilden uit van de olijven.

'Een bosje koriander, een stukje feta, wat hummus.' McLoughlin kiepte de tas om. 'Een grote zak gemalen komijn, wat paprika – o, en deze zijn lekker.'

'Laat eens zien?' Harris zat bijna te kwijlen. 'Wat zijn dat?'

'Ingelegde groene pepers. Heel erg heet, maar ver-ruk-ke-lijk.'

Harris schoof zijn bril boven op zijn hoofd en wierp McLoughlin een bedenkelijke blik toe. 'Dit is allemaal geweldig. En ik weet zeker dat we een lang, interessant gesprek zouden kunnen voeren over oosterse maaltijden en de opkomst van het islamitische fundamentalisme, maar vertel me nu eens, Michael, wat je werkelijk van me wilt!' Zijn vriend zag er slecht uit, dacht McLoughlin. Hij had donkere kringen onder zijn ogen en zijn huid, anders altijd blozend en gezond als die van een zeeman, was grauw en vaal. 'En hoe is het met jou? Niet veel geslapen de laatste tijd? Betekent dat een gezond sociaal leven of lig je om een andere reden lang wakker?' McLoughlin rommelde nog eens wat in zijn tas en haalde er een groot, rond, plat brood uit. 'Wil je hier wat van?'

Harris knikte, en even dacht McLoughlin dat het tranen waren die zijn ogen zo deden glanzen.

'Er ligt een mes in de la.' Hij haalde het tevoorschijn.

McLoughlin brak het brood in tweeën en besmeerde het met hummus. Hij gaf een stuk aan Johnny. 'Dus Chicko is ervandoor?'

McLoughlin had Johnny Harris nooit goed begrepen. Hij was in zoveel opzichten een getalenteerde, fatsoenlijke vent. Geweldige zeiler en tennisser. En hij ging nog naar de kerk ook. Maar een vreselijke smaak in mannen. Chicko, klein, donker en knap, was de laatste.

'Chicko? Wil je weten hoe het met die schat van een Chicko is? Hij zei dat ik spelletjes speelde met zijn hoofd. Wát dat ook mag betekenen. Dus ben ik weer alleen. Zo vrij als een vogeltje in de lucht.' Harris glimlachte zwakjes. Toen veegde hij met zijn zakdoek de laatste restjes brood van het werkblad. Hij stond op, opende een van de enorme dossierkasten die tegen de muren stonden en haalde Marina Spencers gegevens tevoorschijn. 'Oké,' zei hij, 'eens even zien.'

Het waren de foto's die na haar dood genomen waren, in chronologische volgorde. De eerste toonde Marina's verwrongen lichaam op de rotsen van de stroomversnelling. Haar haar dreef achter haar hoofd, deinend op het stromende water. Ze droeg een lange jurk met een exotisch dessin en had niets aan haar voeten. Er waren close-ups van haar gezicht, haar handen, haar bovenlichaam. Er zaten blauwe plekken op haar wangen en kin, maar de rest van haar lichaam leek helemaal gaaf.

'En dit zijn de foto's die hier zijn gemaakt.' Johnny spreidde ze uit.

McLoughlin had zulke foto's al tientallen, misschien wel honderden keren eerder gezien. Ze shockeerden hem allang niet meer zo erg als vroeger. Hij was inmiddels in staat het beeld onder te verdelen in losse componenten, wist waar hij op moest letten en waar hij niet naar hoefde te kijken. Hij wist dat het belangrijk was de persoon niet als persoon te zien. 'Waar hebben jullie naar gezocht?'

'Het gebruikelijke. Sporen van geweld. Wurging. Bloedingen. Schaafwonden. Blauwe plekken, et cetera. Ze heeft blauwe plekken op haar gezicht en, kijk hier maar, op haar ribbenkast, knieen en bovenbenen. Maar die kunnen allemaal het gevolg zijn van het feit dat ze door de kracht van het water over de rotsen is meegevoerd.'

'En verder niets, geen sporen dat ze op de een of andere manier is vastgehouden of vastgebonden?'

'Nee, helemaal niets. Kijk hier, deze close-ups van haar polsen en enkels? Geen schrammetje.'

'En het staat vast dat ze is verdronken?'

'Absoluut. Hier heb ik de inhoud van haar longen. Zie je? Water uit het meer. En wij weten allebei dat ze, áls ze al dood was geweest toen ze onder water kwam, niet meer zou hebben geademd, zodat er geen water in haar longen zou hebben gezeten.'

'En haar bloed? Wat was daaraan te zien?'

'Oké. Alcohol, driehonderdzestig ml, sporen van cocaïne. O, en lsd. Lyserginezuur diëthylamide, de koning of koningin der hallucinogenen. Een synthetische alkaloïde, afgeleid van ergot. Ze was helemaal van de wereld.'

'"Van de wereld"? Is dat een technische term?' McLoughlin fronste zijn wenkbrauwen.

Harris glimlachte somber. 'Heel goed. Lsd verstoort de natuurlijke actie van serotonine in de hersenen. Het leidt tot ernstige hallucinaties, wat je tijdelijke krankzinnigheid zou kunnen noemen, gelijkend op schizofrenie. Gezien de combinatie van drugs die ze had gebruikt, heeft ze hoogstwaarschijnlijk ook aanvallen van misselijkheid gehad, gevolgd door periodieke bewusteloosheid, onderdrukte ademhaling en uiteindelijk, mogelijk, de dood. Dus was ze beslist helemaal van de wereld.'

'Maar niet zo erg van de wereld dat ze niet meer in staat zou zijn geweest zich in de boot te hijsen? Als ze er zó erg aan toe was kan ik me bijna niet voorstellen dat ze het meer nog op kon roeien. Ze moet een behoorlijke afstand hebben afgelegd, want anders zou ze wel naar de waterkant, vlak bij het huis, zijn gedreven. Waar lag die boot eigenlijk?'

'Ik heb hier ergens een foto. Meestal lag hij aan de aanlegsteiger bij het huis. Maar ik betwijfel of ze van het huis bijna helemaal naar de andere kant van het meer heeft kunnen roeien. Dus moet de boot die avond ergens anders hebben gelegen.'

McLoughlin pakte een vergrootglas op en bestudeerde de foto's van Marina's hoofd en gezicht. 'En waar is hij uiteindelijk teruggevonden?'

'Eh, eens even zien... Hier.' Harris zocht tussen de stapel. 'Ja, hier. Hij kwam aan het begin van de stroomversnelling klem te zitten tussen de rotsen.'

'Maar denk je werkelijk dat ze met die jol uit de voeten heeft gekund? Je zou eerder hebben verwacht dat ze bewusteloos was geraakt en dat de boot naar de kant was gedreven. En zelfs als hij vast kwam te zitten in de stroomversnelling, zou je hebben gedacht dat ze op de bodem van de boot zou zijn aangetroffen of zoiets. Aan de hoeveelheid alcohol in haar bloed te zien lijkt het mij, als bescheiden leek, dat ze dan toch wel dood was gegaan aan alcoholvergiftiging, maar dan zou ze niet verdronken zijn. Wat denk jij?'

'Daar zit beslist wat in, maar je ziet één ding over het hoofd. Kijk nog eens goed naar die foto van de jol. Kijk daar – wat is dat?' Harris nam het vergrootglas uit zijn hand en hield het schuin boven de glanzende zwart-witafdruk. 'Wat is dat?'

'Ja, een fles Smirnoff. Dus wat jij wilt zeggen, is dat ze in de boot is gestapt, heeft doorgeroeid tot ze niet meer kon, tegelijkertijd waarschijnlijk heeft zitten drinken, en zichzelf vervolgens overboord heeft laten vallen?'

'Dat klopt wel met de bloedanalyse. Het feit dat de alcohol-concentratie in haar bloed zo hoog was, suggereert dat ze heel kort na het drinken ervan is overleden.'

'En hoe zit het met de andere gasten van het feest die avond?'

'Dat moet je niet aan mij vragen, Michael. Dan kun je beter met Brian Dooley gaan praten. Die laat je vast zijn dossiers wel zien.'

'Maar waarom zelfmoord, Johnny? Een ongeluk kan ik me nog wel voorstellen.'

'Je hebt dat briefje toch gelezen? Ik heb het gelezen. Ik heb in de loop der jaren heel veel van zulke briefjes gelezen. Het doet authentiek aan.'

'Haar moeder vindt van niet. En ik was ook niet overtuigd.'

'Nou ja,' zei Harris, terwijl hij de foto's begon te verzamelen, 'het laatste woord is aan de lijkschouwer en niet aan jou of aan mij. Uitgaande van het fysieke bewijsmateriaal is ze uit eigen beweging in dat bootje gestapt, heeft ze zo ver geroeid als ze kon en is ze vervolgens in het water gesprongen en verdronken.'

'Oké, jij bent de expert. Als er dwang bij was uitgeoefend, had je daar vast wel sporen van aangetroffen. Dus...' Zijn stem stierf weg.

'Hoe dan ook,' Harris leunde achterover op zijn kruk, 'hoe komt het dat jij je hiermee bezighoudt? Ik dacht dat je onderweg was naar Bretagne of zoiets.'

'Ik wacht nog op de details. Paul Brady belt me er nog over. Intussen moet ik natuurlijk een beetje bezig blijven. Macht der gewoonte, snap je.' Hij liet zich van de kruk glijden en pakte het plastic tasje. 'Hier,' hij stak hem het tasje toe, 'ik zal wat lekkere hapjes bij je achterlaten. Van alles de helft. De hummus, de olijven en het brood. Neem maar. Je ziet eruit alsof je wel wat extra's kunt gebruiken. Je bent zo mager als een lat, Harris, ouwe jongen. Geniet er maar lekker van.'

De twee mannen liepen naar buiten, de zonneschijn in. McLough-lins auto stond geparkeerd naast Harris' Range Rover, die eruitzag alsof hij wel eens flink door de wasstraat zou mogen. Hij zat van onder tot boven onder de modder. Harris haalde zijn gouden vestzakhorloge tevoorschijn en knipte het open. 'Jezus, moet je zien hoe laat het is! Ik had een halfuur geleden al in het mortuarium moeten zijn.' Hij opende de achterklep van de Range Rover en gooide het plastic tasje erin, bij zijn zeilspullen.

'Iets interessants?'

'Weet ik nog niet. Heb je gehoord van de vrouw die gisteravond dood in bed is gevonden?' Harris stond te klungelen met zijn sleuteltjes.

'Ja, in Rathmines of zoiets?'

'Precies. Hartje suburbia. Ik heb haar snel even *in situ* bekeken. Moeilijk te zeggen. Het zou weer een zelfmoord kunnen zijn. Maar het kan net zo goed een "dood met hulp van echtgenoot" zijn.'

McLoughlin lachte en stak zijn sleuteltje in het slot. 'Komt vaker voor dan je denkt, tegenwoordig. Met de legalisatie van echtscheiding zou je toch denken dat mannen voor een wat meer conventionele weg naar de vrijheid zouden kiezen.'

'Veel te duur en te langzaam.' Harris klom in de Range Rover, drukte op een knopje en de raampjes gleden naar beneden. 'Wat is dat toch met jullie heteroseksuele mannen? Heterorelaties zijn zo gevaarlijk geworden. Ik weet niet waar het naartoe moet met de wereld.'

McLoughlin volgde Harris het parkeerterrein af. Hij reed helemaal tot Stove Street achter hem aan en zag hem uiteindelijk zijn vaste parkeerplaats voor het stadsmortuarium indraaien. Hij bofte. Het was altijd een hele toestand om naar het mortuarium te gaan – geen parkeerplek te vinden. Vooral door de weeks. 's Zondags was het gemakkelijker, herinnerde hij zich, van de keer dat hij en Finney Margaret Mitchell naar het mortuarium hadden gebracht om het lichaam van haar dochter te identificeren. Het was toen net zo'n warme dag geweest als vandaag. Onderweg naar de stad was het niet druk geweest. Hij herinnerde zich dat Finney had gereden. Hij reed hard, veel te hard. McLoughlin had hem wel wat willen afremmen, ook om de vrouw op de achterbank wat meer tijd te geven om zich voor te bereiden op wat komen ging. Maar ze konden het gruwelijke moment niet uitstellen waarop hij het laken zou terugslaan en het gezicht van het kind aan haar moeder zou tonen. Hij had gewacht tot Margaret reageerde. Toen had hij de vraag gesteld die hij moest stellen.

'Kunt u haar identificeren? Kunt u ons vertellen wie dit is?'

En Margaret had haar hoofd gebogen en, zonder haar blik ook maar een seconde van Mary's gezicht af te wenden, gezegd: 'Dit is het lichaam van mijn dochter, Mary Mitchell.'

Toen had ze zich naar hem en Finney omgedraaid en tegen hen geschreeuwd dat ze weg moesten en haar alleen moesten laten met haar kind.

Het licht sprong op groen. Hij bleef ernaar zitten staren tot achter hem de claxons begonnen te toeteren.

'Ja, ja, maak je verdomme niet druk!' riep McLoughlin, terwijl hij langzaam verderreed. Een eindje verderop lag de Matt Talbot-brug over de Liffey, en nog wat verder zwaaiden de kranen aan de skyline als een ouderwetse weegschaal heen en weer, hoog boven de nieuwe appartementengebouwen. Daar had Marina Spencer gewerkt, dacht hij, tot op de dag van haar dood. Hij had de artikelen over haar gelezen die haar moeder uit tijdschriften en kranten had geknipt en in het plakboek had geplakt.

Hij reed de brug over naar de kades en sloeg daar rechtsaf. Op een groot reclamebord stond de naam van de projectontwikkelaar: Urban Living. Hij minderde vaart en reed achter een rij vrachtwagens aan de bouwplaats op. Het hoge centrale appartementenblok was al voltooid, maar de kleinere gebouwen stonden nog in de steigers. Hij hobbelde over het oneffen terrein en parkeerde voor de Portakabin, die dienstdeed als bouwkeet. Buiten was het lawaai oorverdovend. Pneumatische drilboren, betonmolens en de algemene kakofonie van moderne bouwtechnieken. McLoughlin dook snel de keet binnen. Een jonge vrouw zat achter een bureau dat vol lag met stapels papier. Ze keek glimlachend naar hem op. 'Wat kan ik voor u doen?' Haar accent was Oost-Europees.

'Misschien kunt u me helpen. Ik vroeg me af waar Marina Spencers kantoor was.'

'Waarom wilt u dat weten? Marina is weg. Ze is dood, weet u.'

'Dat weet ik.' McLoughlin zette zijn twee vuisten op het bureau en leunde erop. 'Dat weet ik. Ik ben een politieman en stel een onderzoek in naar haar dood. Ik wilde graag haar kantoor zien.'

'Een politieman, een Garda Síochána.' Haar uitspraak was onberispelijk. 'De politie is hier al geweest, een paar weken geleden.'

'Dat klopt.' McLoughlin haalde zijn portefeuille uit zijn binnenzak. 'Ik doe nog wat vervolgonderzoek. De puntjes op de i zetten, zogezegd.' Hij liet haar zijn legitimatie zien.

Haar blik gleed er even overheen en toen keek ze hem weer aan. 'Oké, u gaat naar de appartementen. Daar ziet u een bordje van designbureau Inner Vision. Ze zitten op de tiende verdieping. Daar vindt u Becky Heron. Zij was Marina's assistente. Zij kan uw vragen beantwoorden.'

Het was precies zoals ze had gezegd. Hij volgde de bordjes en nam de lift naar de tiende verdieping. Toen de liftdeuren opengingen hoorde hij het geluid van een radio en het lawaai van werklui verder in de gang. Hij liep in de richting van het geluid en zag een open deur. Hij rook verse koffie en hoorde een stem zeggen: 'Kom erin, het water is heerlijk.'

Het meisje met de glazen pot in haar hand draaide zich met een verwachtingsvolle glimlach naar hem om. 'O.' De glimlach verdween. Ze zette de pot op een lange schragentafel die was bezaaid met lappen stof, rollen behang, stapels kussens en een hele collectie keramische tegels. 'Ik dacht dat u iemand anders was.' Ze rechtte haar schouders, de glimlach vervangen door een bijna verwijtende blik. 'Wat kan ik voor u doen?'

'Mij is verteld dat ik Becky hier kan vinden.' Hij voelde er veel voor een kopje koffie voor zichzelf in te schenken. Het rook lekker.

'Ik ben Becky Heron. En u bent?' Haar toon klonk koeltjes. Ze tilde haar beker op en nam een slokje. Ze was klein en heel mooi, met blond haar in een lange vlecht die over haar schouder hing. Hij probeerde niet naar haar blote buik te kijken, waarop een getatoeëerde vlinder net wegdook onder de broekband van haar jeans.

'Ik ben Michael McLoughlin. Sally Spencer, Marina Spencers moeder, heeft mij gevraagd een onderzoek in te stellen naar de, eh, dood van haar dochter. Ik wilde alleen eventjes met je babbelen over Marina en haar werk.'

'En wat bent u precies?'

Hij voelde zijn eigenwaarde verschrompelen onder haar hautaine blik. 'Laten we zeggen dat ik het een en ander af weet van het onderzoek naar een verdacht sterfgeval.' Hij deed een stap naar voren. 'Zit er een kansje in dat ik daar ook een kopje van krijg? Het ruikt fantastisch. Wat voor koffie is het?'

'Marina's favoriete Colombiaanse koffie. Ze had een van de plantages bezocht waar die wordt verbouwd. Ze had een vriend die daar werkt. Hij stuurt haar zo nu en dan pakjes van zijn speciale koffie toe.' Becky's lippen trilden. Ze ging op een kruk zitten. 'Ik mis haar zo ontzettend. Ik kan nog steeds niet geloven dat ze dood is. Ik verwacht steeds dat ze opeens binnen komt lopen. Elke keer dat ik de liftdeuren hoor opengaan denk ik dat zij het is. Daarom zei ik dat daarnet dat het water zo heerlijk is. Dat zei ze altijd wanneer we mensen op de gang hoorden.'

'Kende je haar al lang?' McLoughlin schoof een stapel brokaten kussens uit de weg en zette zijn beker neer.

Becky haalde haar schouders op. 'Een jaar of zo. Na mijn school ben ik hier gekomen om werkervaring op te doen en ben toen blijven hangen. We konden het uitstekend met elkaar vinden.'

'Hoe was ze voor ze overleed? Leek ze depressief, angstig, bezorgd om iets?' Hij stak haar zijn beker toe, zodat ze nog eens kon bijschenken.

'Niet depressief. Ze had wel last van stress. Dit was een heel grote opdracht, en de ontwikkelaars zijn behoorlijk lastig. De laatste tijd was ze een beetje nerveus. Ook vanwege al die problemen met het vandalisme in River View net toen de appartementen werden verkocht.'

'Vandalisme? Waar ging dat om?' McLoughlin nipte van zijn koffie. Hij voelde de cafeïne door zijn lichaam zinderen. 'U kent River View – even ten oosten van het douanekantoor? Dat waren de eerste van de echt flitsende appartementen. Marina was net klaar met het showen van de penthouses. Ze zagen er werkelijk geweldig uit. En toen heeft een stel van die rotzakken ingebroken en alles besmeurd met verf. Ze was helemaal overstuur. Ze moest de schilders terugroepen en hen overhalen het hele weekend door te werken om alles weer op te ruimen. Het was een nachtmerrie.' Becky glimlachte. 'Een echte nachtmerrie, maar wij hadden zo onze eigen manieren om daarmee om te gaan. Toen ze klaar was, was het al laat, maar ze belde me op en vroeg of ik in was voor een stressbreker.'

'Wat was dat?'

'Dat was Marina's manier om alle narigheid van zich af te zetten. Dan gingen we dansen. Marina kon uitzinnig dansen.' Becky's ogen vulden zich met tranen. 'We hebben het die avond zo leuk gehad.'

McLoughlin wachtte tot het snikken afnam. Hij pakte zijn zakdoek en stak haar die over de tafel toe.

'Sorry.' Ze snufte luidruchtig en snoot haar neus. 'Sorry, maar ik mis haar gewoon zo ontzettend. Ik kan niet geloven dat ze dood is. Ook al…' ze aarzelde, '… ook al heb ik haar zelf gezien, u weet wel, in de kist. Ik had nog nooit een dode gezien.' Ze deed haar ogen dicht alsof ze het beeld wilde verdrijven.

'En hoe was het?'

'Het was heel raar. Ze leek helemaal niet op zichzelf. En er waren allemaal mensen van wie ik nog nooit had gehoord. En die vent was er, Mark Porter. Hij maakte een ophef alsof hij haar man was of zoiets, maar dat was hij niet. Hij kende haar amper.' Becky kreeg een opgewonden blos. Haar verdriet had plaatsgemaakt voor verontwaardiging.

'Mark Porter, en wie mag dat zijn?'

'Hij was iemand die ze de laatste tijd weer wat vaker zag. Ze hadden samen op school gezeten of zoiets. Hij zag er een beetje eigenaardig uit. Heel klein, maar enorm gespierd. Een soort mini-

Hulk. Ik noemde hem Hulkje. Daar giechelden we dan samen om. Hoewel ze altijd zei dat we niet onaardig mochten zijn, omdat Mark al genoeg had meegemaakt in zijn leven. Ik heb nooit begrepen waarom Marina met hem omging.' En daar kwamen de tranen weer.

'Het spijt me,' fluisterde ze. 'Ik weet niet waarom ik zo moet huilen. Ik zou er inmiddels toch eens overheen moeten komen.'

'Dat heeft niets met moeten te maken,' zei hij. 'Verdriet is iets heel geks. Het komt en het gaat, en op een dag komt het opeens niet meer. Wat niet betekent dat je de persoon in kwestie dan vergeten bent, alleen dat je je eigen leven weer kunt hervatten. Maar je hebt zelf geen controle over je verdriet. Het beheerst je zolang het wil. Wen maar vast aan het idee.'

Het was gemakkelijk om wijze woorden te spreken wanneer het niet om je eigen verdriet ging, dacht McLoughlin, terwijl hij naar zijn auto liep. Becky's koffie gonsde door zijn aderen en zijn hoofd en hij was een beetje misselijk. Hij stapte in de auto en haalde zijn notitieboekje tevoorschijn. Hij moest het allemaal opschrijven nu de herinnering nog vers was. Marina had stress op haar werk. Maar niets buitengewoons. Ze had Becky verteld dat ze was uitgenodigd voor het feest in Lake House. Volgens Becky had ze gezegd dat ze er erg tegen opzag. Dat ze alleen maar nare herinneringen had aan die plek. Dat ze nooit overweg had gekund met haar stiefbroer. Waarom ga je dan? had Becky gevraagd. En Marina had gezegd dat ze het voor Mark Porter deed. Hij wilde zo graag dat ze zou gaan. Hij had gezegd dat er allerlei mensen zouden komen aan wie ze iets kon hebben voor haar werk. Mensen met grote huizen en geld, mensen die altijd bezig waren met hun inrichting en voortdurend op zoek waren naar nieuwe projecten.

'Eigenlijk begreep ik het niet,' had Becky vervolgd. 'Ze had geen nieuw werk nodig. Meer werk had ze niet eens aangekund. Ze had net een contract getekend met dezelfde projectontwikkelaars om in Greystones met een ander complex te beginnen.'

'Was ze verliefd op die knaap, die Mark? Was dat het?'

'Nee, dat geloof ik niet.' Becky schudde haar hoofd. 'Het was geen liefde of seks of iets dergelijks. Volgens mij was het schuldgevoel.'

'Schuldgevoel om wat?'

'Dat heeft ze eigenlijk nooit gezegd. Ze heeft me wel een keer iets verteld over het een of ander dat op school was voorgevallen. Ze zaten allemaal op dezelfde dure kostschool. Maar toen werden we opeens gestoord, en toen ik haar er later naar vroeg zei ze dat het niets was en begon ze over iets anders.'

Daar ben ik weinig mee opgeschoten, dacht McLoughlin, terwijl hij zijn pen opborg en zijn notitieboekje weer in zijn binnenzak stak. Behalve dan dat hij Marina's Filofax had meegekregen. Die had op tafel gelegen, vlak naast zijn koffiebeker. Hij had er niet omheen gedraaid. Hij had Becky op de man af gevraagd of hij erin mocht kijken, en zij had gezegd dat hij hem wel mee kon nemen.

Met een glimlachje pakte McLoughlin de agenda op. 'Dank je wel, maar weet je zeker dat je hem niet nodig hebt voor de zaak?'

'Het maakt toch allemaal niets meer uit.' Becky's gezicht betrok. 'In feite heb je geluk gehad dat je me hier nog hebt getroffen. Het is vandaag mijn laatste dag. Ik ben aan het opruimen. De ontwikkelaars hebben een nieuw bedrijf dat het overneemt.' Ze snufte en wees naar een stapel kartonnen dozen bij de deur. 'Dat is allemaal van Marina. Haar naslagwerken, haar contactdossiers, haar lijsten van wie wie is en wat wat. Ik weet eigenlijk niet precies wat ik ermee moet doen. Neem maar mee, als je wilt.'

McLoughlin keek op. Een man in een overall kwam met een karretje dat was volgestapeld met dozen in zijn richting gelopen. McLoughlin stapte uit de wagen, liep naar de achterkant en opende de kofferbak. 'Hierin, als dat kan,' riep hij, waarop hij een stapje naar achteren deed en toekeek hoe de man de dozen keurig in de kofferbak laadde. McLoughlin sloeg de klep dicht en stapte weer in de auto. Hij nam ze allemaal mee naar huis, en wanneer hij ermee klaar was, zou hij ze naar Sally brengen.

Hij reed langzaam over het oneffen terrein van de bouwplaats en even later bevond hij zich op de weg. Toen hij stilstond voor een stoplicht ging zijn mobieltje.

'Hé, Paul, hoe staat het ermee? Wanneer vertrekken we?'

Het was geen goed nieuws. De vrouw van de booteigenaar had haar enkel verstuikt. De reis was voorlopig uitgesteld.

'Shit, dat is jammer. Ik had me zeer op Bretagne verheugd.' Hij minderde vaart om een bocht te nemen. 'Zit er verder nog iets in het vat? Ik kan wel iets gebruiken om mijn tijd mee door te komen.'

Maar Paul Brady kon niets beloven. Ze zouden contact houden, en zodra er zich iets voordeed, zou hij het hem laten weten. McLoughlin verbrak de verbinding en gooide zijn mobieltje op de stoel naast hem. Nou ja, niets aan te doen. Hij ging naar huis. Hij had een hele avond lezen voor de boeg. Afleiding van zijn eigen problemen, de dingen die hij zelf betreurde, zijn eigen verdriet. Voor even.

10

Bloem, warm water, zout, suiker, gist. Deeg tussen McLoughlins vingers, om de nagels heen, aan zijn handpalmen gekleefd. Hij gooide het deeg op de met bloem bestoven plank om gekneed te worden. Rekken, trekken, omdraaien en met de muis van zijn hand platdrukken. Het deeg met de klok mee draaien. Trekken, rekken, aandrukken, omdraaien. In een ritme komen. Voelen hoe het deeg steeds steviger werd. Glad en elastisch. Het in een ingevet bakblik doen. Afdekken met plasticfolie. Laten staan. En wachten. Tot de transformatie had plaatsgevonden. Tot de gist zijn magische werk had gedaan. Tot de afzonderlijke ingrediënten – bloem, warm water, zout, suiker, gist – één geheel waren geworden.

De afspraken waren gemaakt voor de maandagochtenden om negen uur. Ze waren genoteerd in rode kapitalen, met een rood blokje eromheen getekend. De eerste was voor 10 januari 2005, en verder had zij ze voor het hele jaar al ingevuld, tot 19 december aan toe. De bladzijden van haar agenda stonden stijf van de inkt, elk stukje papier stond vol met namen, data, telefoonnummers, e-mailadressen, gekke poppetjes, losse aantekeningen. Tot 21 juni, de avond van haar dood. Daarna waren de pagina's vrijwel leeg, op de afspraken in het rood na. De naam die erbij stond was Simpson. Geen voornaam, geen titel, geen telefoonnummer of adres. McLoughlin bladerde door Marina's Filofax naar het adressengedeelte. Hij sloeg de pagina met het S-flapje op en liet zijn blik langs de lijst met namen glijden. Marina's handschrift was netjes, precies en leesbaar. Maar er was geen Simpson.

Hij stond op van de tafel en liep de gang in. De grote bruin-leren tas lag nog waar hij hem had achtergelaten, tussen de wirwar van paraplu's en laarzen onder de kapstok achter de deur. Hij pakte de tas op, liep terug naar de keuken en begon er wat in te rommelen. Hij haalde er een mobiele telefoon uit. Het schermpje was leeg en de batterijen ook. Het was een Nokia, hetzelfde merk als zijn eigen telefoon. Hij zette hem in de op-lader en wachtte. Na een paar tellen klonk er een piepje en gloeide het schermpje op, waarna het weer zwart werd. Hij trok de koelkast open, pakte een flesje Erdinger, wipte de kroonkurk eraf en schonk het bier in zijn glas. Toen ging hij naar de zit-kamer, waar Marina's dozen stonden te wachten. Hij ging op de bank zitten, nam een grote slok bier en opende de flappen van de doos die het dichtst bij hem stond. Genoeg om hem bezig te houden tot Marina's mobieltje weer tot leven kwam.

Tegen de tijd dat hij klaar was, was het al laat. Op zijn hurken gezeten overzag hij het tafereel. Er lag een grote stapel boeken. Zware boeken met harde kaften. Veel felle kleuren. In een van de andere dozen zaten tekenboeken gevuld met schetsen. Vogels, katten, honden, bomen, huizen. En mensen. Er zaten tekeningen van haar moeder bij. En van een meisje met steil bruin haar en amandelvormige ogen. Ze deed hem aan iemand denken, en op-eens schoot het hem te binnen: ze leek sprekend op James de Paor. Dat zal het kind wel zijn, dacht hij, terwijl hij de rest van de boeken doorbladerde, het kind dat Sally en James samen had-den gekregen.

Onder in een van de dozen lag een grote, stevige envelop, ge-adresseerd aan Marina en ongeopend. Hij scheurde hem open. De geur van koffie vulde de kamer. In de envelop zat een bruine papieren zak. Hij haalde hem er met twee handen uit en liet zijn duimen over het dikke papier glijden. En voelde dat er nog iets in zat. Hij maakte de zak voorzichtig open. De koffiegeur was overweldigend. Hij nam het pakketje mee naar de keuken, leeg-de het in een schaal en zag de kleine plastic zakjes, de poeder-achtige substantie die ze bevatten wit afstekend tegen de donkerbruine gemalen koffiebonen. Hij pakte een opscheplepel en viste de zakjes eruit. Het waren er vijf in totaal. Hij maakte er een open, likte aan zijn vinger en stak hem erin. Het witte poeder bedekte zijn vinger. Hij bracht de vinger naar zijn mond en raakte hem aan met het puntje van zijn tong. Een plotseling en onmiskenbaar gevoel van verdoving. Hij liep naar de keuken, zette de kraan open, hield zijn hand onder de waterstraal en waste hem grondig. Een cadeautje van haar vriend op de koffieplantage in de heuvels boven Medellín, dat kon niet anders. Een beetje voor haarzelf en een beetje voor de verkoop. Een leuke kleine bijverdienste. Geen wonder dat ze zo lekker danste op die avondjes in de nachtclub met Becky.

Hij goot de koffie in een weckpot en klikte hem stevig dicht. Hij pakte de rest van de zakjes en stopte ze in het vriesvak van zijn koelkast. Toen keek hij naar het deeg. Het was ver boven de rand van het bakblik uit gerezen. Hij kon de gist ruiken. Hij deed het deeg uit het blik op de met bloem bestoven plank, balde zijn vuist en sloeg er keihard mee op het deeg. Hij hoorde de lucht er met een zucht uit ontsnappen. Vervolgens deed hij het deeg weer in het bakblik om een tweede keer rijzen af te wachten. Daarna pakte hij nog een flesje bier uit de koelkast, trok het open en ging de zitkamer binnen.

De laatste doos zat vol paperassen en brieven. En onder dat alles nog een bruine envelop: A4 met een verstevigde achterkant. FOTO'S. NIET VOUWEN stond er met grote letters op de voorkant geschreven, onder een etiket waarop haar naam en adres waren geprint. De flap was losgescheurd maar weer in de envelop gestopt. Hij maakte hem open en liet de inhoud eruit glijden. En leunde een eindje naar achteren van verbazing. Vijf grote zwartwitfoto's. Hij spreidde ze uit op de grond. Ze toonden allemaal variaties op hetzelfde thema: een vrouw in verschillende stadia van ontkleding. Op de eerste foto droeg ze een spijkerbroek, maar geen blouse of trui. Op de tweede stond ze in haar beha en spijkerbroek. Vervolgens kwam er een grote close-up van haar blote borsten. Op de volgende foto was ze naakt. Haar gezicht was wazig, maar aan haar haarkleur en figuur te zien was het wel duidelijk dat dit Marina was. McLoughlin draaide de foto's om. Op alle foto's was een kleine sticker geplakt, van de soort waarop normaal gesproken de naam van de fotograaf hoorde te staan. Maar die stond er dit keer niet op. Hij las de woorden hardop. 'Ik zag jou,' zei hij, en toen nog een keer: 'Ik zag jou.' Dat was alles.

McLoughlin pakte de envelop weer op. Geen postzegel, geen poststempel, alleen het etiket met Marina's naam en huisadres. Hij bekeek de foto's nog een keer een voor een. Ze waren genomen vanuit een hoek die deed vermoeden dat de camera zich boven de vrouw had bevonden. Ze waren niet geposeerd. Ze had niet geweten wat er gebeurde. McLoughlin had in zijn tijd bij de Gardaí voldoende clandestiene fotografie gezien om die conclusie te kunnen trekken. 'Een verdomde gluurder,' mompelde hij, en hij stond op, rekte zich uit en liep terug naar de keuken.

Hij probeerde zich de indeling van Marina's slaapkamer voor de geest te halen. Was hem iets verdachts opgevallen? Iets wat op de aanwezigheid van bewakingsapparatuur had kunnen wijzen? Voor zover hij zich kon herinneren had hij geen ongebruikelijke stopcontacten gezien, maar tegenwoordig waren camera's zo klein dat je ze overal ongezien kon plaatsen. Hij trok de koelkast open en pakte het restant van de hummus, de olijven en het platte brood. Hij scheurde een stuk van het brood en besmeerde het rijkelijk met hummus, nam een grote hap en keek naar Marina's mobieltje. Het schermpje was leeg. Hij pakte het op en drukte op het AAN-knopje. De woorden 'voer code in' verschenen. Hij probeerde een paar simpele combinaties, maar die bleken het niet te zijn. Hij pakte de Filofax, zocht de adressenlijst op, sloeg de H op en liet zijn vinger langs de namen glijden. Het was laat, maar Becky was vast nog wel wakker. Ze is nog jong, redeneerde hij. Maar haar stem klonk slaperig en even voelde hij zich schuldig. Hij legde uit wat hij wilde.

Ze geeuwde. 'Haar code? Ja, die weet ik wel. Ze had een vriendin die aan numerologie deed en haar een combinatie had aangeraden die haar geluk zou brengen.'

0785. Hij pakte het mobieltje en toetste de code in. Toen ging hij aan de keukentafel zitten en liep de lijst met namen door. En daar was dan eindelijk Simpson. Simpson, Gwen. En een telefoonnummer. Hij nam nog wat hummus en toetste het knopje in om verbinding te maken. De telefoon ging over en hij hoorde een ingesproken boodschap. 'Met Gwen Simpson. Mijn kantooruren zijn van negen tot half zes, van maandag tot vrijdag. Laat een boodschap achter en ik bel zo spoedig mogelijk terug. Dank u.' Hij stond op en begon tussen een stapel kookboeken op de kast te zoeken. Het telefoonboek lag helemaal onderop. Hij bladerde erdoorheen. Hier was ze. Simpson, Gwen, PhD, psychotherapeute, en een adres aan Fitzwilliam Square met hetzelfde telefoonnummer. Hij ging weer zitten en at zijn brood met hummus op. Het was verrukkelijk. Hij moest eraan denken om vanavond wat kikkererwten in de week te zetten, zodat hij morgen zelf hummus kon maken.

Hij pakte Marina's telefoon weer op en liep het menu door. Hij selecteerde 'berichten' en ging naar de inbox. Er waren verschillende ongelezen berichten. Hij begon ze te openen. Sommige waren van Sally, die zich afvroeg waar ze was, waar ze mee bezig was en die haar vroeg haar terug te bellen. De andere waren van Becky, met dezelfde vragen. Hij ging naar 'opgeslagen berichten'. Marina had een aantal voicemails bewaard. Hij selecteerde de eerste en luisterde. Een kinderstem fluisterde: 'Ik zag jou.' Zijn hand trilde van verrassing en hij liet het mobieltje vallen. Het kletterde op de tegelvloer. Hij bukte zich, raapte het op en selecteerde het volgende bericht. Ditmaal was het een mannenstem. De boodschap was hetzelfde. 'Ik zag jou,' zei hij, op neutrale toon. McLoughlin luisterde alle tien de opgeslagen berichten af. Elke keer werd hetzelfde gezegd, hoewel de stemmen steeds anders waren. Mannen en vrouwen, oud en jong, en er was zelfs een stem bij met een Amerikaans accent. Hij controleerde de nummers: allemaal vaste nummers in Dublin. Hij koos er een uit en belde het. Geen gehoor. Hij probeerde het volgende nummer, het volgende en het daaropvolgende. Uiteindelijk werd er opgenomen. De stem van een jonge man met een Galway accent riep lachend 'Hoi'. Er klonk lawaai op de achtergrond. Hij

hoorde muziek en het onmiskenbare geroezemoes van een café.
'Met wie spreek ik?' vroeg McLoughlin.
'Waarom wil je dat weten?' antwoordde de stem.
'Hoor ik een kroeg of een bar?'
'Wat denk je verdomme anders?' riep de stem terug.
'Ik wil alleen maar weten waar deze telefoon zich bevindt.' Hij probeerde kalm te blijven.
'Wat is het je waard?'
De stem klonk schril, hysterisch bijna.
McLoughlin kon zich het tafereel wel voorstellen. Nachtelijke drinkers, over het algemeen een rumoerig zooitje. Hij trachtte elk vermoeden van confrontatie uit zijn stem te weren. 'Luister, doe me een lol. Ik heb een telefoontje van mijn vrouw gemist. Ze is aan de boemel en ik wil haar komen ophalen. Ik heb alleen geen idee waar ze is. Ze is een verschrikking wanneer ze serieus aan het drinken slaat.'
Het bleef even stil. Shit, dacht McLoughlin. Ik heb het verkeerd aangepakt. Hij gaat ophangen.
Maar de stem klonk opeens een stuk nuchterder. 'Is het een blondine? Er zit hier een heel stel meiden binnen. Allemaal blondjes en allemaal straalbezopen. Eén van hen begint net te zingen.'
'Dat zal mijn vrouw zijn. Vertel me waar ze is, dan kom ik haar halen.'
'We zitten in café Mercantile, in Dame Street. Ken je dat?'
'Jazeker, bedankt. Je bent een held. Zeg maar dat ik er met een halfuurtje ben.'
Lachend verbrak hij de verbinding. Dat mens zou er niets van begrijpen. Hij kende het Mercantile. Hij zag het al helemaal voor zich. Tot de nok toe gevuld met drinkers, lawaai op hoofdpijnniveau. En de telefoon aan de muur achterin naast de deur naar de toiletten. Hij was er vrij zeker van dat alle andere nummers die hij had geprobeerd bij een soortgelijke locatie hoorden. Morgen zou hij Tony bellen en hem vragen ze na te gaan.
Hij kon het deeg nu goed ruiken. Hij opende de oven en schoof het bakblik erin. Toen pakte hij zijn bier, schoof de glazen deu-

ren open en liep het terras op. Het was een warme avond. Hij voelde de hitte opstijgen van de flagstones. In de verte glansde en schitterde de stad. Arme Marina, dacht hij. Wat was er in vredesnaam aan de hand geweest in haar leven? Hij stapte van het terras en voelde het zachte gras onder zijn voeten. Hij liep de helling af naar de beukhaag die zijn tuin van de velden scheidde. Hij bleef staan en maakte een klakgeluidje met zijn tong. Een grote, donkere vorm kwam naar hem toe. Er stonden paarden in de wei, een paar merries waarmee hij af en toe een praatje maakte. Hij stak zijn hand uit en wachtte. De kleine bruine merrie met de perfecte witte bles op haar voorhoofd was de eerste. Ze stak haar hoofd naar voren en snuffelde aan zijn vingers. Haar neus was zacht en rimpelig. Ze snoof en blies warme, vochtige lucht in zijn richting. Hij stak zijn hand uit en streek haar manen naar achteren, waarna hij zijn vingers in het zachte vel eronder zette en stevig begon te krabbelen.

'Dag, meisje.' Hij draaide zich om en begon de heuvel weer op te lopen.

Hij was moe. De rest kon tot morgen wachten. Hij ging de keuken weer binnen. Het brood was klaar en hij haalde het bakblik uit de oven. Het was een prachtig brood, perfect voor het ontbijt van morgen. Hij liep naar de voorraadkast en haalde er een zakje kikkererwten uit tevoorschijn, schudde het halve zakje leeg in een melkpannetje en zette de erwten onder een laagje water. Hij keek de duisternis weer in en kreeg opeens een visioen. De lichten van zijn keuken die door de patiodeuren naar buiten schenen en tot kilometers in de omtrek te zien waren. Net als de man met het melkpannetje. Van middelbare leeftijd, te zwaar, niet fit, weerloos, niet op zijn hoede. Een gemakkelijk doelwit. Het dichtstbijzijnde huis buiten gehoorsafstand. Hij zette de pan op het fornuis, pakte zijn telefoon en liep achteruit de keuken uit, in het voorbijgaan lichten uitknippend. Hij liep om het huis heen om ramen en deuren te controleren en zette ook het alarm aan. Dat had hij op het hoogtepunt van de Provocampagne laten installeren. Beter het zekere voor het onzekere te nemen, had iedereen gezegd. Je kunt maar beter niet wakker worden met de loop van een Armalite tegen je hoofd, of thuiskomen in een overhoop gehaald huis. Misschien kwam het door zijn leeftijd, of omdat hij niet langer een wapen mocht dragen, maar op de een of andere manier voelde hij zich toch veiliger met de elektronische piepjes die aangaven dat het systeem geactiveerd was.

Hij liep de woonkamer in en pakte de foto's van Marina. Hij schoof ze terug in de envelop en nam die mee naar zijn slaapkamer. Daar opende hij het bovenste laatje van zijn nachtkastje, tilde de stapel oude brieven op en legde de envelop eronder. Daar lagen ze veilig, dacht hij, uit het zicht. Hij trok zijn jasje uit en hing het over de rugleuning van een stoel. Toen pakte hij het weer op en stak zijn vingers in de binnenzak en haalde de opgevouwen e-mails tevoorschijn. Hij trok het laatje nog een keer open en legde ze bij de foto's. Toen kleedde hij zich uit en ging naar bed. Was het chantage? vroeg hij zich af, terwijl hij het licht uitknipte en zijn gezicht in zijn kussen begroef. Wat het ook was, het was in elk geval geen pretje geweest. Een reden om een eind aan haar leven te maken? Wat stond er ook weer in haar briefje? Ze vroeg om vergeving. Voor wat? Wat had ze gedaan dat haar ertoe had kunnen brengen zichzelf van het leven te beroven? Hij lag te woelen in zijn bed en kreeg de woorden maar niet uit zijn hoofd. 'Ik zag jou.' Wat kon iemand Marina hebben zien doen? Wat was zó erg dat het kon worden gebruikt om haar bang te maken, te bedreigen, overstuur te maken? Hij was degene geweest die had gezien. Hij wist hoe het was om de heimelijke toeschouwer te zijn.

Hij zei de woorden hardop: 'Ik zag jou, Margaret. Ik heb gezien wat je hebt gedaan.'

11

Het was het meisje van het kerkhof. Ze zat op de strandmuur aan de overkant van de weg voor het huis. Ze zat een Magnum te eten. Margaret keek naar haar. Ze brak er zorgvuldig stukjes chocolade af en stak ze in haar mond. Toen ze het laatste restje chocolade had verwijderd begon ze aan het ijsje te likken, vormde het tot een hoge paddestoel en likte er vervolgens net zolang aan tot er niets anders resteerde dan het houten stokje.

Margaret liep naar een ander plekje en keek links en rechts de weg af. Het meisje leek alleen te zijn. Het was vandaag heel rustig buiten. Te vroeg voor de gebruikelijke dagjesmensen, die van de stad hierheen kwamen om te zonnebaden, te zwemmen en in groepjes met hun hele gezin bij elkaar te zitten.

Ze pakte haar mand en opende de voordeur. Die duwde ze stevig achter zich dicht, er nog eens extra tegenaan duwend om zich ervan te overtuigen dat hij echt in het slot was gevallen. Toen liep ze snel het trapje af en het pad op. Toen ze het hek opendeed keek het meisje haar kant op. Ze liet zich van de muur glijden en haar voeten in de houten klompen klepperden op de grond. Ze glimlachte. 'Ik ken u toch?' zei ze. 'Ik heb u toch gezien bij het graf van oom Patrick?'

'Dat klopt.'

'Ook toevallig dat ik u hier nu weer zie,' zei het meisje. 'Kent u Aga, het Poolse meisje dat hier woont?'

Margaret schudde haar hoofd. 'Zij woont er niet meer. Ik woon er nu.'

'O,' lachte het meisje, 'ze was heel aardig. Heel vriendelijk. Zo zijn alle Polen. Ze zijn gespecialiseerd in vriendelijkheid.'

Margaret ademde de zilte lucht in. 'Ik heb wel een postadres van haar, als je dat zou willen hebben.'

'Nee, laat maar. Ik was gewoon nieuwsgierig. Ik woon een eind verderop in Trafalgar Lane. En wij zijn nogal nieuwsgierig aangelegd. Wij kennen iedereen. En, nou ja, dit huis is natuurlijk,' ze wuifde met haar hand, 'dit huis is natuurlijk wel bijzonder.'

Margaret verstijfde. 'Hoe bedoel je?'

'Omdat het... nou ja, u weet wel... Omdat dit het huis is waar dat meisje woonde. Het was jaren geleden, ik was nog maar klein, maar toen woonde er in dit huis een meisje en dat is vermoord. Het was afschuwelijk.' Het meisje zweeg. Ze keek Margaret aan. 'O, natuurlijk, het spijt me, ik ben zo'n verschrikkelijke babbelkous, mijn moeder waarschuwt altijd dat ik eerst moet nadenken voordat ik iets zeg. Maar dat doe ik nooit. Het spijt me vreselijk.'

Margaret liep bij de muur vandaan en ging de kant op van de Martellotoren. Het meisje liep met haar mee. Margaret probeerde iets te zeggen, maar haar keel zat dicht.

Het meisje had een vuurrood gezicht gekregen. 'Ik dacht er niet bij na. Ik dacht dat u in Nieuw-Zeeland woonde of zoiets. Toen ik u gisteren ontmoette, wist ik zeker dat ik u kende. Maar dat komt doordat u heel veel op dat meisje, op Mary, lijkt. Zij was uw dochter, hè?'

'Ja,' zei Margaret.

'Ze was zo mooi. Ze was beeldschoon. We hebben haar een keer een lift naar de stad gegeven.'

'O ja?' Weer iets wat ze niet had geweten. Weer iemand die haar iets over Mary kon vertellen.

Het meisje knikte, en een pluk met kralen ingevlochten haar zwaaide heen en weer. 'Ik kan het me nog goed herinneren. Ze stond op een bus te wachten en toen stak ze haar duim op voor een lift, en mijn moeder zei dat ze dat niet moest doen omdat het gevaarlijk was, en toen stopte mijn moeder de auto en stapte Mary in. Ik weet nog dat ze heel aardig was. En mama zei tegen haar dat ze de bus of de DART moest nemen naar de stad, dat ze niet moest liften, omdat het niet veilig was en omdat je nooit wist bij wie je in de auto stapte.' Het meisje praatte snel en zonder één keer adem te halen.

Je weet nooit bij wie je in de auto stapt. Het regent, een van die zware onweersbuien die je 's zomers wel eens hebt. En je staat bij de bushalte en de regen stroomt over je gezicht, je lichaam en druipt in je sandaaltjes. En je steekt je duim op en je lacht omdat je zo nat wordt. En een jongeman met haar als een Botticelliengel en in een grote, zwarte auto, een Mercedes of een BMW of zoiets, een grote zwarte auto die er veilig en bijna officieel uitziet, gaat langzamer rijden en komt langs de stoep staan en vraagt door het open raampje aan je: 'Wil je een lift?'

Wacht nu even, Mary, wacht even en denk na. Maar dat doe je niet. Je kijkt naar hem, naar zijn glimlach en zijn regelmatige witte tanden en zijn blauwe ogen, zijn blonde haar en zijn gladde huid, en je hart begint sneller te kloppen en je buigt je naar het raampje en zegt: 'Graag, dat zou geweldig zijn.'

En zo begint het allemaal.

'Mag ik je vragen...' Margaret wendde zich weer tot het meisje. 'Trouwens, mijn naam is Margaret Mitchell.'

Het meisje stak haar hand uit. 'Ik ben Vanessa – Vanessa de Paor.'

Ze schudden elkaar de hand. Vanessa's handdruk was koel en stevig. 'Vertel eens,' zei Margeret, 'heb je mijn dochter daarna ooit nog gezien?'

'Mmm.' Vanessa bleef staan. 'Ik geloof het niet. Ik kan me alleen die ene keer herinneren.'

Het was stil aan zee. Hoog in de lucht zweefde een meeuw. Hij liet een schril gekrijs horen. Margaret volgde hem met haar ogen. Hij zweefde mee op een opwaartse luchtstroom, maar helde toen over en vloog laag over het geribbelde zand. Hij landde, met wijd uitgestrekte vleugels, en pikte een worm op. Ze keek toe hoe de meeuw de worm in zijn geheel doorslikte. 'Hoe is het met je moeder?' Margaret legde een hand op Vanessa's arm. 'Toen we elkaar laatst zagen zei je toch dat je zus was overleden? Is dat lang geleden?'

'Nog maar net een paar weken terug. Midzomernacht. De

kortste nacht van het jaar. Ze was naar een feestje gegaan van mijn halfbroer, Dominic. Het was in het huis in de Wicklowbergen dat van mijn vader is geweest. Ze is een stukje gaan varen en is toen verdronken. De politie denkt dat het zelfmoord was.'

'En wat denk jij?' Margaret keek naar de zeemeeuw. Die had een krab gevonden en hield hem aan één schaar in zijn bek.

Naast haar speelde Vanessa met haar haren. 'Ik weet het niet. Ze was veel ouder dan ik en ze woonde hier ook allang niet meer. Ze was nog maar net een jaar geleden teruggekomen naar Dublin. Het klinkt alsof het een ongeluk kan zijn geweest, maar ze heeft een briefje achtergelaten.' Ze zweeg even. 'Maar mijn moeder denkt niet dat Marina zelfmoord heeft gepleegd. Volgens haar was ze daar het type niet voor.'

Het type niet voor. Margaret herhaalde de woorden voor zichzelf. Wie was er dan wel het type voor? Ooit had ze gedacht dat zij dat was. Ze had het geprobeerd. Niet lang na haar vertrek uit Ierland, na die avond in Ballyknockan. Toen ze naar Noosa was gegaan, aan de kust van Queensland, en in de koelte van de avond het smalle zandstrand was afgelopen en zich had ondergedompeld in het water. Het was lauw, niet veel frisser dan de temperatuur van het water in haar douche en ze was op haar rug gaan liggen, haar hoofd op het zand eronder. De zee had haar oren bedekt, zodat ze niets anders kon horen dan het kloppen van haar hart en haar ademhaling. En ze had gedacht dat ze zó de open zee op kon drijven. Niemand zou haar zien, niemand zou merken dat ze weg was. Niemand zou haar missen of naar haar op zoek gaan. Maar waarschijnlijk was ze toch niet zo klaar voor de dood als ze had gedacht, want toen ze wat zeewater inslikte werd ze misselijk, dus tilde ze haar hoofd op om het water uit te spugen en zag ze dat ze helemaal niet naar open zee dreef. Ze werd juist teruggevoerd naar het strand, en toen ze haar benen liet zakken voelde ze het zachte zand tussen haar tenen. En ze was blij. Ze sleepte zich uit het water en bleef op het zand liggen tot de nachtelijke kou haar van het strand verdreef, naar haar hotelkamer om onder een warme douche te gaan staan, zich in een badjas te wikkelen en iets te eten en te drinken te bestellen bij de roomservice. En ze herinnerde zich hoe heerlijk die sandwich met koud vlees en die fles wijn haar hadden gesmaakt. En ze had haar verontschuldigingen aan Mary, omdat ze er nog niet aan toe was om zich bij haar te voegen, wel uit willen schreeuwen. En dus was ze blijven leven. En met het verstrijken van de tijd was het niet alleen haar verdriet dat aan haar vrat maar ook haar schuldgevoel.

'Ze is dus verdronken, hoe het dan ook is gebeurd. En wat het voor mijn moeder natuurlijk nog erger maakt, is dat het op dezelfde plek is gebeurd waar mijn vader is verdronken.' Vanessa bukte zich om een schelp op te rapen. Haar haar gleed voor haar gezicht, maar Margaret zag de tranen. Ze zei niets. Vanessa veegde met de rug van haar hand haar gezicht af en sprong van het pad op het strand.

'Ik ga pootjebaden.' Ze schopte haar klompschoenen uit en rende naar de zee. 'Kom je ook?' riep ze over haar schouder. Margaret glipte uit haar sandalen en liep langzaam achter haar aan. Het zand was hier natter, en bij elke stap vormde zich een klein plasje om haar voeten. Ze wiebelde met haar tenen en voelde de zuigkracht van de modder. En hoorde het meisje roepen: 'Hé, kom eens kijken. Hier ligt een reus, echt een reus van een kwal. Kom dan snel kijken.'

Hij dreef in ondiep water, knalroze en paars, zo groot als een flink bord, zijn tentakels om zich heen gespreid.

'Voorzichtig.' Margarets stem klonk scherp. 'Kijk uit dat hij je niet steekt.'

De zoom van Vanessa's rok was al helemaal nat.

'Hij is wel erg mooi, vind je niet? Waarom zou hij zo mooi zijn, denk je, wanneer hij gevaarlijk is? Is dat omdat iedereen hem dan meteen kan zien en bij hem uit de buurt kan blijven?' Ze bukte zich en hield een vinger boven de zachte, drijvende rug. 'Eigenlijk zou je toch denken dat het juist andersom zou zijn? Dat hij lelijk zou zijn als hij gevaarlijk was, en juist mooi als hij onschadelijk was?'

Margaret gaf geen antwoord. Jimmy Fitzsimons was mooi geweest, zo mooi met zijn lichtblonde haar en zijn gladde, bleke huid. En zijn glimlach – wat een glimlach! Hij was naar Mary's begrafenis gekomen, die afschuwelijke dag in de kerk in Monkstown, en hij had naar haar geglimlacht en zij had naar hem teruggelachen. Een reflex, zoals een moeder naar haar baby lacht. Haar mondhoeken trokken opzij en lieten haar tanden zien. Ze had toen natuurlijk niet geweten wie hij was. Het was geen verraad aan Mary. Pas veel later wist ze wie hij was en wat hij had gedaan. En toen had ze hem gestraft. En de laatste keer dat ze hem zag, lachte hij niet. Hij was doodsbang. Zijn gezicht zag spierwit van angst om wat hem te wachten stond. Hij had alles willen doen om haar zover te krijgen dat ze hem zou laten gaan. Maar het was te laat. Het was te laat voor hen allemaal.

Margaret liep bij de kwal vandaan. 'Ik weet niet hoe het met jou is, maar van al die zeelucht krijg ik trek. Ik ben op weg naar Monkstown om wat boodschappen te doen. Heb je zin om mee te gaan? Dan kunnen we daar een kopje koffie drinken, met misschien een scone erbij of zoiets.'

'Ja.' Vanessa knikte. 'Dat lijkt me leuk. Dank je.'

'Daar hoef je me niet voor te bedanken. Ik vind het juist fijn.'

'Ik wil je eigenlijk bedanken dat je zo aardig voor me bent. En dat je naar me luistert. Het is op het moment een beetje moeilijk. Mijn moeder is helemaal uit haar gewone doen. En al mijn vrienden zijn weg. De hele zomervakantie.' Ze tilde haar rok een eindje op en kwam op haar tenen uit het water. 'Ik zou ook weggaan. Maar toen ging Marina dood en werd alles anders.'

Alles werd anders. Niets zou ooit nog hetzelfde zijn.

Ze liepen langs de spoorlijn, op en over het metalen trapje. Vanessa zweeg.

'Je vader...' begon Margaret.

'Ja?'

'Hij was toch al getrouwd geweest voordat hij met je moeder trouwde?'

'Hij was getrouwd en had een zoon, Dominic, mijn halfbroer.'

'En wat is er met zijn vrouw gebeurd?'

Vanessa zuchtte. 'Voor zover ik weet was zij, ís zij, een moeilijke vrouw. Ze schijnt allerlei problemen te hebben. Volgens mijn moeder is ze al jaren geestelijk niet in orde. Ik weet niet wat er precies met haar aan de hand is, maar tijdens haar huwelijk met mijn vader schijnt ze voortdurend ziekenhuis in, ziekenhuis uit te zijn gegaan. Nogmaals, ik weet alleen wat mijn moeder me heeft verteld, en dat is dat mijn vader van haar gescheiden is. Daarna leerde hij mijn moeder kennen en zijn ze getrouwd en ben ik geboren.'

'En hoe is hij overleden?' Margaret wierp een snelle blik op Vanessa. 'Dat wil zeggen, als ik je dat mag vragen. Als het niet te...'

'Nee, nee.' Vanessa's stem klonk opeens harder. 'Nee, dat zit wel goed, hoor. Het is juist fijn om erover te kunnen praten. Hij is verdronken in het meer. Hij en Marina zaten in een bootje en toen is er een ongeluk gebeurd. Ze heeft geprobeerd hem te redden, maar hij kon niet zwemmen en was al dood voordat ze hulp kon gaan halen. En toen werd alles anders.'

Margaret zei niets. Ze wachtte.

'Want na zijn dood vocht zijn eerste vrouw, Helena, de scheiding aan. Ze zei dat hij had gelogen over waar hij woonde. Hij had gezegd dat zijn domicilie in Engeland was. Dus is ze naar de rechter gestapt, en die heeft toen besloten dat de scheiding ongeldig was, zodat mijn moeder dus niet zijn wettige echtgenote was. En ik niet zijn wettige dochter. Ik was opeens een buitenechtelijk kind. Een onecht kind.' Haar kleine gezichtje was spierwit.

'Dat zijn maar woorden, Vanessa. Dat betekent niets. Je was nog steeds zijn dochter, nog steeds zijn vlees en bloed.' Margaret legde een hand op haar schouder en bleef staan.

'Maar voor mijn moeder betekende het heel veel. En mijn vader had niets aan zijn testament veranderd nadat hij zogenaamd met haar was getrouwd. Dus erfde mijn moeder niets. Mijn vader was heel rijk. Hij had meerdere huizen, investeringen, spaargeld, noem maar op. En zij kreeg niets.' De tranen druppelden uit haar ogen en gleden aan weerskanten van haar mond naar beneden. 'Maar ik had geluk. Kort na mijn geboorte werd de wet veranderd en werd ik erkend als zijn erfgenaam, evenals Dominic. Dus kreeg mijn moeder wel een toelage voor mij. En over twee weken, wanneer ik achttien word, erf ik een deel van zijn bezit. Aan het meer staat een klein huisje, en het schijnt dat ik dat krijg. Niet dat het me iets kan schelen. Niet dat ik het wil hebben. Ik wil helemaal niets van hem hebben. Ik vind het helemaal niet mooi wat hij heeft gedaan. Als zijn eerste vrouw zo ziek was, had hij niet bij haar weg moeten gaan. Dat lijkt me niet juist.'

Ze waren bij het café naast de kerk aangekomen. Er stonden tafeltjes buiten. Margaret gebaarde naar de stoelen en ze gingen zitten.

Margaret sprak heel langzaam en koos haar woorden zorgvuldig. 'Soms kan het voor een kind heel moeilijk zijn de wereld van zijn ouders te begrijpen. Het is niet altijd zo simpel en ongecompliceerd. Er is een heel mooi boek, *The Go-Between*, van ene L.P. Hartley. Ken je dat?'

Vanessa schudde haar hoofd.

'Nou, het gaat over een jongen die betrokken raakt bij een geheime relatie tussen twee mensen van wie hij houdt. Hij brengt boodschappen over van de een naar de ander, maar hij beseft niet wat er tussen hen gaande is. En wanneer hij daarachter komt is hij er helemaal kapot van. De eerste zinnen van het boek zijn: "Het verleden is een ander land. Daar doen ze alles anders." En ik ben bang dat dat waar is.'

Vanessa keek haar aan en wendde toen haar blik af. Ze zei niets. Margaret pakte haar hand. 'Oordeel niet te hard over je vader en moeder. Het enige waar je zeker van kunt zijn, is dat hij van je hield en dat zij nog steeds van je houdt. Daarover bestaat geen enkele twijfel.'

Vanessa antwoordde niet. Ze zaten zwijgend bij elkaar. Margaret keek langs haar heen naar de kerk. Daar wilde ze straks naartoe. Terug naar de kerk waar ze Jimmy voor het eerst had ontmoet, die dag vol onweersbuien, toen de bliksem de hemel had doorkliefd. Hij had haar blouse opengescheurd, van haar hals tot aan haar middel, in een poging haar doodsangst aan te jagen, zoals hij Mary doodsangst had bezorgd. Maar zij had zich niet bang laten maken. En hij had gezien wat ze waard was. Ze zou de zware, houten deur openduwen en in het licht van de glas-in-loodramen gaan zitten. En ze zou om vergiffenis vragen. Misschien zou er over haar ook niet zo hard worden geoordeeld. Misschien zou de Heer Zijn gezicht over haar doen lichten. En bij haar blijven. Voor altijd.

12

Ze was een drukbezette vrouw, Gwen Simpson, PhD. McLoughlin had nu al een paar keer gebeld en haar antwoordapparaat gekregen. Hij had iedere keer een boodschap achtergelaten. Nu stond hij voor het huis aan Fitzwilliam Square, waar zij haar kantoor had. Hij las de koperen bordjes en drukte op de bel naast haar naam. Terwijl hij dit deed, ging de deur open. Er stond een man voor hem. Hij was klein en breed, gekleed in een spijkerbroek en een leren jack. Hij begon een motorhelm op te zetten. 'Een ogenblikje alstublieft.' McLoughlin deed een stap naar voren en stak zijn hand uit om te voorkomen dat de deur weer dicht zou vallen.

'Zoekt u iemand?' De man stond voor hem en maakte het riempje van zijn helm vast. De helm glansde in de zon.

'Ja, eh, dokter Simpson – die werkt toch hier?'

De man wees op het koperen bordje. 'Dat is ze. Eerste verdieping aan de voorkant.' Hij schoof het vizier omlaag. McLoughlin zag zijn eigen gezicht voor zich opdoemen.

'Bedankt.'

De man draaide zich om en McLoughlin liep langs hem heen de hal in. Hij hoorde de zware deur achter zich dichtvallen. Het was stil en een beetje fris. Hij huiverde en liep naar de trap.

De receptioniste zei dat dokter Simpson hem niet kon ontvangen. Ze zat de hele dag vol met afspraken. McLoughlin zei dat hij geen haast had en wel zou wachten. Hij ging op de lage, comfortabele bank zitten en begon in de tijdschriften te bladeren. Ze waren gloednieuw. Er zat zelfs een recent nummer van *Classic Boats* tussen. Hij sloeg een artikel op over de restauratie van de vissersvloot van Roaringwater Bay. De volgende keer dat hij Johnny Harris zou ontmoeten zou hij hem versteld doen staan met zijn deskundigheid. Hij leunde naar achteren, sloeg zijn ene been over het andere en begon te lezen.

Het was al na vijven toen de receptioniste hem kwam halen. Hij had een heel prettige middag gehad. Hij had koffie voor zichzelf ingeschonken uit een soort thermoskan, wat koekjes van een schaaltje genomen en had een opeenvolging van dokter Simpsons patiënten zien komen en gaan. De meeste waren vrouwen, van wie de meesten jong en welvarend. Ze zagen er allemaal keurig verzorgd uit. Hij kon zich bijna niet voorstellen dat zij problemen hadden die zij wensten te delen met de tot dusver onzichtbaar gebleven dokter Simpson. De receptioniste hield zichzelf aardig bezig. Achter haar bureau bevond zich een kleine nis. Daar had ze een ketel staan, en zo nu en dan kookte ze daar water in voor een kopje thee. Of ze trok het kleine koelkastje open om een flesje mineraalwater te pakken, waarna ze dat op een dienblad zette met een glas, ijs en een schijfje citroen en het naar binnen bracht, naar dokter Simpson. Goed geregeld, dacht McLoughlin. Een heel goed gebruik van de beschikbare ruimte. Een les in ergonomie of hoe dat ook mocht heten.

En toen hoorde hij zijn naam. Hij kwam overeind van de zachte bank en rekte zich uit.

'Ze kan u nu ontvangen, inspecteur McLoughlin.' De receptioniste keek veelbetekenend op haar horloge en kwam toen zijn gebruikte koffiekopjes halen en de stapel tijdschriften ordenen.

Dokter Simpsons spreekkamer was een mooie ruimte. Het had klassieke Georgian proporties. Een hoog plafond met gedetailleerde rozetten en kroonlijsten. Twee hoge schuiframen, waarvan er een aan de onderkant een paar centimeter openstond. Een kristallen kroonluchter bewoog zachtjes in het briesje en maakte een zacht, klingelend geluid. De muren waren zacht grijsgroen geschilderd en het hoogpolige tapijt had dezelfde tint. Dokter Simpson zat aan een bureau. Ook dat was mooi. Modern, eenvoudig, met een breed, glanzend houten werkblad met elegante metalen poten. Ze zat over een stapel paperassen gebogen en leek zijn aanwezigheid niet eens op te merken. Ze ging gewoon door met schrijven. Hij wiebelde een beetje ongemakkelijk heen en weer, schraapte zijn keel en keek om zich heen. Tegen een van de muren stond een lage bank, bekleed met een zachte, rode stof. Hij had opeens zin om zich over te geven, erop te gaan liggen, zijn ogen dicht te doen en te praten. Alles eruit te gooien.

'Wilt u niet gaan zitten, inspecteur McLoughlin?' zei ze. Ze had nog steeds niet opgekeken.

Hij deed wat ze zei en nam plaats op een van de rechte stoelen voor haar bureau. Hij bestudeerde de bovenkant van haar hoofd. Ze had grijs haar, dat ze in een eenvoudige knot droeg. Ze had een crèmekleurige omslagblouse aan, die een klein stukje bleek decolleté liet zien. In haar oorlelletjes glansden gladde, gouden schijfjes en haar handen waren keurig verzorgd, met roodgelakte nagels en een paar grote gouden ringen aan haar ringvingers en pinken.

Hij herkende enkele van de schilderijen aan de muren. Er hing een abstract werk van Norah McGuinness en iets dat wel eens van Mainie Jellett zou kunnen zijn. En was dat een Le Brocquy? Het was klein, maar de stijl was onmiskenbaar. Kennelijk valt er aardig te verdienen als therapeut, dacht hij.

'Zo.' Ze ging rechtop zitten en legde haar pen netjes op haar vloeiblad. 'Inspecteur McLoughlin, u bent een bijzonder vasthoudend man. Het verbaast me dat u er de tijd voor hebt om een hele middag in mijn wachtkamer rond te hangen terwijl een kort telefoontje voldoende was geweest.'

'Dat heb ik geprobeerd,' zei hij glimlachend, 'maar daar kwam ik niet ver mee, dus leek het me beter om actie te ondernemen.'

'Op die manier.' Ze leunde achterover in haar stoel, die langzaam meeveerde. 'Ik begrijp het.' Er viel een stilte in de kamer, slechts onderbroken door het gerinkel van de kroonluchter.

'Mooi.' Hij wees boven zijn hoofd. 'Heel rustgevend.'

'Vindt u? Sommige mensen vinden het irritant.' Haar langwerpige, smalle gezicht was volkomen uitdrukkingsloos. Hij zag de donkere kringen onder haar ogen en de lijntjes rond haar mond. In tegenstelling tot haar patiënten had zij kennelijk geen behoefte aan het schoonheid bevorderende effect van make-up. 'Windgongen zijn irritant. Het zit 'm in de grootte van de stukjes metaal. Maar die glazen druppels zijn zo klein en teer. Het geluid ervan is veel subtieler. Althans, dat vind ik.' 'Mmm.' Haar mond verstrakte. 'Misschien. Maar u bent hier niet gekomen om met mij over geluid te praten en het effect ervan op onze emoties, of wel soms, inspecteur McLoughlin? U hebt mijn receptioniste verteld dat u me wilde spreken over Marina Spencer. Het verbaast me dat de politie zoveel tijd besteedt aan haar dood. Ik heb het er al uitgebreid over gehad met inspecteur Brian Dooley. Ik had begrepen dat hij de leiding heeft over het onderzoek.'

'Dat is inderdaad het geval.' McLoughlin voelde zich opeens slecht op zijn gemak. 'Maar soms wordt iemand anders ook gevraagd er eens naar te kijken, weet u. Dat geeft weer een heel frisse kijk op de zaak.'

'Een frisse kijk Mmm. Jackie heeft Brian Dooley gebeld. Hij wist hier niets van. En hij zei dat u niet alleen niets met de zaak te maken hebt, maar dat u onlangs bovendien met pensioen bent gegaan. Hij zei iets over u wat niet voor herhaling vatbaar is. Grappig, maar niet voor herhaling vatbaar.'

Het bleef stil. Zelfs de kroonluchter was stil.

'Oké. Oké, ik beken schuld.' Hij kromp ineen. Voor het eerst sinds hij de kamer was binnengekomen, glimlachte dokter Simpson. Ze leek opeens een heel ander mens. De jaren vielen weg. Ze werd jong en aantrekkelijk. 'Ik ben niet officieel bij deze zaak betrokken, maar ik ben een kennis van Marina's moeder. Zij is erg overstuur.'

'Begrijpelijk.' De glimlach was weer verdwenen.

'Ze gelooft niet dat Marina zelfmoord heeft gepleegd. Dus heb ik beloofd hier en daar eens wat navraag te doen. Om te zien of ik wat duidelijkheid kan krijgen in wat er nu precies is gebeurd. Ik las in haar agenda dat ze u regelmatig bezocht. Dus dacht ik dat u mij misschien iets meer kon vertellen over wat er gaande was in haar leven.' Hij wachtte. Zou de glimlach terugkeren? Niet dus.

'Luister, inspecteur, meneer, wat-u-dan-ook-bent, ik ben gebonden aan een ethische code. Ik heb inspecteur Dooley een paar dingen verteld omdat ik dacht dat hij er iets aan zou hebben. Aan u ben ik helemaal níéts verplicht. Wat mij betreft hebt u even weinig recht om iets over Marina Spencer te weten als de eerste de beste Jan met de pet buiten op straat. Ziezo,' zei ze, en zweeg even om haar woorden tot hem door te laten dringen, 'het is al laat. Ik heb een lange dag achter de rug, dus als u zo goed zou willen zijn om weg te gaan?' Ze stond op.

'Hoor eens,' zei hij, terwijl hij ook opstond, 'het spijt me dat ik me anders heb voorgedaan dan ik ben. Het enige wat ik u wilde vragen is of Marina wellicht iets te verbergen had. Was ze bang voor iemand? Ik denk dat ze werd bedreigd. Heeft ze u daarover verteld?'

Ze keek neer op haar bureau. 'Bedreigd? Ze voelde zich door zoveel dingen bedreigd. Faalangst. Het verlies van liefde en respect. En ja, er waren dingen in haar verleden die ze verborgen hield. Marina had geheimen. Maar iedereen heeft geheimen. We hebben allemaal akelige voorvallen in ons verleden die we liever niet hadden gedaan. Marina vormde daar geen uitzondering op. Meer ga ik u niet vertellen.' Ze legde wat papieren op een stapeltje.

'Dus het kwam als een verrassing voor u toen ze overleed? Achtte u haar suïcidaal?'

'Als ik dat had gedacht, had ik haar anders behandeld. Maar zelfmoord is een mysterieuze daad. Het probleem is dat nadat iemand zichzelf van het leven heeft beroofd, iedereen flink zijn best gaat doen om verklaringen te vinden voor wat er is gebeurd. Ze beginnen naar voortekenen te zoeken, naar aanwijzingen voor wat er te gebeuren stond. Maar wij weten niet hoe de gemoedstoestand is van iemand die zelfmoord pleegt. En dat komt vooral doordat wij willen leven, en we iemand die dat niet meer wil gewoon niet kunnen begrijpen.' Ze zuchtte. 'Luister, ik zou u heus wel willen helpen als ik dat kon. Het antwoord op uw vraag is dat ik niet wist dat ze door zelfmoord zou sterven. Ik was bijzonder verbaasd toen ik hoorde wat er was gebeurd. Dat wil zeggen: aan de ene kant. Want ze kon bij tijden heel erg zelfdestructief zijn. Ze dronk te veel. Ze gebruikte drugs. Maar ze kende ook momenten van intens geluk. Ze was een heel levendig iemand. Eerlijk gezegd mis ik haar.' Ze draaide zich om van het bureau en liep naar het raam. Ze was kleiner dan hij zich had gerealiseerd, hetgeen nog werd benadrukt door de wijde linnen broek die ze droeg. Ze rekte zich uit om het handvat van het raam te pakken en schoof het dicht. Toen maakte ze de brede koorden aan weerszijden van de houten architraaf los en trok de gordijnen dicht.

McLoughlin liep naar het andere raam. De gordijnstof was van zwaar grijs brokaat.

'Ze zijn prachtig,' zei hij, terwijl hij ze losmaakte van de koorden, waar kwastjes aan zaten.

'Ja, dat zijn ze inderdaad. Marina heeft ze uitgekozen.'

'O?'

'Ik heb haar leren kennen toen ze aan een opdracht werkte voor een kennis van me. Ik was net verhuisd met mijn praktijk en vroeg haar advies bij de inrichting. Ze heeft er een prachtige ruimte van gemaakt.' Ze liep terug naar het bureau en pakte haar tas. 'Tijd om te gaan.'

Hij volgde haar de trap af en de hal in. Ze liepen naar buiten, de late middagzon in, en zij sloot af.

'Geen alarm?' Hij keek omhoog naar het gebouw.

'Nee. De eigenaar van het huis werkt en woont op de bovenverdieping. Hij houdt een oogje op de kantoorruimtes. Eerlijk gezegd, tja, misschien verbaast het u dat ik dit ga zeggen na mijn eigen reactie op uw vragen, maar eigenlijk zou u eens met hem moeten gaan praten. Over Marina.'

'O ja?'

'Ja. Zijn naam is Mark Porter. Ze waren bevriend. Hij is degene – '

'Ja,' viel hij haar in de rede. 'Hij heeft haar meegenomen naar dat feest.'

'Heel goed. Ik zie dat u uw huiswerk hebt gedaan.' Ze glimlachte en hing haar tas om haar schouder. 'Kijkt u eens, ik weet niet goed wat ik u moet vertellen, maar om eerlijk te zijn denk ik dat het 't meest waarschijnlijk is dat Marina ofwel zelfmoord heeft gepleegd, ofwel zo zorgeloos met haar eigen veiligheid omging, u weet wel, overmatig dankgebruik, cocaïne, en 's avonds in haar eentje een boottochtje gaan maken, dat het strikt gesproken, zelfs als het een ongeluk was, het dat toch eigenlijk niet was. Begrijpt u wat ik bedoel?'

Ze begon weg te lopen. Hij wilde niet dat ze wegging. Ze deed hem aan iemand anders denken. Margaret Mitchell had iets van diezelfde combinatie van intelligentie en harde gratie. En ze had een bijpassende glimlach. Hij wilde dat Gwen nog eens tegen hem zou lachen. Hij wilde zich nog iets langer koesteren in die onverwachte warmte. 'Hé, dokter Simpson, Gwen, een ogenblikje nog.'

Ze vertraagde haar pas en keek om.

'Hebt u misschien zin om ergens iets te gaan drinken? Of een hapje te eten? Iets om u terug te betalen voor uw tijd en vriendelijkheid?'

Ze staarde hem een ogenblik aan. 'Het spijt me, meneer McLoughlin. Volgens mij had ik al gezegd dat ik moe ben en een lange dag achter de rug heb. Ik verheug me zeer op een rustige avond.' Ze tilde haar hand op. Haar sleutels rinkelden. 'Tot ziens.'

Hij keek haar na toen ze wegreed. De eenzaamheid hield hem in een stalen greep. Hij kon de gedachte aan zijn lege huis niet verdragen. Hij haalde zijn mobieltje uit zijn zak en keek hoe laat het was. Het was net zes uur. Als hij zich haastte kon hij nog net op tijd op de club zijn om nog wat te zeilen. Het was Johnny Harris' avond. Hij zocht zijn nummer op en drukte op het groene knopje. Hij hoorde de bekende verwelkomende stem: 'Michael, wat kan ik voor je doen?'

'Johnny, heb je nog een plekje voor me aan boord?'

'Natuurlijk, Michael, natuurlijk.'

Hij liep naar zijn auto en opende het portier. Precies wat hij nodig had, de wind in zijn gezicht en de smaak van zout op zijn lippen. Hij startte de motor. Alle vrouwen konden de boom in. Niks dan problemen. Het hele zooitje kon de boom in.

13

'God, daar was ik aan toe.' Johnny Harris hief zijn glas Heineken en dronk het in één keer halfleeg. McLoughlin zag zijn adamsappel op en neer gaan onder de rode, gerimpelde huid van zijn keel. Opeens kreeg hij geheel ongewild een beeld voor ogen van Harris in een innige omhelzing met de onlangs vertrokken Chicko.

'Wat is er aan de hand, Michael? Smaakt het bier je niet?' Harris zette zijn glas op tafel en haalde een sigaar uit het borstzakje van zijn verschoten spijkeroverhemd.

'O, nee, het is prima. Ik zat er nog even aan te denken hoe je hem daarnet tegen de wind liet oplopen. We sloegen bijna om. Een beetje riskant, vond je ook niet?' McLoughlin pakte een doosje lucifers van tafel, streek er een af en hield hem voor de sigaar.

'Ach, welnee. Niet met ondergetekende aan het roer.' Harris stak de punt van zijn sigaar in het vlammetje en zoog hard. Toen leunde hij achterover en liet de rook uit zijn mond drijven. 'Wat jij, Bill? Er gaat heus niks mis. Als je wilt winnen moet je wel eens een gokje wagen.'

Bill Early, een van Harris' vaste bemanningsleden, bromde iets en dronk zijn glas leeg. Hij stond op en gebaarde naar de bar.

'Lekker.' McLoughlin tilde zijn glas op. 'Hetzelfde graag.'

Het terras voor de jachtclub zat vol met zeilers die met rode gezichten druk zaten te praten. De zon was nog steeds warm. McLoughlin ging er met zijn rug naartoe zitten. Hij was moe. Ze hadden een wedstrijd gezeild. Zodra Johnny aan het roer zat veranderde hij in een duivel. Al zijn beleefde verlegenheid verdween als sneeuw voor de zon zodra hij zijn zwemvest aantrok.

McLoughlin keek hoe hij achteroverleunde en rookkringen uitblies. Hij werd aan de lopende band gefeliciteerd. Iedereen kwam even langs om hem de hand te schudden of een drankje aan te bieden. Het moest zwaar voor hem zijn geweest, dacht McLoughlin, om uit de kast te komen. Moeilijk om het gegrinnik, het gefluister en de wrede steken onder water te negeren. Maar, dacht McLoughlin, hij had het voordeel van zijn familiestatus. Het geld van Harris viel nauwelijks te negeren.

McLoughlin dronk zijn glas leeg en pakte het volle glas dat Bill Early voor hem had neergezet. Hij leunde achterover in zijn stoel en sloot zijn ogen. Hij had ter plekke in slaap kunnen vallen, maar hij moest naar huis, dacht hij, voordat hij te veel ging drinken. Maar de gedachte aan het lege huis vervulde hem nog steeds met weerzin.

'Hé, Michael, er worden hier geen dutjes gedaan,' klonk de stem van Harris. 'Wat mankeer jij? Vind je het hier niet opwindend genoeg?'

McLoughlin opende met moeite één oog. Het gezicht van zijn vriend was rood aangelopen. Hij drukte zijn sigaar uit.

'Ik denk dat het tijd wordt om te gaan.' McLoughlin hief zijn glas. 'Dat heb je met gepensioneerden zoals ik. Geen uithoudingsvermogen.'

'Ja.' Harris klonk somber. 'Ja, ik weet wat je bedoelt. Het begint zo veelbelovend, maar dan gaat het uit als een nachtkaarsje.'

McLoughlin zei niets.

'Zoveel is het toch niet gevraagd?' vervolgde Harris op bittere toon.

'Wat?'

'Geluk, voldoening, liefde.' Harris keek somber naar het volle terras. 'Al die gelukkige mensen hebben kansen in overvloed. Vanaf het moment dat ze in de puberteit komen, ligt het voor het oprapen voor ze. Ze hoeven hun hand maar uit te steken en ze hebben het. En wat doen ze? Moet je zien.' Hij wees met zijn vinger naar een groepje dat boven aan de trap bij elkaar stond. 'Ik weet toevallig dat hij, die vent met dat rode haar en dat knalrode gezicht, de vrouw van zijn broer neukt en dat zij, die vrouw naast hem, aan de lopende band vreemdgaat terwijl haar man ergens weet-ik-veel-waar een ontwenningskuur volgt.' Hij dronk zijn glas leeg en pakte het volgende. 'En kijk, zie je dat stelletje aan de tafel naast ons?'

'Sst, Johnny, praat een beetje zachtjes.' McLoughlin kon wel door de grond zakken. Hij was nog maar een paar jaar lid en had niet dezelfde soort vlotte onverschilligheid ten opzichte van conventies als Harris. Maar Harris luisterde niet eens naar hem.

'Die knappe vent daar, die zijn ogen niet van dat jonge ding in korte broek en haltertopje kan afhouden, is getrouwd met die nogal lelijke vrouw daar. Kijk, de vrouw die daar in haar eentje zit, met die grote neus en dikke enkels? Een huwelijk dat is gesloten in de directiekamer in plaats van in de slaapkamer, als je begrijpt wat ik bedoel. En dan zal ik je nog wat vertellen,' hij begon nu wat zachter te praten, 'weet je wie dat zijn?'

McLoughlin schudde zijn hoofd.

'De autopsie die ik vanmiddag heb gedaan. Die vrouw in Rathmines?'

'Wat is daarmee?'

'Nou, dat is haar zus. Poppy Atkinson.'

'O?' McLoughlin rekte zijn nek uit. 'Was het zelfmoord? Of niet?'

Harris haalde zijn schouders op. 'Naar mijn menig was het zelfmoord. Net zoiets als die van jou. Die Marina Spencer van jou. Alcohol, cocaïne, hoewel ze niet verdronken is. Ze is in haar eigen bed gestorven. Hartstilstand.'

'En de echtgenoot? Is er een echtgenoot?'

'Nou en of. Ze is getrouwd met Charlie Webb. Een van die makelaars Webb. Bulkt van het geld. Prachtig huis in Palmerston Park. Ik heb de auto's op de oprijlaan geteld. Geldgebrek was haar probleem niet.'

'Wat dan wel?'

'Wie zal het zeggen? Ze heeft een briefje achtergelaten. Niet getekend. Iets over om vergeving vragen. Ik heb even met haar man gesproken. Hij zegt dat hij zich niet kan voorstellen waarvoor ze vergeving zou willen. Wat hem betreft waren ze uitermate gelukkig, heel erg verliefd, honderd procent trouw, én hadden ze twee mooie kinderen en alles om voor te leven.'

'Geen sporen van iets anders? Dwang, geweld, vreemde seksuele dingen?'

'Niets. Ik heb op de lakens wel sporen van sperma aangetroffen. Maar dat is niet bepaald verwonderlijk. Hoe dan ook, Poppy, die daar zit, is haar zus. Hoewel je het niet zou zeggen als je haar zo ziet.'

'En waar was de echtgenoot van de dode vrouw op het tijdstip van haar overlijden?' McLoughlins glas was leeg. Hij voelde er veel voor er nog eentje te nemen.

'Hij was voor zaken naar Londen, waar hij ook overnachtte.' Harris ging rechtop zitten. Het zelfmedelijden was verdwenen. 'Is de volgende ochtend vanaf het vliegveld rechtstreeks naar zijn kantoor in het centrum gegaan. Belde naar huis om te zeggen dat hij terug was en werd ongerust toen er niet werd opgenomen. Toen werd hij gebeld door de huishoudster. Die zei dat ze naar binnen was gegaan en de twee kinderen voor de tv had aangetroffen. Ze zeiden dat hun moeder lag te slapen en dat haar slaapkamerdeur op slot zat. De huishoudster kreeg de deur niet open en daarom belde ze Charlie. Hij belde de politie en zij forceerden de deur, en daar lag ze.'

'Arme meid.' McLoughlin nam zijn laatste slok Guinness. 'Bedroog de echtgenoot haar? Was dat reisje naar Londen misschien meer voor de lol dan voor zaken?'

Harris zuchtte. 'Wie weet? Hij heeft de middelen, het motief en de gelegenheid. Met andere woorden, het geld, het uiterlijk en de stijl.'

'Goed.' McLoughlin stond op. 'Ik ga maar eens. Als ik er nu nog eentje neem, zit ik hier de hele avond.'

'Ah, ga nog niet weg,' smeekte Harris. 'Ik regel vanavond wel een lift voor je. Er zijn hier voldoende mensen die jouw kant op wonen.'

'Nee, echt, Johnny. Ik probeer het drinken een beetje te beperken.' Hij pakte zijn jasje van de rugleuning van zijn stoel. Harris keek diepbedroefd. 'Waar is Bill gebleven? En de rest van de mannen? Waar is de trouw van mijn bemanning gebleven?'

Harris grijnsde breed. '"Soms valt het me zwaar om schipper te zijn,"' zong hij luidkeels.

'Ja, hoor.' McLoughlin salueerde. 'Tot gauw. Bedankt voor het zeilen. Het was geweldig. En als je me er weer bij wilt hebben, als je een winnend team wilt, dan sta ik geheel tot je beschikking. Te allen tijde.'

Harris stompte hem speels tegen zijn arm. 'Hé, Michael, sorry voor het sentimentele gedoe. Je weet hoe het is.' Hij glimlachte. 'Nogmaals bedankt.'

McLoughlin liep terug naar binnen en langs de bar. Het was er rustig en bijna leeg. Een groepje goedgeklede vrouwen van middelbare leeftijd zat met hun gin-tonic op de zware leren bank. Ze keken niet op toen hij hen passeerde. In de hal bleef hij even staan om zijn jack aan te trekken. Dit was zo'n mooi gebouw, dacht hij. Vroeg-negentiende-eeuws, met alle elegantie en sierlijkheid van die periode. Boven zijn hoofd bevond zich het enorme koepelvormige dakvenster. Hij stelde zich voor hoe het zou zijn om hier te zijn wanneer iedereen naar huis was, met het licht van de maan en de sterren dat door het raam op het donkerblauwe tapijt viel. Hij trok de zware voordeur open en stapte op de granieten stoep. Hij bleef staan, zocht in zijn zak naar zijn sleutels en hoorde toen een vrouw huilen. Ze stond tegen een van de pilaren geleund die de voorgevel van de club flankeerden. Haar schouders beefden en ze haalde schoksgewijs adem.

'Hé.' McLoughlin liep naar haar toe. 'Gaat het wel? Kan ik iets voor je doen?'

Ze keek op en staarde hem aan. Haar gezicht was rood en de tranen stroomden over haar wangen. Ze gaf geen antwoord en veegde met de rug van haar hand over haar mond en neus.

'Hier.' McLoughlin haalde een zakdoek tevoorschijn. 'Toe maar. Het is een schone.' Hij stak hem haar toe. Ze nam hem zonder iets te zeggen aan, droogde haar ogen en snoot haar neus. Toen gaf ze hem terug.

'Nee, hou hem maar. Zo te zien kun jij hem beter gebruiken dan ik.'

Ze glimlachte zwakjes, en opeens zag hij, in het licht dat door de ramen van de club naar buiten stroomde, wie ze was.

'Heb je iets nodig? Kan ik misschien iemand voor je halen?' Hij speelde met de sleutels in zijn hand.

Ze schudde haar hoofd.

'Nou, als je het heel zeker weet...' Hij draaide zich om om weg te gaan.

'Eh, een ogenblikje nog. Waar ga je naartoe?' Haar stem klonk lichtelijk aangeschoten.

'Ik ga naar huis. Richting Stepaside.'

'Zou je me een lift kunnen geven? Ik voel me niet zo lekker. Ik heb te veel gedronken. Ik zou wel een taxi willen nemen, maar ik weet niet of ik dat wel red.' Ze stond een beetje wankel op haar benen.

'Oké, prima. Kom maar mee, ik sta hier vlakbij. Waar moet je naartoe?'

Ze woonde in Terenure. Ze vertelde hem de straatnaam en liet zich toen tegen het portier zakken. Hij stelde zich aan haar voor. Ze zei dat ze Poppy Atkinson heette. Hij controleerde of haar deur goed dichtzat, of ze haar veiligheidsgordel omhad en haar handtas bij zich had. Hij drukte PLAY in op de cassetterecorder en de stem van Billie Holiday klonk door de auto. Hij reed langzaam en zorgvuldig, zich er maar al te zeer van bewust dat hij te veel had gedronken. Hij neuriede de nummers mee.

'Mooie muziek.'

Hij keek haar aan. Ze had haar ogen dicht, maar de uitdrukking op haar vlezige, bleke gezicht was kalmer en beheerster. '"God Bless the Child",' zei hij. 'Prachtig nummer. Wist je dat Billie Holiday dat zelf heeft geschreven? Ze is een van mijn lievelingszangeressen.'

Ze huiverde. 'Ze was ook de favoriet van mijn zus.' Er gleed een traan onder haar gesloten oogleden vandaan.

'Je zus?'

'Mijn zus Rosie. Ze is gisteren overleden. Ik kan het nog niet geloven. Wij waren een tweeling. Ik kan niet geloven dat ze het heeft gedaan zonder het mij eerst te vertellen.'

'Dat ze wat heeft gedaan?' McLoughlin minderde vaart. Achter hem kwam een politiewagen met zwaailichten aanrijden.

'Volgens de dokter heeft ze zelfmoord gepleegd. Ze heeft heel veel wodka gedronken en een hele lading cocaïne genomen. Ik kan het gewoon niet geloven. De kinderen waren thuis. Ze lagen in bed te slapen en toen ze wakker werden konden ze de slaapkamer niet in omdat de deur op slot zat. Ze zijn nog maar vijf en drie. Kleuters nog. Ze zou ze nooit zomaar hebben achtergelaten.'

Ze ging rechtop zitten en balde haar vuisten in haar schoot.

'Je kunt niet weten wat er in iemands hoofd omgaat wanneer hij zelfmoord pleegt. Mensen die dat doen denken niet na. Niet zoals jij en ik.' In zijn binnenspiegel zag McLoughlin dat de politiewagen rechtsaf sloeg.

'Dat weet ik. Maar dan snap ik het nog steeds niet. We hadden al die boeken gelezen over Sylvia Plath. Je weet wel – de dichteres. Die heeft haar hoofd in een gasoven gestoken toen haar kinderen nog heel klein waren. Ze zette glazen melk en bordjes met brood en boter in hun kamer en regelde een nieuwe oppas voor die ochtend. Ze probeerde hen te beschermen. Dat deed ze in elk geval nog voor hen. Maar Rosie – Rosie heeft zich in haar slaapkamer opgesloten. God mag weten wat de kinderen hadden kunnen uitspoken, zo helemaal in hun eentje in dat enorm grote huis.'

'En hun vader? Waar was die?' Er reed weer een andere politiewagen achter hem. Hij minderde snelheid – zich ervan bewust dat hij hier maar vijftig mocht rijden.

'In Londen, voor de aankoop van een stuk onroerend goed. Als we dat moeten geloven.' Haar stem klonk harder nu, agressiever.

'En jij gelooft dat niet?'

'Ik weet het niet. Misschien wel, misschien niet. Ik ben eerder vanavond even bij hem langs geweest. Hij is er kapot van. De kinderen verkeren in shock. Ik weet niet hoe hij het hun wil gaan uitleggen. Ik heb geen idee hoe ík het zou doen, wat ík zou zeggen.' Ze duwde zichzelf wat omhoog in haar stoel en keek uit het raampje. 'Ik begrijp gewoon niets van zelfmoord. Het is zo wreed. Het doet zoveel mensen pijn.' Haar stem brak. Ze klemde McLoughlins zakdoek in haar hand en bracht hem naar haar ogen.

'Ja, je hebt gelijk. Het laat zoveel onbeantwoorde vragen achter. Het is een hel voor de families. Gisteren was ik op bezoek bij een vrouw wier dochter zich heeft verdronken in een meer in Wicklow. Het is ongeveer zes weken geleden gebeurd, maar voor de moeder van dat meisje is het alsof het net is gebeurd. Dat gezegde over de tijd die alle wonden heelt gaat daar heus niet bij op.' Hij drukte op het knopje en het raampje gleed omlaag. Hij zoog de frisse avondlucht diep in zijn longen.

'Wicklow, zei je?' Poppy draaide zich naar hem om. Haar stem klonk hard en ze sprak een beetje onduidelijk. 'Wicklow. Heb je het over Marina Spencer?'

Een fietser schoot van het trottoir en reed wiebelend voor de auto. McLoughlin trapte keihard op de rem, waardoor ze allebei naar voren schoten.

'Sorry, sorry, allemaal gekken op de weg vanavond.' Hij drukte met de muis van zijn hand op de claxon. De fietser keek over zijn schouder en stak een vinger in de lucht. 'Krijg zelf ook de kolere, vriend,' mompelde hij.

'Had je het over Marina Spencer?' Poppy herhaalde de woorden heel zorgvuldig.

McLoughlin knikte. 'Ja, zo heette ze. Heb je haar gekend?'

'Ja. Rosie en ik hebben bij haar op school gezeten.' Poppy liet zich weer naar achteren zakken. 'Jaren geleden, toen we een jaar of veertien, vijftien waren. Kende jij haar ook?'

McLoughlin haalde zijn schouders op. 'Nee, ik niet. Niet toen ze nog leefde. Ik ben politieman – of dat was ik althans, tot ik een paar weken geleden met pensioen ging. Haar moeder gelooft niet dat ze zelfmoord heeft gepleegd, en nu heb ik haar beloofd om te proberen erachter te komen hoe ze dan wel is overleden.'

'En?'

'En niks, ben ik bang. Ze maakte een redelijk gelukkige indruk en was redelijk succesvol. Ze had geen geldzorgen. En ze had vrienden. Een gezond sociaal leven.'

'Vrienden? Dat kan ik me bijna niet voorstellen. Marina deed niet aan vriendschap.' Haar stem klonk hardvochtig. 'Een sociaal leven, ja. Dat had ze altijd wel.'

Het bleef even stil. McLoughlin probeerde zich op de weg te concentreren.

'Ja, een sociaal leven had ze wel,' zei Poppy nogmaals. 'Ze hield altijd wel de een of andere ongelukkige gevangen in haar kleverige web. Zelfs die ellendige Mark Porter, hoewel Joost mag weten wat die weer bij haar te zoeken had.' Ze frommelde McLoughlins zakdoek in elkaar en wond hem om haar vingers.

'Mark Porter? Dus hem ken je ook?' McLoughlin zat te zweten, maar de weg voor hem was helemaal vrij. Geen stomme fietsers, geen roofzuchtige politiewagens in zicht.

'O ja, Mark ken ik ook. Mark en Marina kenden elkaar al heel lang. Daarom was het zo vreemd dat ze weer met hem omging. Dat had ik van Rosie gehoord. Wij begrepen er niets van.' Ze grinnikte. 'Vooral gezien de manier waarop ze hem behandelde toen we nog op school zaten. Het pesten en alles wat daarbij hoorde. Wist je dat?'

'Nee. Vertel.' Hij las de straatnaambordjes, op zoek naar Poppy's straat. Hij zette de richtingaanwijzer uit en remde af om linksaf te slaan.

'Nou – ' ze haalde diep en bevend adem, ' – het zat namelijk zo: Marina mocht mij niet. Rosie was degene met wie ze wilde omgaan. Wij zijn geen eeneiige tweeling. Rosie ziet er goed uit. Ik heb de hersens. Dat zei iedereen altijd. Marina hield van mooie mensen. En Rosie was gek op haar. Wanneer Marina in de buurt was, hoefde ze mij niet te zien.' Poppy begon weer te snikken. 'Ik weet niet hoe het is begonnen, maar ze hadden een soort club. Je had Marina, Rosie, Dom de Paor, of Power, zoals we hem destijds noemden. Ben Roxby hoorde er ook bij. En Gilly Kearon, die jaren later met Dom trouwde, de arme meid. En natuurlijk Sophie Fitzgerald. Nog zo'n dom blondje. Nog dommer en blonder dan Rosie.'

McLoughlin reed nu stapvoets. De straat was donker, want de lantaarnpalen werden gedeeltelijk verduisterd door de hoge kastanjebomen. De huizen stonden een eindje van de weg, met diepe voortuinen met heggen en stenen muren. Hij wachtte tot Poppy weer een beetje kalmeerde. 'Op welk nummer woon je?' vroeg hij. 'Vijfenvijftig, daar is het.' Ze veegde haar ogen nog een keer af met McLoughlins zakdoek en snoot haar neus. 'Bedankt, dit is werkelijk heel erg aardig van je. Ik hield het er gewoon niet meer uit, in de club, bedoel ik. Ik kon al die mensen om me heen niet meer verdragen.'

'Dat zit wel goed.' Hij liet de wagen tot stilstand komen en zette de motor af. Hij stond op het punt haar een kneepje in haar hand te geven, maar bedacht zich. 'Je moet een beetje voorzichtig zijn. Je verkeert waarschijnlijk in shock. Je kunt het beste naar bed gaan en jezelf lekker warm houden.' Hij trok de handrem aan en leunde achterover in zijn stoel. 'Maar vertel me nog eens iets over Marina. Wat gebeurde er met Mark Porter?'

Poppy maakte haar gordel los. 'Ze pestten hem. Hij was namelijk heel klein. Hij had een soort groeiprobleem. Daar moest hij iets voor slikken. Dat spul wordt gemaakt van hypofyses. Van menselijke hypofyses. Afkomstig van overleden mensen. Nou, daar kwam Marina op een gegeven moment achter. En elke keer wanneer ze Mark zag kneep ze haar neus dicht, deed ze net of ze moest overgeven en maakte ze opmerkingen over rottende lijken, wormen, ontbinding. Of ze maakte spookachtige geluiden. Van die dingen. Aanvankelijk was het nog wel grappig. Mark was niet populair. Dat had niets met zijn handicap te maken. Hij was gewoon een arrogante bal. Hij kwam uit een familie van oude kolonialen. Ze hadden in India gezeten, of in Maleisië of weet ik veel. Mark was een verschrikkelijke snob. Altijd zijn mond vol over oud geld en nieuw geld. Dat viel niet goed op een school waar de helft van de leerlingen afkomstig was van families met nieuw geld.'

McLoughlin wist wat ze bedoelde. Op de jachtclubs gebeurde precies hetzelfde.

'Hoe dan ook, het liep uit de hand. Er gebeurden ook andere dingen. Marina was nogal vroegrijp. Ze was heel mooi. Prachtig figuurtje. Zij en Rosie waren hardloopsters. Ze zaten in de atletiekploeg. Speelden ook geweldig tennis. Ik herinner me dat Marina een paar prachtige lange benen had. Ze zag er fantastisch uit in een sportbroekje.' Poppy ging wat verzitten. 'God, ik weet ook nog hoe de mijne eruitzagen. Dik, spierwit, lelijk. Zo zien ze er trouwens nog steeds uit.'

McLoughlin zei niets. Enigszins beschaamd dacht hij aan Harris' opmerking over haar enkels.

'Maar goed, Marina had het voorzien op Ben Roxby. Hij was Rosies vriendje, dat wist iedereen. Rosie was helemaal overstuur, want Marina was immers haar vriendin. En er werden nog wel meer dingen gezegd.'

Ze zweeg. Ze zocht met haar voeten naar haar tas.

'Wat voor dingen?' McLoughlin had pijn in zijn onderrug. Waarschijnlijk iets verrekt op de boot.

'O, dat Marina in de kelder jongens pijpte.' Poppy gilde het uit van het lachen. Ze sloeg met haar handen op haar knieën. 'Pijpen in de kelder? Heb je ooit zoiets gehoord? Klinkt als de titel van een pornofilm. Ik denk dat de meesten van ons niet eens wisten wat pijpen was. Heel anders dan de tieners van vandaag de dag. Dat zijn allemaal experts.' Ze trok haar tas op haar schoot. 'Hoe dan ook, alles wat er gebeurde had in elk geval een vreselijke invloed op Mark. Hij raakte zó overstuur dat hij probeerde zich op te hangen aan een trapleuning op de bovenste verdieping. Maar het touw brak en hij viel naar beneden. Het was een wonder dat hij het overleefde.' Ze haalde een poederdoos tevoorschijn. 'De leraar die hem vond heeft hem gereanimeerd tot de ambulance arriveerde.' Ze klikte de poederdoos open en bekeek haar gezicht in het kleine ronde spiegeltje. 'Marina werd van school gestuurd, maar Rosie niet. Ik was zo blij toen Marina wegging. Ze was een ellendig kreng. Iemand om bij uit de buurt te blijven.' Ze streek het haar uit haar ogen.

'Heb je haar ooit teruggezien?'

'Pas jaren en jaren later. Ik hoorde dat ze naar de Verenigde

Staten was gegaan of zoiets. Haar broer, Tom, heeft nog een paar semesters op school gezeten, maar toen ging hij ook weg. Dat was om financiële redenen. Na de dood van James de Paor hadden ze geen geld meer. Maar nog niet zo heel lang geleden heb ik Marina een keer in de stad gezien. Vlak voor Kerstmis. Ik liep in Grafton Street toen ik haar uit Brown Thomas zag komen. Ik schrok me dood.'

'Heb je haar aangesproken?'

'Aangesproken? Nee, natuurlijk niet.' Haar stem klonk heel hard in de auto. Hard, verbitterd, boos. 'Ze zag me niet eens. Niet dat dat iets nieuws was. Ze zag me nooit. Ze zag er geweldig uit. Ze was samen met een meisje, een tiener. Ik denk dat het haar halfzusje was, het kind dat haar moeder met Dominics vader had gekregen. Ik heb hen nog even na staan kijken. Kerstverlichting, kerstliedjes, alles vrolijk en gezellig, en ik dacht: Vuil kreng. Eén dezer dagen krijg je het allemaal nog eens op je brood.' Ze klapte haar tas dicht. 'En zal ik je eens wat zeggen? Dat is nu eindelijk gebeurd.' Ze kreunde. 'Jezus, ik voel me helemaal niet lekker. Ik geloof dat mijn kater nu al begint.' Ze draaide zich half naar hem toe. 'Nogmaals bedankt. Je bent erg aardig voor me geweest. Maar nu moet ik gaan. Ik zal mijn man maar eens bellen. Die heeft inmiddels waarschijnlijk net gemerkt dat ik weg ben en zal zich wel afvragen waar ik uithang.'

Ze stapte uit de auto. Hij zag haar het hek openduwen en snel het pad oplopen naar de voordeur. Hij keek hoe ze de deur opendeed. Ze draaide zich nog even om om te zwaaien en verdween toen naar binnen. McLoughlin haalde zijn notitieboekje uit zijn binnenzak. Hij sloeg het open en begon te schrijven. Toen startte hij de wagen.

Hij was nu helemaal nuchter en klaarwakker. Langzaam reed hij de grote weg op. Een pestkop. Dat was Marina dus geweest. Een gemene pestkop. Hij zag de foto's voor zich. De brede lach, het glanzende, donkere haar, de donkere ogen half dichtgeknepen tegen de zon, de hoge jukbeenderen en de lange ledematen: zo had ze eruitgezien als volwassene. Maar hoe was ze als tiener geweest? Ze hadden die jongen gepest totdat hij een zelfmoordpoging had gedaan. Ze hadden hem het leven zo zuur gemaakt dat hij had geprobeerd er een eind aan te maken. Hij ging op de overloop staan en bond één eind van het touw aan de trapleuning. Van het andere uiteinde knoopte hij een strop, die hij om zijn hals legde. Toen sprong hij. Hij moest hebben gedacht dat zijn nek zou breken. Hij moest hebben gedacht dat hij meteen dood zou zijn. Maar dat was niet zo. Hij bungelde aan het touw. En toen viel hij. Een leraar hoorde hem. Blies zijn eigen adem in zijn lichaam. Schreeuwde om hulp. En de jongen werd gered. McLoughlin drukte het bandje weer in het apparaat en begon weer mee te zingen. 'God Bless the Child.' Toch goed van Billie Holiday. Ze wist het allemaal precies te benoemen. Rijke mensen en arme mensen, die elkaar nimmer zullen vinden. Kijk maar naar Marina. Die zich in meer dan één opzicht in te diep water had gewaagd.

Hij reed langzaam en voorzichtig terug naar de stad, terug naar Marina's kleine, keurige huisje. Hij wist zeker dat hij een paar oude schoolfoto's aan de muur van haar werkkamer had zien hangen. Hij wilde ze nog eens zien. Kijken of ze hem nog iets meer over haar konden vertellen. 'Waar was je mee bezig?' vroeg hij zacht. Marina's gezicht glimlachte hem toe van de voorruit. Haar mond lachte, maar haar ogen keken droevig en achterdochtig.

Hij sloeg de smalle straat in en reed langzaam verder. De auto's stonden hier bumper aan bumper geparkeerd, maar hij zag een klein plekje waar hij zich waarschijnlijk wel in kon wurmen. Hij stopte, zette de wagen in z'n achteruit en draaide hard aan het stuur. Toen zag hij het. Er brandde licht in haar huis. Boven en beneden. Hij stapte uit en keek naar het huisnummer op de muur. Toen pakte hij haar sleutels en las het nummer op de sleutelhanger: Mount Pleasant Mews 18. Hij legde zijn hand op het hekje. Dat piepte hard toen hij het openduwde. Uit de ramen aan de voorkant, zowel boven als beneden, scheen licht en klonk muziek. Hij liep snel naar de voordeur, stak de sleutel in het Yale-slot, maar de deur was al open. Op zijn aanraking zwaaide de deur verder open en hij stapte het huis in.

14

Het licht vanuit de keuken scheen door de open deur de tuin in. Margaret lag in de ligstoel, een geopend boek op haar schoot en een glas wijn in haar hand. Het was nog steeds warm. Ze voelde de hitte opstijgen van de flagstones onder haar. Het was al laat, en eigenlijk zou ze nu naar binnen moeten om naar bed te gaan. Maar op de een of andere manier kon ze de energie niet opbrengen om op te staan. Er was weer een dag voorbij. Weer een dag dichter bij het moment dat ze moest beslissen wat ze ging doen. Wat ze met de rest van haar leven ging doen. Of dat nu lang zou zijn of kort. Ze nam een slok. De wijn smaakte goed. Te goed. Ze zou moeten leren het zonder te stellen. Ze zette het glas op de grond en sloot haar ogen. Ze was moe. Het was een lange dag geweest. Vanochtend leek een eeuw geleden.

Het was een soort gewoonte geworden. Elke dag wanneer Margaret naar buiten kwam, zat het meisje, Vanessa, op het muurtje op haar te wachten. Vervolgens kwam ze naast Margaret lopen en liepen ze samen in de richting van de Martellotoren. Als het eb was, liepen ze over het strand en als het vloed was, namen ze tot de spoorbrug het betonnen looppad, waarna ze landinwaarts gingen en achter de zeewering, met de spoorlijn aan hun rechterhand, helemaal tot de West Pier liepen. Soms liep Margaret de twee kilometer lange pier op en wandelde hem helemaal af, met Dublin Bay weids en schitterend aan haar linkerhand, en de haven met zijn dobberende boten en het af en aan varen van de viskotters en veerboten rechts. Ook dan liep Vanessa met haar mee. Andere keren liep Margaret meteen door naar de stad en de winkels. Dan deed ze de weinige boodschappen die ze nodig had en ging daarna naar de strandboulevard om op het terras te gaan zitten van een van de nieuwe cafés tegenover het stadhuis. Daar dronk ze dan haar koffie, at ze haar muffin of koffiebroodje en las ze de krant, met de zon op haar armen en schouders, terwijl het briesje vanaf zee vat probeerde te krijgen op het ritselende krantenpapier en Vanessa naast haar zat, sinaasappelsap drinkend door een rietje, melodietjes neuriënd en af en toe commentaar leverend op passanten of op de duiven die aan hun voeten scharrelden, op zoek naar kruimels. Ze zeiden niet veel. Maar dat leek iets te zijn wat ze beiden prettig vonden. Margaret wilde niet praten. Ze wilde zoveel mogelijk licht en frisse lucht in zich opnemen als ze kon. Ze had niet veel tijd meer. Het was al half juli. Mary's sterfdag was acht augustus. En dan moest ze in actie komen.

Vandaag ging ze naar de bibliotheek in Dun Laoghaire. 'Heb je zin om mee te gaan?' vroeg ze aan Vanessa, terwijl ze vanaf de haven de heuvel op liepen in de richting van de spoorbrug.

Vanessa haalde haar schouders op. 'Ik vind het best,' zei ze. 'Ik heb toch niks anders te doen.'

'Wat vind je moeder eigenlijk van de manier waarop je je dagen doorbrengt?' Margaret bleef staan en keek haar aan.

Vanessa haalde opnieuw haar schouders op. Haar gezicht stond vandaag verdrietig, met omlaaggetrokken mondhoeken, en er zaten donkere kringen onder haar ogen. 'Ze heeft het niet eens in de gaten. Ze is veel te verdrietig. Ze slaapt heel weinig, en ik hoor haar elke nacht door het huis lopen. Zo houdt ze mij ook wakker.'

'Het valt niet mee. Ik weet wat ze doormaakt. Het duurde heel lang voordat ik weer kon slapen, en ik heb nog steeds periodes van slapeloosheid.' Margaret liep weer verder.

Vanessa zuchtte, en de zucht veranderde in een geeuw. 'Het is nog erger dan in het begin. Toen gaf de dokter haar nog slaappillen, maar op een gegeven moment slikte ze die niet meer omdat ze zei dat ze dan niet meer kon nadenken. Nu kan ze nog steeds niet nadenken, maar dat komt doordat ze zo moe is. Ze is net zo'n politieke gevangene die gedwongen wakker wordt gehouden. Dan worden ze helemaal gek.' Vanessa's klompschoenen klepperden over het pad als de hoeven van een dravende pony.

Margaret keek haar glimlachend aan. 'Ik weet hoe ze zich voelt. Ik zou haar wel een behandeling willen voorstellen, maar als ze geen pillen wil slikken valt er verder weinig aan te doen.' Bij de stoplichten wachtten ze tot ze mochten oversteken. Vanessa wipte op en neer. 'En ze was juist zo opgewonden toen Janet, haar oude schoolvriendin, zei dat ze een politieman ging vragen of hij misschien kon uitzoeken hoe Marina is gestorven. Maar ze heeft niet veel van hem gehoord.'

Het licht sprong op groen en ze staken de weg over naar het roodstenen gebouw op de hoek.

'Ik vond hem wel aardig,' vervolgde Vanessa, 'maar mam had zulke hooggespannen verwachtingen. Ze dacht dat hij meteen terug zou komen om haar te vertellen wat er met Marina is gebeurd. Maar ze heeft niet veel vertrouwen meer in hem. Hij is met pensioen, weet je, dus is hij al een beetje oud en heeft hij zijn beste tijd wel gehad, lijkt mij.'

Ze liepen de trappen van de bibliotheek op en door de open deuren naar binnen. In de hal was het koel en donker. Vanessa bleef even staan om op het mededelingenbord te kijken.

'En is hij iets te weten gekomen?' vroeg Margaret.

'Niet echt. Hij heeft wat vragen gesteld over het zelfmoordbriefje. Mijn moeder gelooft natuurlijk helemaal niet dat het een zelfmoordbriefje is. Ik denk niet dat ze hem veel verder heeft geholpen. Maar dat was alweer een paar dagen geleden, en sindsdien heeft ze niets meer van hem gehoord. Ik heb gezegd dat ze hem moest bellen. Maar dat doet ze niet. Ze zegt dat ze wacht tot hij haar belt. Ze is net een meisje dat zit te wachten tot ze wordt gebeld door een jongen die ze leuk vindt. Eigenlijk is ze een beetje raar.'

Margaret zei niets. Ze wist hoe Vanessa's moeder zich voelde, en ze liep naar de draaideuren. 'Ik ga wat microfilms bekijken. Dat is nogal traag en saai.'

'Geeft niet,' zei Vanessa. 'Ik ben graag in deze bibliotheek Ik kwam hier al toen ik klein was. Ik ken nog lang niet alle boeken en ga wel wat zitten lezen.'

'Goed, als je het niet erg vindt.' Margaret wuifde zich met

haar hand wat koelte toe. 'Je hoeft niet met me mee, hoor, als je liever iets anders gaat doen...' Haar stem stierf weg.

Vanessa schudde heftig haar hoofd. 'Nee, ik kan beter hier zitten. Als ik naar huis ga zeurt mijn moeder toch maar de hele tijd aan mijn hoofd over die politieman, die McLoughlin, omdat ze niet weet wat ze nu moet doen, en daar kan ik niet meer tegen.'

'Heet hij McLoughlin?' Margaret keek haar aan.

'Mm, Michael McLoughlin. Goeie naam, vind je ook niet? Die M's vind ik mooi. Ik wou alleen dat hij mam nu eens belde of gewoon iets deed, maar ik heb tegen haar gezegd dat hij het wel druk zal hebben. Maar toen zei ze...' ze zweeg even '... o, ik weet niet meer wat ze zei. Het kan me eigenlijk ook niet meer schelen.' Ze liep langs Margaret heen. 'Ik ga iets moois zoeken om te lezen.'

Inspecteur Michael McLoughlin. Hij had in de tuin met haar zitten praten en had haar verteld dat hij de man zou vinden die haar dochter had vermoord. Hij had haar aan een grote, droevige beer doen denken. Ze had hem laatdunkend en met minachting behandeld en hij had daar geen aanstoot aan genomen. Hij had begrepen hoe ze zich voelde. En toen was de dag gekomen dat hij en de jongere politieman haar waren komen halen om Mary's lichaam te identificeren. Ze hadden aan weerszijden van de brancard gestaan. Het lichaam tussen hen in was bedekt met donkergroen, dat vervolgens door McLoughlin was weggetrokken. En Margaret had niet geweten waar ze naar stond te kijken. Het getoonde lichaam had afgeschoren haar. Je kon het wit van de schedel zien. Het gezicht was bont en blauw geslagen. De ogen waren donker en gezwollen en de neus was opzij gebogen. Margaret had haar hand uitgestoken om haar dochter aan te raken en de jongere man had haar tegen willen houden. Maar McLoughlin had hem weggeduwd. Ze had wat er nog van Mary's haar over was aangeraakt. Een klein krulletje had zich losgemaakt van de rest en zich om haar vinger gewonden. Het deed haar denken aan lathyrusranken die zich aan het latwerk vastklemmen dat de bloeiende uitlopers moet ondersteunen. Ze had tegen de politiemensen geschreeuwd dat ze haar alleen moesten laten, en McLoughlin had de jongere man voor zich uit geduwd naar de deur. En Margaret had het lichaam van haar dochter ontbloot, zodat ze het van top tot teen kon bekijken. Zodat ze kon zien wat die man had gedaan. Zodat ze de steekwonden kon zien, de kneuzingen en de bijtafdrukken. Zodat ze kon zien hoe hij haar had laten lijden voordat ze stierf.

'Kan ik u helpen?' De jongeman achter de balie boog zich naar haar toe. Margaret zag dat er zich een hele rij achter haar had gevormd.

'Eh, neem me niet kwalijk, eh, ja, ik vroeg me af of ik de *Irish Times* kan inzien.' Ze slikte moeizaam. 'De *Irish Times* van april 2000. Ik meen dat u die op microfilm hebt staan.'

'Ja, dat klopt. Neemt u maar plaats achter de microfilmlezer, dan ga ik hem voor u halen.' Hij wees met zijn hoofd in de richting van de apparaten. Ze stapte uit de rij en ging zitten. Inspecteur Michael McLoughlin, de man met het verweerde gezicht en de vriendelijke glimlach. Hij was woedend geweest toen Jimmy Fitzsimons werd vrijgesproken. Ze had hem met gebogen hoofd en met zijn handen in zijn zakken het gerechtsgebouw zien uitlopen. Hij had niet geweten wat zij wilde gaan doen. Hij had gedacht dat ze vervuld zou zijn van wanhoop. Dat was ook het geval, maar het was een wanhoop die haar had voortgedreven. Die haar tot moord had gedreven.

'Is alles in orde, Margaret?' Vanessa boog zich over haar heen. 'Je ziet er nogal ontdaan uit.' Ze had haar armen vol met boeken. Grote prentenboeken.

Margaret keek glimlachend naar haar op. 'Niks aan de hand hoor. Ik moet hier even wachten. Wat heb je daar allemaal?'

'O, allemaal mooie boeken. Al mijn lievelingsboeken van toen ik klein was. Kijk maar.' Ze had een geïllustreerde *Alice in Wonderland, Where the Wild Things Are, Orlando, The Marmalade Cat* en een prachtige uitgave van *Charlotte's Web*. 'Ik ga daar zitten.' Ze wees naar de lage tafeltjes van de afdeling kinderboeken, 'en dan ga ik ze allemaal lezen.' Toen vroeg ze opnieuw: 'Is echt alles in orde?'

Margaret knikte, en op dat moment kwam de jongeman achter de balie vandaan met twee filmspoelen in zijn hand.

'Dit zijn ze. Weet u hoe de scanner werkt?' Hij legde de film-spoelen naast haar neer.

'Ja hoor, dank je wel.' Ze drukte het begin van de eerste spoel tussen de klemmen. Toen zette ze het licht aan en draaide aan het wieltje. De dagen van april flitsten voorbij. Ze draaide wat langzamer en zag het artikel over de vondst van Jimmy's lichaam, de autopsie, het politieonderzoek. Ze zag de foto van Michael McLoughlin en die van Mary. Ze zag haar eigen gezicht, de foto die bij de begrafenis was genomen en de foto van Jimmy. Maar daar was ze niet naar op zoek. Ze spoelde door de dagen heen en vond de overlijdensberichten. Ze spoelde weer wat langzamer en las de berichten zorgvuldig door. En ze vond het bericht dat ze zocht.

Fitzsimons, James, Killiney, County Dublin. Zoon van wijlen Brendan en Eileen. Teraardebestelling morgen na de mis van 10 uur in de kerk van St. Matthias, Killiney, op de begraafplaats Dean's Grange. Geen bloemen.

Geen bloemen voor Jimmy Fitzsimons. Geen bossen lelies. Geen deken van boeketten op het bergje aarde waaronder zijn kist rustte. Waren er wel mensen geweest? Ze herinnerde zich zijn familie in de rechtszaal. Zijn moeder, met stijf op elkaar geperste lippen. Zijn zus, het meisje met het syndroom van Down, dat huilde en naar hem toe wilde. En de vrouw die Margaret in de damestoiletten was tegengekomen, met haar slordig aangebrachte lippenstift en haar ladderpanty, die haar had uitgescholden en had volgehouden dat haar broer onschuldig was. Waar waren zij nu? vroeg Margaret zich af, terwijl ze naar de volgende dag spoelde en naar de dag daarna. En daar stond een foto van de kist die vanuit de lijkwagen de kerk in werd gedragen. Ze herkende hen allemaal. Jimmy's moeder, met een bleek, uitdrukkingsloos gezicht. Het jonge meisje, groter inmiddels en veel te zwaar, met een tasje in haar handen geklemd, en de andere vrouw, met haar rug naar de rest van het groepje en een sigaret halverwege haar lippen. Ze las het verslag dat bij de foto stond.

Een klein groepje familieleden woonde gisteren de teraarde-bestelling bij van Jimmy Fitzsimons, wiens lichaam twee weken geleden is gevonden, vijf jaar na zijn mysterieuze verdwijning. Parochiepriester pater Eamonn O'Dwyer sprak over de rust die de familie zou vinden nu de overledene te ruste kon worden gelegd. Hij sprak over de tragedie van Jimmy's korte leven en de helende kracht van het gebed. Hij hoopte dat Jimmy's familie troost kon vinden in de sacramenten. Na de mis begaf een klein groepje rouwenden zich naar de Dean's Grange-begraafplaats, waar de heer Fitzsimons ter aarde werd besteld. Een vertegenwoordiger van de Garda Síochána, hoofdinspecteur Finney, bevestigde dat het onderzoek naar meneer Fitzsimons' dood nog in volle gang is, maar dat er tot dusver nog geen nieuwe aanwijzingen zijn over de manier waarop hij om het leven is gekomen.

Margaret drukte op de PRINT-knop en wachtte tot de fotokopie uit het apparaat kwam. Ze vouwde hem op en stopte hem in haar tas. Ze spoelde de film terug, haalde hem eruit en liep terug naar de balie. 'Hartelijk bedankt,' zei ze.

'Hebt u alles gevonden wat u nodig had?' vroeg de jongeman.

'Ja, geweldig, bedankt.'

Ze draaide zich om en keek waar Vanessa zat. Ze zag haar rode sjaal en haar hoofd, dat boven een stapel boeken uitstak. Ze zette een stap in haar richting, maar bleef toen staan. Vanessa had het hier naar haar zin en zat hier veilig. Beter hier dan waar Margaret naartoe ging. Ze ging achter de cd-molen staan en liep toen snel naar de uitgang. Ze duwde de zware deuren open. De zon scheen in de hal. Ze bleef even staan om de warmte op haar gezicht te voelen. Ze zou de paar kilometer naar Dean's Grange gaan lopen. Een beetje beweging was goed voor haar. En het was prettig om de zon op haar hoofd te voelen en het zachte briesje in haar gezicht.

Ze zette er de pas in. Haar benen bewogen soepel en haar armen zwaaiden ritmisch heen en weer. Een busje passeerde haar en de mannen die erin zaten leunden uit het raampje en riepen en floten. Ze glimlachte, aangenaam gevleid door de belangstelling. Ze moesten eens weten, dacht ze, ze moesten eens weten wat ze had gedaan, waartoe ze in staat was. De mensen moesten eens weten wat voor iemand ze wérkelijk was. Wat voor monster ze was geworden. Als McLoughlin het zou weten, wat zou hij dan van haar denken? vroeg ze zich af. Hij was in haar geïnteresseerd geweest, dat was wel duidelijk. Ze zag het aan de manier waarop hij zo vaak mogelijk bij haar kwam staan, aan de manier waarop hij naar haar keek wanneer ze iets zei, de manier waarop hij manieren verzon om haar te kunnen aanraken. Even zijn hand langs de hare, haar bij de arm nemen, zijn hand op haar onderrug leggen. Ze vroeg zich af of hij had geprobeerd met haar in contact te komen. Van het verhuurbureau had ze gehoord dat er een man naar het huis had gebeld, en ze had verwacht te horen dat de politie haar wilde spreken. Maar ze had niets meer gehoord. Geen belangstelling meer.

Ze zag de hoge grijze muur van het kerkhof en de hoge poorten. Ze ging het kantoortje binnen en gaf de naam op van het graf. Ze volgde de aanwijzingen. Ze liep over de keurig onderhouden betonnen paden en zag hier namen die ze herkende. Buren, vrouwen met wie haar moeder had gebridget en geroddeld. Mannen die collega's waren geweest van haar vader, die elke ochtend de trein van station Seapoint naar Pearse Street hadden genomen en samen over Merrion Square naar de regeringsgebouwen waren gelopen. En tussen al die namen, tussen de marmeren zerken, de engelen en de heiligen, de madonna's en de kruisen, lag een klein stukje met onkruid overwoekerde grond, zonder steen, zonder naam. Met niets anders dan een houten paaltje waarop met slordige streken een nummer was geschilderd.

Ze bukte zich om het beter te kunnen zien en het nummer te vergelijken met dat op het velletje papier in haar hand. Dus dit was Jimmy Fitzsimons' laatste rustplaats. De aarde was niet geëgaliseerd en aan het hoofdeinde van het graf bevond zich een kleine kuil. Er hadden paardebloemen gebloeid en hun donzen aureolen wuifden zachtjes in de wind, in afwachting van het juiste moment om hun zaden te laten verwaaien. Een hoge bos distels waaide heen en weer, en op een van de blaadjes zat een vlinder, die langzaam zijn felgekleurde vleugels opende en sloot. Margaret hield haar adem in. Het was een dagpauwoog, en de grote namaakogen op zijn vleugels waren bijna doorschijnend blauw. Zijn zuigorgaan rolde in en uit als de veer van een oud Zwitsers horloge. Terwijl Margaret met ingehouden adem stond te kijken maakte hij zich los van het blad en zweefde langzaam weg. Opeens zag ze Mary weer voor zich, zoals ze het pad af was gelopen, zich nog even omdraaiend om gedag te zeggen en te zwaaien, haar donkere krullen op en neer springend over de rug van haar jurk. Haar ogen waren zo blauw, hetzelfde felle blauw van die vlindervleugels. En ze bewoog zich zo soepel en gracieus. Haar voeten leken altijd op het punt te staan de grond te verlaten, zo licht was haar tred. Alsof ze een soort vering in haar schoenen had, die haar iets lichts en springerigs gaf.

Margaret keek de vlinder na tot ze hem niet meer kon zien en keek toen naar het graf.

'Zo,' zei ze, met zachte stem, 'daar ben ik weer. Ik had nooit gedacht dat ik hier nog eens terug zou komen. Ik wilde je niet zien, en herinnerd worden aan wat je mijn dochter hebt aangedaan. Ik wilde dat je zou lijden zoals zij heeft geleden. Dat je zou sterven met dezelfde pijn die zij heeft gekend. Dat je dezelfde doodsangst zou voelen. Toen jij haar mishandelde, toen jij haar verkrachtte, toen jij haar het gevoel gaf waardeloos en smerig te zijn. Dat alles wilde ik voor jou, en het is me gelukt. Maar inmiddels weet ik wat ik nog meer heb gedaan. Ik heb mezelf voor eeuwig met jou verbonden. Elke minuut dat ik wakker ben en elke minuut dat ik slaap is gevuld met gedachten aan jou en wat ik heb gedaan. En ik kan er niet meer tegen. Ik ben hier niet gekomen om me met je te verzoenen. Ik vergeef het je niet. Ik zit nog even vol met haat als ooit tevoren. Maar ik moet nu aan mezelf en aan mijn eigen toekomst denken. Ik moet boeten voor mijn zonden. Hoor je me? Hoor je me wel, daar onder de aarde? Want daar lig je nu, in de restanten van een houten kist, een verzameling botten, het enige wat er van je over is. Hoor je me, Jimmy?'

Opeens was ze zich ervan bewust dat ze niet alleen was. Een groepje rouwenden stond aan een groot, keurig onderhouden graf. Ze hadden bossen bloemen bij zich en droegen nette kleren. Er stond ook een priester bij. Hij kwam naar haar toe en glimlachte vriendelijk. Zij pakte haar tas op.

'Gaat het wel met u?' In zijn stem klonk professioneel mededogen.

Margaret knikte. 'Ja hoor, best.'

'O, neemt u me niet kwalijk. U leek een beetje... verdrietig.'

'Tja,' zei ze, terwijl ze probeerde te glimlachen, 'dit is ook een plek voor verdriet, nietwaar?'

'Ja, natuurlijk. Maar hoort u eens,' zei hij, 'wij zijn hier bijeen om een lieve dochter te herdenken die vorig jaar op tragische wijze om het leven is gekomen. Misschien wilt u deelnemen aan ons gebed. Misschien helpt het u ook.'

'Nee,' antwoordde Margaret vastbesloten. 'Dank u, maar nee. Ik wilde net weggaan. Ik ben hier klaar.' Ze draaide zich om. Achter zich hoorde ze het gemompel van stemmen, aanvankelijk een beetje rommelig, maar geleidelijk aan in het patroon vervallend, het ritme, de structuur en de samenhang van de rozenkrans.

'De Heer zij met u,' fluisterde ze, terwijl ze door de poorten de weg weer op liep.

Er was weer een dag voorbij. De halvemaan stond hoog boven haar hoofd. Het was vreemd geweest toen Vanessa over Michael McLoughlin was begonnen. Natuurlijk had hij inmiddels de leeftijd om te stoppen met werken. Ze kon zich niet voorstellen wat hij zonder zijn werk moest doen. Het had zo'n groot deel van zijn leven geleken. Maar misschien vergiste ze zich. Wat wist zij er per slot van rekening van? Wat wist zij nog van wat dan ook of van wie dan ook? Ze sloot haar ogen. Maar ze zag hem toch. Jimmy Fitzsimons. Zijn ogen groot en doodsbang. Zijn wanhopige geworstel. Zijn lichaam, zoals het eruit moest hebben gezien toen het werd gevonden. En zijn graf. Verwaarloosd. Onverzorgd. Naamloos.

15

De deur zwaaide meteen open toen hij hem aanraakte. Behoedzaam stapte McLoughlin de smalle gang in. Hij keek naar links, de zitkamer in. De salontafel was bezaaid met foto's.

'Hallo,' riep hij. De muziek klonk hard, bijna oorverdovend. Hij liep naar de cd-speler op de plank. Er zaten geen zichtbare knopjes op het hightech-bedieningspaneel en hij zag ook nergens een afstandsbediening. Hij herkende de muziek. Die kwam uit *Dido* van Purcell, met de stem van Kathleen Ferrier. '*When I am laid in earth,*' zong ze. Het was mooi, prachtig zelfs, maar hard, veel te hard.

Snel liep hij de keuken in en keek door de glazen deuren de kleine patio op. Niemand te zien. Hij liep naar de trap en ging naar boven.

'Hallo,' riep hij opnieuw. 'Is er iemand boven?'

Op de overloop bleef hij staan. Hij draaide zich om naar Marina's slaapkamer en liep naar de deur. Hij zag een paar bij de enkels gekruiste benen. Zonder schoenen. Hij zette nog een stap dichterbij. De benen waren gehuld in een crèmekleurige corduroy broek. Nog een stap. Nu zag hij een bruine leren riem, waar een denim overhemd tussen was gestopt. Toen stond hij in de kamer. Er lag een man op het bed. Hij had zijn armen onder zijn hoofd gevouwen. Hij draaide zijn blik McLoughlins kant op. Zijn wangen waren nat van de tranen. Hij deed geen enkele poging ze weg te vegen.

'Hallo,' zei McLoughlin. De man reageerde niet. McLoughlin schraapte zijn keel en vervolgde: 'Hallo, ik ben Michael McLoughlin. Ik ben een kennis van Sally Spencer. Ze heeft me gevraagd een kijkje te nemen in Marina's huis.'

Er kwam nog steeds geen reactie van de man op het bed. Er viel een korte stilte toen de muziek ophield, maar meteen weer begon. *'When I am laid, am laid in earth...'* klonk de stem van Kathleen Ferrier van beneden.

'En jij bent?' McLoughlin verhief zijn eigen stem een beetje. De man keek hem aan. 'Sally heeft me over je verteld,' zei hij fluisterend. 'Ze denkt dat je haar gaat vertellen dat Marina zich niet van het leven heeft beroofd. Ze denkt dat je erachter zult komen dat er iets anders met Marina is gebeurd, dat ze helemaal niet dood wilde.' Hij ging zitten en veegde met de rug van zijn hand zijn gezicht af. Even deed hij McLoughlin aan een klein jongetje denken dat midden in de nacht wakker is geworden door een akelige droom. Hij zwaaide zijn benen van het bed. Ze bungelden, en alleen de puntjes van zijn tenen raakten de houten vloer. 'Maar dat gaat niet gebeuren. Marina wilde zelf sterven. Ik heb geprobeerd haar op andere gedachten te brengen. Ik heb haar verteld dat ze zoveel had om voor te leven. Ik hield van haar. Ik heb haar verteld hoeveel ik van haar hield. Maar mijn liefde was niet genoeg om de demonen op afstand te houden.'

'En jij bent?' herhaalde McLoughlin zijn vraag.

'Je kent me wel. We hebben elkaar eerder vandaag ontmoet. Weet je dat niet meer?' De man keek een beetje beledigd. McLoughlin probeerde na te denken. Eerder vandaag? Wat had hij eerder vandaag gedaan?

'Bij Gwen Simpson.'

Hij stond op de stoep te wachten toen de deur openging en daar een man stond die zijn motorhelm opzette.

'O, natuurlijk, neem me niet kwalijk.' McLoughlin glimlachte, en hoopte dat het er een beetje verontschuldigend uitzag. 'Het kwam door die helm. Ik kon je niet goed zien. Dan neem ik aan dat jij Mark Porter bent?'

'Inderdaad. Je zult wel van me hebben gehoord – dat wil zeggen, als je werkelijk bezig bent de ware toedracht van Marina's dood te achterhalen. Ik was al van plan je te bellen.' Hij stond op. Hij was heel erg klein. Zijn hoofd kwam nauwelijks tot

McLoughlins borst. Hij stak zijn voeten in een paar witte joggingschoenen en bukte zich om de veters vast te maken. Zijn glanzende bruine haar viel naar voren. McLoughlin zag de kleine jongen met de nieuwe schoenen. Toen richtte hij zich weer op. 'Denk je dat je de muziek iets zachter kunt zetten?' McLoughlin liep naar de deur. 'Die is erg mooi, maar op deze manier doet ze een beetje pijn aan mijn oren.'

'Tuurlijk.' Mark Porter liep langs hem heen en ging naar de trap. Alle sporen van tranen waren verdwenen. 'Marina was er dol op. Ze luisterde er altijd naar. Ze zei altijd dat die muziek op haar begrafenis gespeeld moest worden.'

'Was dat niet een beetje morbide?'

'Nee, dat vind ik niet.' Hij klonk geïrriteerd. 'Ik ken zoveel mensen die graag vooruitdenken. Mij lijkt dat wel verstandig. En het was een geluk dat ze het mij had verteld.' Hij zweeg en glimlachte breed. Zijn gezicht, met de sproeten en ronde, heldere ogen, deed McLoughlin denken aan een figuurtje uit een van de stripverhalen die hij als kind had gelezen. 'Haar moeder zou er nooit aan hebben gedacht om te doen wat Marina wilde.'

Hij rende de trap af. Zijn hoofd en glanzende haar verdwenen uit het zicht. McLoughlin keek achterom, de slaapkamer in. Het bed was een rommeltje, en hij zag dat de spiegeldeur van de kleerkast niet helemaal dicht was. Hij liep naar binnen, trok hem open en keek erin. Een van de laden stond halfopen. Een deel van Marina's lingerie hing eruit. McLoughlin legde die er weer in en duwde de la dicht. Toen schoof hij de deur dicht, bukte zich en voelde langs de rand van het bed. Zijn vingers voelden iets zachts en zijdeachtigs. Hij trok het tevoorschijn. Het was een zwart slipje, afgezet met rood kant en met een rode roos op het kruisje geborduurd. Hij bukte zich en hield het onder het leeslampje. Er zat iets wittigs op dat er een beetje verdroogd uitzag.

'Ugh,' fluisterde hij onwillekeurig, en richtte zich op. Hij hield het slipje voorzichtig tussen zijn vingertoppen, keerde het binnenstebuiten en vouwde het op. Toen stak hij het in zijn zak. Hij tilde het dekbed op. Op het zeeblauwe onderlaken zat een aantal plekken met diezelfde zilverachtige glans. Net slakkensporen, dacht hij, kijkend naar de onmiskenbare vlekken. Hij tilde het dekbed op, schudde het uit en legde het weer op het bed. Nu was de kamer weer keurig netjes, precies zoals zij het ongetwijfeld gewild zou hebben.

'Meneer McLoughlin, komt u naar beneden? Ik wil u iets laten zien.' Mark Porters gebiedende stem kwam hem van beneden af tegemoet. McLoughlin verwonderde zich over zijn accent. Hij sprak nagenoeg BBC-Engels, met amper een spoortje Dublin, waar hij toch woonde.

'Oké, ik kom eraan. Ik moet alleen even naar het toilet. Een ogenblikje.' Hij stapte snel de badkamer binnen. De ruimte was van vloer tot plafond betegeld en voorzien van de gebruikelijke gemakken. Bad, met douche. Wasbak, toilet. Spiegelkastje. En daarboven een ronde bol met een trekkoordje en daarnaast een ventilator. Hij deed het toiletdeksel omlaag en klom erop. Hij hield zich met één hand in evenwicht en reikte met de andere hand naar de lamp. Hij draaide de bol los en haalde hem weg. Het zag er goed uit, stoffig, maar onaangeroerd. Hij zette de bol weer terug en rekte zich uit naar de ventilator. Die had met vier schroeven op zijn plek moeten zitten, maar er ontbrak er een. Hij voelde met zijn vinger aan de lege plek. Geen probleem om de schroef eruit te halen en te vervangen door een piepklein cameraatje. Geen enkel probleem. Hij kon het zich helemaal voorstellen. Marina opende de envelop. Ze zag de foto's, wist waar ze waren genomen. Ze ging op het toiletdeksel staan. Ze deed wat hij had gedaan en draaide de lamp los. Toen zag ze de ventilator. Ze controleerde de schroeven, vond de camera en trapte hem kapot. In kleine stukjes. Op dezelfde manier als haar eigen privacy, haar gevoel van veiligheid kapot was getrapt. Of misschien... Hij stapte van het toilet. Hij keek in de spiegel. En opende het deurtje. Ze had het cameraatje niet gevonden. Maar degene die het er had geïnstalleerd was, toen hij eenmaal had wat hij wilde hebben, nog een keer teruggekomen om het weg te halen. Hij had alleen niet meer de moeite genomen om de schroef terug te plaatsen. McLoughlin spoelde het toilet door en liep toen naar beneden.

Ze gingen in de woonkamer zitten. Porter had in de keuken een fles wijn opengetrokken. Hij was druk in de weer met kurkentrekker en glazen, en had zich verontschuldigd voor het feit dat er niets te eten was.

'Knabbels,' zei hij meerdere keren. 'Altijd fijn om wat knabbels in huis te hebben.'

Marina had altijd heerlijke knabbels, zei hij tegen McLoughlin. Dat kwam doordat ze op zoveel interessante plekken over de hele wereld had gewoond. Ze had een tijdje in Algerije gezeten, was toen naar Kenia gegaan en daarna naar Mexico en de Verenigde Staten. Ze kon heel goed koken.

'Heb je haar goed gekend?' McLoughlin nipte voorzichtig van zijn wijn. Hij probeerde Porter niet aan te staren. Het was niet alleen dat hij zo klein was, maar meer dat zijn lichaam volledig uit proportie was. Zijn hoofd en schouders waren veel groter dan zijn benen. Zijn bovenlichaam was goed ontwikkeld, alsof hij met gewichten werkte. Door de mouwen van zijn katoenen hemd heen kon je zijn gezwollen biceps zien. Maar zijn gezicht was rond en vlezig, zijn heupen smal en zijn benen amper stevig genoeg om hem te kunnen dragen.

'Heel erg goed.' Porter nam een paar flinke slokken uit zijn glas. 'We gingen heel intiem met elkaar om. Ze vertelde me alles.' Zijn ogen glinsterden. 'Ik mis haar heel erg.' Hij leunde naar voren en wroette met zijn kleine handen door de stapel foto's. 'Ik dacht dat u deze wel zou willen zien.' Hij overhandigde McLoughlin een grote zwart-witfoto. 'Ziet u?' Hij wees ernaar met een dik vingertje. 'We zaten bij elkaar op school. De Lodge, in Ticknock. Daar hebt u vast wel van gehoord.' Hij keek hem vragend aan. McLoughlin knikte beleefd. 'Ziet u wel? Daar sta ik, en Marina staat achter me.'

De leerlingen stonden in rijen opgesteld. Jongens en meisjes in identieke witte blouses met stropdassen met een diagonale streep en een donkere sweater. De voorste rij bestond uit volwassenen. Leraren, veronderstelde McLoughlin. Hij liet zijn blik over de groep gaan. Het waren er zeker wel tweehonderd, alles bij elkaar misschien wel tweehonderdvijftig. Ze zagen er allemaal goed uit. Ook al was de foto vergeeld en hier en daar wat be-schadigd, toch zag je meteen de gave huid en de glanzende haren en ogen van de tieners. Een soort volbloedrenpaarden, dacht McLoughlin. In de watten gelegd en goed verzorgd. Gefokt voor sterke botten en een goed figuur.

'Ja.' Hij legde de foto terug op de tafel. 'Ik had al gehoord dat jullie bij elkaar op school hebben gezeten. Een aantal mensen heeft me dat verteld. Maar ik heb ook gehoord,' hij zette zijn glas op de grond, 'toevallig vanavond nog, voordat ik hiernaar-toe kwam, dat Marina niet zo aardig voor je was. Dat zij en een paar andere leerlingen je heel veel verdriet hebben bezorgd. Klopt dat?'

'Wie heeft u dat verteld?' In Porters stem klonk een mengeling van boosheid en verontwaardiging.

'Ene Poppy Atkinson.'

'O, Poppy, in 's hemelsnaam,' zei Porter smalend. 'Het lelijke zusje, zo noemden we haar. Wat weet Poppy Atkinson daar nu van?'

McLoughlin haalde zijn schouders op. 'Volgens mij weet ze een heleboel, Mark. Ik moet toegeven dat ze nogal over haar toe-ren was, maar ik neem aan dat je het hebt gehoord van haar zus.'

'Rosie? Ja, arme Rosie. Het verbaasde me niet. Ze was heel ongelukkig met haar man. Vervelend type. Te veel geld. Nieuw geld, als je begrijpt wat ik bedoel.'

Niet echt, wilde McLoughlin zeggen. Maar hij glimlachte. 'Dat kan wel zo zijn, maar de situatie zoals Poppy die beschreef, met betrekking tot het, eh, pesten dat jij hebt meegemaakt, klonk behoorlijk angstaanjagend. Ze vertelde me dat je...'

Mark bracht een hand naar zijn hals en stak een vinger onder zijn boordje. Hij draaide rond in zijn stoel. Op zijn gezicht ver-scheen een grimas zoals McLoughlin vele malen eerder had ge-zien. Op de gezichten van doden. 'Luister eens, neem me niet kwalijk hoor. Ik wilde je niet van streek maken,' begon hij.

'Van streek maken? Je maakt me helemaal niet van streek,' zei Porter op schrille toon. 'Het was gewoon een ongeluk. Een dom ongeluk. Ik wilde proberen of ik Tarzan kon nadoen. Ik had een koord gevlochten van ranken die ik in het bos had gevonden en wilde weten of het mijn gewicht kon houden. Het was een ongeluk, meer niet.' Hij trok en frommelde onhandig aan zijn halsboord en McLoughlin zag het ruwe, rode litteken dat om zijn hals liep.

'Maar het was niet alleen Marina, hè, Mark? Rosie deed ook mee – en wie waren er nog meer bij betrokken? Poppy heeft wel een paar namen genoemd. Ene Ben, en Gilly en Sophie?'

Porter sprong overeind. 'Ik wil dat je nu weggaat,' zei hij. 'Ik wil hier niet meer over praten. Je hebt er niets mee te maken. Niemand heeft er iets mee te maken. Ze hébben me niet gepest. Ik snap niet waarom mensen maar blijven zeggen dat ze dat wel deden. We hadden gewoon lol met elkaar, meer niet. Gewoon een beetje lol.' Hij liep langs McLoughlin heen de gang in. 'Eruit.'

'Ho, wacht eens even. Het is helemaal niet nodig om zo te reageren.' McLoughlin stond op en pakte de foto weer. Marina keek hem lachend aan. Met die brede, gulle lach van haar. Mark stond vlak voor haar. Hij leek heel klein, vergeleken met de anderen die links en rechts van hem stonden. Hij had een droevige uitdrukking op zijn gezicht. Hij was een eenzaam, klein jongetje geweest.

'Geef die maar aan mij, dank je wel.' Mark griste de foto uit zijn hand. 'Ik heb gezegd dat je weg moet gaan. Voordat ik je eruit moet zetten.'

'Rustig aan, rustig aan.' McLoughlin tilde zijn handen op. 'Ik weet eigenlijk helemaal niet wat je hier komt doen. Sally Spencer heeft me gevraagd hier langs te gaan en een kijkje te nemen. Ik doe wat zij me heeft gevraagd. En eerlijk gezegd weet ik niet of ze jou hier wel zou willen hebben.'

Porters blik verhardde en hij zette een stap in McLoughlins richting. Hij had zijn vuisten stevig gebald en rukte de voordeur open. McLoughlin deed een stap naar achteren en struikelde bijna over de drempel. Even dacht hij dat hij zou vallen. Hij stak één hand uit op het pad om zijn evenwicht te hervinden en richtte zich weer op.

'Hoe durf je?' schreeuwde Porter. 'Hoe durf je mijn integriteit in twijfel te trekken? Marina was mijn geliefde. Maak dat je wegkomt en laat me met rust.'

McLoughlin deed zijn mond open om iets te zeggen, maar bedacht zich. Hij haastte zich naar het hek. Eenmaal in de auto keek hij nog eens achterom naar de kleine gestalte in de deuropening. Arme stakker, dacht hij. Die torst heel wat bagage mee op zijn schouders. Geen wonder dat hij aan gewichtheffen doet. Dat is waarschijnlijk de enige manier om die last te kunnen dragen.

Tegen de tijd dat hij thuiskwam liep het al tegen enen. Hij liep door het donkere huis, te moe om ergens het licht aan te doen. In de badkamer poetste hij zijn tanden en kleedde hij zich uit, waarna hij op de tast naar de slaapkamer liep. Hij trok het dekbed terug en ging op het koele onderlaken liggen. Het was een lange dag geweest. Hij deed zijn ogen dicht, draaide zich op zijn buik en stompte zijn kussen in de juiste vorm. De slaap liet niet lang op zich wachten.

Maar hij was veel te snel weer wakker. Iets had hem gewekt. Hij ging langzaam zitten. Hij had gedroomd. Hij wist niet meer precies waarover, maar Mark Porter had er een rol in gespeeld. Hij had zijn overhemd opengeknoopt en het laten zakken. Het litteken om zijn nek was vuurrood. *Kijk,* zei hij, *kijk eens wat ik kan.* Hij begon het litteken open te ritsen en trok zijn wijsvinger en duim langzaam van links naar rechts. *Kijk, kijk dan naar me,* zei hij, zijn stem hoog en kinderlijk. Hij zette zijn handen op zijn oren en begon te trekken. Zijn hoofd maakte zich los van zijn romp. Het was een mooie, gelijkmatige wond. Een klein straaltje bloed druppelde op zijn borst. Hij zette zijn losse hoofd naast zich op de grond. *Zo,* zei hij, terwijl zijn mond open- en dichtging als die van een buiksprekerpop, *zo, zie je nu wel? Knap van me, hè?* En hij lachte, schril en als bezeten.

Het was dat schrille gelach waarvan hij wakker was geworden. McLoughlin leunde tegen het hoofdeinde van het bed. Hij zweette en had een vieze, droge smaak in zijn mond. Hij stond op en liep het huis door naar de keuken. Daar vulde hij een glas met water en dronk het gulzig leeg. Het smaakte metaalachtig. Het deed hem aan bloed denken. Hij spuwde in de gootsteen, spoelde het glas om en vulde het nog een keer. Toen liep hij terug naar de woonkamer, ging op de bank zitten en zag het schijnsel van een paar koplampen over de muur glijden. Koplampen, fel en niet gedimd. Ze stopten en verlichtten de hele kamer, zodat McLoughlin zich er opeens van bewust werd dat hij naakt was en dat de gordijnen open waren. Hij draaide zich snel om. Hij voelde er weinig voor om op te staan en te gaan kijken wie er buiten was. Maar de lichten waren te fel. En toen hij opstond, met een kussen voor zijn genitaliën, gleden de lichten naar de gang en verdwenen toen, zodat de kamer weer donker was.

Hij liep naar de badkamer en pakte zijn badjas van de achterkant van de deur. Hij trok hem aan en liep terug naar de woonkamer. Hij ging aan het bureau zitten en raakte voorzichtig het toetsenbord van de computer aan. Het apparaat bromde en zuchtte als een klein, vriendelijk zoogdier. Hij klikte op het icoontje voor Google en voerde de woorden 'Lodge, school, Dublin' in. Toen drukte hij op ENTER en wachtte. Een paar tellen later zat hij de officiële website van de school te lezen. Hij opende de home page. Daar stond een link naar het archief. Hij volgde de instructies en selecteerde het jaartal, 1987. Hij leunde achterover en wachtte. En daar, op het scherm, verscheen de foto die Mark Porter hem had laten zien. Hij gebruikte de inzoomknop om de individuele gezichten te kunnen bekijken. Marina was gemakkelijk te vinden. Net als Porter. En daar stond Poppy. Het lelijke zusje, hadden ze haar genoemd. Hij zag wel waarom. Ze keek chagrijnig naar de camera. Haar gezicht was rond en vlezig. Ze droeg haar haar in twee dikke vlechten en haar ogen gingen verscholen achter een bril met een zwart montuur. Het meisje dat naast haar stond verschilde in alle opzichten van haar. Haar gezicht was ook rond, maar mooi en met kuiltjes in haar wangen. Ze lachte, vrolijk en zorgeloos.

McLoughlin klikte op haar gezicht en meteen verscheen haar naam in beeld. 'Rosie Atkinson', luidde het onderschrift. Poppy gebruikte dus nog steeds haar meisjesnaam, begreep hij. Het onderscheidde haar in een wereld waarin vrouwen bij hun huwelijk onveranderlijk de naam van hun man aannamen. Hij begon op goed geluk de gezichten op de foto aan te klikken en bij iedereen verscheen een naam. Hier stond Ben Roxby, en naast hem een mooi meisje met steil blond haar. Gillian Kearon luidde haar naam. Naast haar stond weer een ander meisje, met haar dat net zo blond was als van de eerste de beste Scandinavische popzanger. Zij heette Sophie Fitzgerald, met tussen haakjes haar aanspreektitel (freule). Freule Sophie Fitzgerald. McLoughlin leunde achterover in zijn stoel. Hij had van haar gehoord. Haar naam werd met regelmaat vermeld in de roddelrubrieken. Sterker nog, hij was er vrij zeker van dat hij een paar foto's van haar was tegengekomen toen hij vanmiddag in dokter Simpsons wachtkamer in de tijdschriften had zitten bladeren. In het winnaarsvak op de Curragh-renbaan. Met de teugels in haar hand van een paard dat al net zo mooi was als zij. Hij liep van links naar rechts alle rijen op de foto langs en las de namen hardop. Geen Murphy, Lynch of Kelly te bekennen. En slechts één Ierse naam: De Paor, Dominic. Hij was een opvallende verschijning. Langer dan de andere jongens. Brede schouders. Een prominente neus en zwart haar. Hij leek niet erg op zijn vader. Hij moest zijn lengte en lichaamsbouw van zijn moeder hebben, dacht McLoughlin. Hij probeerde zich te herinneren wat hij van haar wist. Zenuwziek, labiel, ziekenhuis in, ziekenhuis uit. Hij moest Janet Heffernan nog eens naar haar vragen.

Enige tijd later had hij alle gezichten op de foto gehad en had nog een paar andere namen herkend. De zoon van een steenrijke oliesjeik met een stoeterij in Kildare. De dochters van de Franse ambassadeur en de zoons van het laatste restje Ierse aristocratie dat nog zetels had in het Hogerhuis. Hij was nieuwsgierig naar Mark Porters achtergrond. Als hij de eigenaar was van die woning in Fitzwilliam Square, dan had hij het aardig voor elkaar. Hij vroeg zich af hoe het met die groeistoornis zat. Daar moest hij Johnny Harris eens naar vragen. Over de medicijnen die hij ervoor gebruikte.

Hij drukte op het PRINT-knopje en wachtte tot de foto uit de printer gleed. De fotokopie was niet geweldig, maar goed genoeg. Hij keek weer naar het scherm. Hij was onder de indruk van de kwaliteit van de website. Er zat heel wat werk en aandacht voor details in het ontwerp. Bij elk jaar was een brief van de directeur gevoegd. Hij begon te lezen. Het was redelijk saai. Gespeelde en gewonnen rugbywedstrijden, gespeelde en gewonnen hockeywedstrijden. Een cultureel uitstapje naar Londen, en voor de hoogste klassen na de kerst een skireisje naar Val d'Isère. Studiebeurzen die waren toegekend door Oxford en Cambridge. En dan opeens een serieuze noot tussen al die vrolijke verhalen.

Helaas is een van onze populairste leerlingen, Mark Porter, een ernstig ongeluk overkomen toen hij in het hoofdgebouw van de school van de bovenste verdieping viel. Hij is daarbij ernstig gewond geraakt, maar het doet ons genoegen te kunnen melden dat hij volledig is hersteld. Het heeft ons er weer eens aan herinnerd dat de veiligheid en het welzijn van al onze leerlingen van het allergrootste belang zijn.

De brief was getekend: 'Anthony Watson, PhD, (Oxon), directeur'.

Hij klikte het volgende jaar aan. Opnieuw de schoolfoto. Hij bekeek de gezichten. Ditmaal ontbrak dat van Marina. Wat had Poppy ook weer gezegd? Marina was van school gestuurd, maar Rosie niet. En de anderen evenmin. Ze stonden allemaal op dezelfde plek. Daar had je het dus. Marina was van school getrapt. De anderen hadden straf gekregen. Vervolgens ging hij naar de vereniging voor oud-leerlingen. Daar las hij de gebruikelijke uitnodiging om je aan te melden, dialoogvenster voor gebruikersnaam, wachtwoord. Links naar Verlovingen, Huwelijken en Geboortes en het In Memoriam-gedeelte. Hij klikte het aan, liep de lijst door en zag iemand die hij herkende. Benjamin Samuel Roxby 1970 – 2004. Hij klikte op de naam. Er verscheen een recente foto. Hij zag er keurig verzorgd uit, met kortgeknipt haar en een bril met donker montuur. Jong voor zijn leeftijd. Hij had nog steeds dat schooljongensachtige. Er stonden een paar korte tekstjes bij. Een ervan was geschreven door Dominic de Paor. McLoughlin begon hardop te lezen.

'Het was met grote droefheid dat ik kennis heb genomen van de dood van mijn oude vriend Ben Roxby. Ik heb op school vijf jaar lang een slaapkamer met hem gedeeld. Ben was grappig, intelligent en een fantastische cricketspeler. Hij was zo iemand die zijn talenten altijd bagatelliseerde. Toen ik hem met zijn algebra zag stuntelen, had ik me niet kunnen voorstellen dat hij aan de wieg zou staan van een van de zoekmachines die het internet tot zo'n nuttig werktuig hebben gemaakt. Ik herinner me hem meer vanwege de partijtjes poker die we speelden, wanneer hij en onze andere vrienden in Lake House kwamen logeren gedurende die prachtige zomers van onze tienerjaren. Bens probleem was dat hij zijn gezicht nooit in de plooi kon houden. Geen geweldige eigenschap bij het pokerspel, maar het maakte wel dat je verschrikkelijk met hem kon lachen. Toen ik hoorde dat hij van het dak van zijn prachtige huis was gevallen was ik erg verbaasd. Losgeraakte dakleien terugleggen na een storm leek me nu niet bepaald iets voor hem. Maar de zorg voor zijn gezin was dat wel. Ik weet dat het welzijn van Annabel, Josh en Sam voor hem altijd op de eerste plaats kwam. Mijn innige medeleven gaat naar hen uit.'

Dus Ben Roxby was ook dood. Een val van een dak. Een tragisch ongeval. Dat waren er al drie. Dat leek een hoog percentage sterfgevallen voor zo'n kleine groep. Statistisch nogal onwaarschijnlijk, dacht hij.

Hij stond op van het bureau en liep terug naar de keuken. Hij opende de glazen schuifdeuren en liep het terras op. De lucht was fris, bijna koud. Omhoogkijkend zag hij de Grote Beer aan de nachtelijke hemel staan. Binnenkort, hoopte hij, zat hij op zee. Hele nachten in de stuurhut. Stilte alom, op het stromende water onder de scheepsromp en het geklapper van de wind in de zeilen na. En in de duisternis niets anders te zien dan de sterren. Paul

Brady was een prima schipper. Hij kon zo nodig nog op de sterren varen. Hij herinnerde zich dat Brady hem eens had verteld over een keer dat hij had deelgenomen aan de Hobart-Fremantlezeilrace. En hoe hij zich 's nachts had gerealiseerd dat hij de namen van de sterren en de sterrenbeelden niet kende. Die waren allemaal zo anders op het zuidelijke halfrond, had hij gezegd. Verdomd verwarrend. En opeens zag McLoughlin Margaret Mitchell voor zich, terwijl ze in de duisternis van zo'n Australische nacht naar de hemel keek. Zoekend naar haar dochter, dacht hij, als een treurende moeder uit een Griekse mythe. Een treurende moeder die probeerde haar kind aan de hemel te vinden. Die de plek probeerde te vinden waar Zeus haar had neergezet.

Johnny Harris kon vast wel aan Ben Roxby's officiële doodsoorzaak komen. Er was ongetwijfeld een onderzoek ingesteld. Een plotseling, onverklaard sterfgeval. Hij had toegang tot de afgelegde verklaringen. Misschien had hij zelfs de autopsie verricht. McLoughlin zou hem morgen meteen bellen. Nu stond hij op en rekte zich uit. Hij was moe. Hij liep weer naar binnen en trok de deuren achter zich dicht. En herinnerde zich de uitdrukking op Mark Porters gezicht eerder die avond. Ik had hem uit Marina's huis moeten gooien, dacht hij. Waarom heb ik dat niet gedaan? Was ik bang van hem? Ben ik een grotere lafaard geworden nu ik ouder ben? Nu ik de sterke arm der wet niet meer achter me heb?

Hij liep het huis door naar zijn slaapkamer, raapte zijn pantalon van de vloer en zocht in zijn zakken naar Marina's zwarte slipje. Hij wist opeens niet wat hij ermee moest doen. Hij tilde het deksel van de wasmand op. Hij zou het met de eerstvolgende was meewassen en het dan terugleggen in haar slaapkamer. Terug op zijn eigen plekje. Ik had de confrontatie met Mark Porter moeten aangaan, dacht hij. Maar dat heb ik niet gedaan. En dat was geen lafheid. Dat was niet de reden. Het was het wanhopige verdriet op Porters gezicht. Hij had er zo hulpeloos uitgezien, zo meelijwekkend. Ik wilde het niet plompverloren onder zijn neus wrijven. Toch kon hij morgen maar beter even bij Sally langsgaan. Haar aanraden de sloten te veranderen.

Hij geeuwde, stapte in bed en deed zijn ogen dicht. Denk maar aan leuke dingen, had zijn moeder altijd gezegd. Denk aan leuke dingen, dan val je van verveling snel in slaap. Hij glimlachte toen hij aan haar dacht. Hij moest gauw weer eens bij haar langsgaan. Bloemen voor haar meenemen. Bij de bloemist had hij ridderspoor zien staan. Die had ze vroeger zelf in de tuin gehad. Ze zou het prachtig vinden om die nog eens te zien. Hij draaide zich op zijn buik. Hij dacht aan leuke dingen en viel, zoals ze had voorspeld, snel in slaap.

16

De ridderspoor had de kleur van de diepzee. Hij kocht vijf takken en keek toe hoe de bloemiste ze bij elkaar bond met raffia. 'Voor een bijzonder iemand?' vroeg ze, met een glimlachje.

'Voor mijn moeder.' Hij tikte met zijn creditcard op zijn portemonnee.

'Wat lief. En het is niet eens Moederdag.' Ze liet haar schaar langs de raffia glijden. Hij zag hoe er een massa kleine krulletjes ontstond. 'Hoe vindt u het zo?'

Zijn moeder zei niets toen hij het boeket op haar kastje legde. Ze glimlachte en haar gezicht vetrok in een massa rimpels.

'Weet je nog, ma, dat ik vroeger van jou altijd elke avond de tuin in moest om slakken te vangen? Dan stopte jij ze in een emmertje en strooide er zout over. Herinner je je dat geluid nog? Het gesis. Maar daar zat jij niet mee, hè, ma? Jij deed alles om die ellendige ridderspoor van je te beschermen.' Hij ging naast haar zitten en pakte haar hand. De gewrichten en knokkels waren knoestig en gezwollen, maar de huid was nog glad en zacht. Hij tilde haar hand op, hield hem even tegen zijn wang en drukte er toen een kus op.

'Dank je,' fluisterde ze. 'Ga maar gauw een vaas pakken. Zonder water gaan ze dood.'

Ze zaten in gemoedelijke stilte bij elkaar. Ze leunde in de kussens en keek naar de bloemen, terwijl hij wat door de krant bladerde en de sudoku opsloeg. Hij maakte eerst de gemakkelijke. Dat ging bijna vanzelf. Je had wel eens van die dagen. Dan zag je zonder problemen het patroon ontstaan. Andere keren was het alsof hij met zijn kop tegen een betonnen muur liep. Hij vulde het laatste getal in en slaakte een zucht van genoegen.

'Vandaag is je zoon een hele slimme jongen,' zei hij.

'Hmm,' bromde ze, 'dat is weer eens wat anders. Ik kan me niet herinneren dat je op school zo goed was in rekenen. Hoewel,' ze stak haar hand uit en tikte op de krant, 'die dingen zijn nu ook niet bepaald toegepaste wiskunde, of wel soms?'

Gek toch, hoe ze hem altijd weer op zijn ziel wist te trappen. Hij zette zijn tanden op elkaar en moest zichzelf eraan herinneren dat ze oud was en ziek. De tijd verstreek langzaam. Een van de Filippijnse verpleegsters kwam thee brengen en chocoladekaakjes. Ze was een tenger ding met gitzwart glanzend haar. Ze bewonderde de bloemen en giechelde toen hij haar complimenteerde met de voorzichtige manier waarop ze die in een hoge glazen vaas zette.

'Zij lijkt me wel aardig,' zei hij, toen ze zachtjes de deur dichtdeed. Zijn moeder zuchtte, opende haar ogen en knipperde er een paar keer mee. Ze deed hem aan een van die stokoude schildpadden denken die op de Galápagoseilanden leven.

'Aardig, ze zijn allemaal aardig. Maar saai. Verschrikkelijk saai.' Ze nam een slokje thee, waarbij ze het kopje behoedzaam met beide handen vasthield. 'Vertel me eens iets interessants, Michael. Ik verveel me dood. Jij zult je ook wel vervelen nu je niet meer werkt. Wie had kunnen denken dat ik nog eens een zoon van jouw leeftijd zou hebben? Wat voer je tegenwoordig allemaal uit?'

'Nou,' begon hij, 'ik werd laatst opgebeld door een oude vriend.'

Met een glimlach op haar gezicht luisterde ze naar het verhaal van Marina. Toen zuchtte ze tevreden en leunde naar achteren. 'Een pestkop, zeg je. Interessant. En ze was nog mooi ook. Dat is een ongewone combinatie. Je kunt je afvragen waarom ze het deed. Over het algemeen hoeven mooie meisjes niet veel anders te doen dan er te zijn.' Haar stem had iets bitters gekregen. Ze schoof onrustig heen en weer in haar bed en hij nam het theekopje uit haar handen.

'Is dat zo, ma? Spreek je uit ervaring? Miss Loreto Convent circa 1935?' Dat had hij niet moeten zeggen, maar haar opmerking over wiskunde deed nog een beetje pijn.

'Hou je mond, Michael, in vredesnaam.' Even verwachtte hij een tik. 'Als je het per se weten wilt, ik was erg mooi. Ik had elke jongen uit de buurt kunnen krijgen. Maar de enige die ik wilde was je vader, en een of ander klein kreng zat ook achter hem aan. En eerlijk gezegd had zij wel iets van die Marina van jou. Een onbetrouwbaar wezen. Klein, net een pop. Brede glimlach, grote ogen en valse, gemene trekjes. Een jongen die bij ons in de buurt woonde had zo'n lelijke, grote wijnvlek in zijn gezicht. Zo'n paarsrood geval. Echt heel erg lelijk. Wij gingen hem meestal uit de weg. Liepen naar de overkant wanneer hij eraan kwam. Maar zij – Annie heette ze – zij deed net of ze hem aardig vond. Hij at uit haar hand. Liep als een schoothondje achter haar aan. Tot ze zich op een dag tegen hem keerde. Waar wij allemaal bij waren. Ik weet nog precies hoe het ging. Het was afschuwelijk om te zien. Dat heeft me geleerd wat wreedheid is, dat kan ik je wel vertellen.' Het werd stil in de kamer. Hij hoorde het gerammel van theekopjes en een karretje met een piepend wieltje dat door de gang werd gereden.

'En wat vond pa ervan?'

'Hij heeft haar nooit meer aangekeken. Op een dag stond hij me na schooltijd op te wachten en liep met me mee naar huis.' Ze glimlachte. 'Onschuldige tijden waren het. Nadat hij een week met me mee naar huis was gelopen, waren we nagenoeg verloofd.' Ze wees naar haar ladekast. 'Wil je die la voor me openmaken en de foto's pakken? Ik mis hem nog zo verschrikkelijk. Ik wil hem even zien.'

Hij ging dicht bij haar zitten en sloeg de stugge bladzijden voor haar om. Elke kleine zwart-witfoto werd uitgebreid door haar bekeken, en elke foto bracht herinneringen mee. Plaatsen, gelegenheden, mensen. Hij zat ernaast en luisterde. Hij had de verhalen al vele malen eerder gehoord. Maar terwijl hij luisterde naar haar moeizame ademhaling, was hij zich ervan bewust dat hij ze misschien niet meer zo heel vaak zou horen. Na een tijdje werd ze stil. Haar hoofd zakte opzij en haar ogen vielen dicht. Hij nam het album tussen haar handen vandaan en kuste haar wang. 'Dag, ma,' fluisterde hij. 'Ik hou van je.'

Toen hij de trappen van het verpleegtehuis afliep, ging zijn telefoon.

'Johnny, wat heb je voor me?'

Roxby was overleden aan inwendige bloedingen. Ook had hij een schedelbreuk, twee gebroken benen en een verbrijzeld bekken. 'Waarschijnlijk is hij op slag dood geweest.' Johnny's stem klonk zakelijk. 'Ik heb het dossier hier voor me liggen. Als tijdstip van overlijden is opgegeven ergens tussen acht uur 's avonds van twaalf mei 2004 en één uur 's middags van de dertiende mei 2004. Hij is pas de volgende ochtend gevonden. Daarom is het tijdstip een beetje vaag. Maar de ambulance is op de dertiende mei om acht over tien gebeld en om tien uur veertig gearriveerd.'

'Heb jij de autopsie gedaan?' McLoughlin stond nu onder aan de trap. Hij deed een stapje opzij voor een van de zusters. Ze glimlachte en hij glimlachte terug.

'Ja, die heb ik gedaan. Ik kan het me zelfs nog herinneren. Ik kende de familie vaag. Heb op school gezeten met een van zijn ooms.'

McLoughlin zocht in zijn zak naar zijn sleutels. 'Was het een ongeluk?'

'Nou, de uiteindelijke conclusie was dood door ongeval. Hij is zeker aan de gevolgen van zijn val overleden, maar er is nog wel wat te doen geweest over de omstandigheden.'

'Ja, ja.' Hij opende de auto en ging achter het stuur zitten. Het was heet en benauwd. Met één voet hield hij het portier een eindje open.

'Ja. Eigenlijk was het niet veel meer dan geroddel. Er was die dag een verschrikkelijke onweersbui geweest. Roxby was in Dublin geweest. Kwam thuis en ontdekte een lekkage in het dak. Daar schijnt hij ruzie over te hebben gekregen met zijn vrouw, en zij stond erop dat hij de lekkage zou repareren. Volgens de politie ter plaatse is zij vervolgens met de kinderen naar haar moeder gegaan, die een kilometer of acht verderop woonde. Daar is ze blijven slapen, en toen ze de volgende ochtend thuiskwam trof ze Roxby dood aan op de oprit.'

McLoughlins overhemd plakte aan zijn rug. 'Dus ze hadden

onenigheid. Hij ging het dak op. Het had geregend, dus het was glad. En hij viel. Waar ging de ruzie over?'

Harris' stem kreeg iets vertrouwelijks. 'Wat ik heb gehoord was niet bepaald afkomstig uit het officiële circuit, als je begrijpt wat ik bedoel.'

'Je bedoelt dat het uit het homocircuit kwam?' McLoughlin grijnsde naar zijn weerspiegeling in de voorruit.

'Niet officieel, is de term die ik hier gebruik. Dat klinkt officiëler, zogezegd.' Hij begon te lachen. 'Hoe dan ook, ik heb gehoord dat de echtgenote, de lieflijke Annabel, vermoedde dat hij een verhouding had met iemand in Dublin en dat ze daarom zo kwaad was.'

'Maar het was geen zelfmoord? Niets wat erop wees dat hij zelf een eind aan zijn leven had gemaakt?'

'Daar waren geen aanwijzingen voor. Maar het was wel roekeloos gedrag. Roxby's huis is niet het eerste het beste landhuis. Het is een compleet gotisch kasteel, halverwege de negentiende eeuw gebouwd door een steenrijke voorouder. Het heeft torens en mansardedaken en alle mogelijke gevels. Waarom hij in z'n eentje het dak op is gegaan, terwijl het toch al donker begon te worden, is ietwat raadselachtig.'

McLoughlin reed over de M50. Het was vandaag niet erg druk op de weg. Hij ging op de rechterbaan rijden en de snelheidsmeter gaf 120 kilometer per uur aan. Het was verleidelijk. Hij had met deze wagen nog nooit harder gereden. Hij trapte het gaspedaal in en keek op de meter: 125, 130, 135. De weg maakte een flauwe bocht. Zijn handen gleden over het stuur. Hij kon het asfalt onder zich voelen. Het vibreerde door zijn voeten, zijn benen, regelrecht zijn onderbuik in. Nog één laatste zetje. De meter kroop naar de 140, waarna hij weer snelheid terugnam, langzaam, langzaam, langzaam, tot hij onder de 120 bleef. En net op tijd. De afslag die hem naar de uitlopers van de bergen van Dublin zou brengen kwam eraan. Hij gaf richting aan, veranderde van rijbaan en minderde nog wat snelheid. Hij drukte op een knopje en het raampje gleed omlaag. Hij ademde de frisse lucht diep in. Het koude zweet droop langs zijn rug. Hij maakte zich moeizaam los van de rugleuning. Hij werd te oud om de autocoureur uit te hangen.

Een eind verderop stonden wegwijzers. De weg werd hier smaller, met hoge bermen aan weerskanten en meteen daarachter dennenbossen. Het was koel en veel donkerder. Hij maakte een scherpe bocht naar rechts en zag een witgeschilderd hek en een discreet bord tussen de bomen opdoemen. Hij hobbelde over een wildrooster, bracht de wagen tot stilstand en stapte uit. De oprijlaan lag kronkelend voor hem. Aan weerszijden maakten de bomen plaats voor grazige weiden, omheind door witgeschilderde hekken. Aan de ene kant stond een groepje paarden te grazen en aan de andere kant lagen koeien met hun kalveren in de zon. McLoughlin bleef doodstil staan en luisterde. De stilte werd slechts verbroken door het koeren van houtduiven en het flauwe briesje dat door de bomen speelde. Hij stapte weer in de auto en reed langzaam in de richting van het grote witte gebouw dat aan het einde van de laan nog net zichtbaar was.

De school was een groot, vierkant landhuis, waarschijnlijk vroegnegentiende-eeuws. Aan de voorkant zag het er onaangeroerd uit, maar toen hij naar de achterzijde liep, zag hij dat er een enorme, afzichtelijke uitbouw aan was toegevoegd. Een typisch voorbeeld van architectuur uit de jaren tachtig, dacht hij. Pvc-ramen, lelijk grindpleisterwerk en een spuuglelijk plat dak. Maar even verderop lag een panorama van geometrisch aangelegde tuinen met een fontein, tennisbanen en sportvelden. En aan de rand van het beukenbos, dat het uitzicht aan één kant begrensde, zag hij een klein, landelijk huis met een eigen voortuin en een oude Land Rover op de oprit.

Hij liep naar de voordeur en tilde de koperen klopper op. Hij wachtte. Er gebeurde niets. McLoughlin keek om zich heen. De tuin was goed onderhouden, vrij van onkruid, mooi. Een stenen paadje voerde naar de achterkant van het huis, naar een hoge beukenhaag met een houten hek. Hij opende het hek en liep verder. Een man zat op zijn hurken tussen twee rijen courgettes.

Toen hij McLoughlin zag aankomen stond hij op. Hij droeg een slobberige korte broek en een oud vest. Dikke plukken grijs borsthaar kwamen boven zijn vest uit. Het was net zo dik en grijs als het haar op zijn hoofd. Zijn lichaam was lang en slungelig. Dikke aderen kronkelden zich om zijn armen, en zijn dijen en kuiten waren behoorlijk gespierd. Zijn huid glom als herfstkastanjes. En zijn ogen, onder borstelige witte wenkbrauwen, waren heel licht en helderblauw. Anthony Watson PhD (Oxon), raadde McLoughlin. 'Ik ben op zoek naar Anthony Watson,' riep hij. 'Bent u dat misschien?'

De man nam hem van top tot teen op. 'Ja, dat ben ik.' Voorzichtig tussen de groenten door lopend, kwam hij naar McLoughlin toe. 'En u bent?' Zijn stem klonk melodieus. Zijn accent was heel erg Engels.

McLoughlin begon met zijn uitleg. Dr. Watson luisterde, met een beleefde uitdrukking op zijn smalle, getekende gezicht. 'Ik begrijp het,' zei hij. 'U wilt dus informatie over Ben Roxby, over wat voor iemand hij was? Klopt dat?'

'Onder andere. Moet u horen…' McLoughlin voelde zich niet erg op zijn gemak. Het was bloedheet achter de hoge heg. Hij trok zijn jasje uit, zich bewust van de zweetplekken onder zijn armen. 'Sorry dat ik zomaar kom binnenvallen. Ik was toevallig in de buurt, en toen dacht ik dat ik dan meteen wel even kon kijken of u thuis was.'

'Toevallig in de buurt?' Dr. Watsons blik gleed over het glooiende landschap en de beboste heuvels. 'Juist ja. En u zegt dat u politieman bent? Kunt u zich legitimeren?'

McLoughlin viste zijn legitimatie uit zijn portefeuille. Het zag er best officieel uit. Zolang dr. Watson maar niet zag dat hij verlopen was. Hij overhandigde hem aan de oudere man. Die hield hem een halve meter vóór zich en fronste zijn wenkbrauwen tot een borstelige grijze streep terwijl hij probeerde te lezen wat erop stond. Toen glimlachte hij en gaf het pasje terug. 'Dat is wel in orde. Ik wilde het even zeker weten. Sinds een van onze oudleerlingen een paar weken geleden is overleden, worden we lastiggevallen door journalisten. Ellendige parasieten.'

'Zeg dat wel,' zei McLoughlin. 'U hebt het zeker over Marina Spencer?'

'Marina Spencer,' herhaalde dr. Watson bedachtzaam. 'Inderdaad.' Hij leek met zijn gedachten ergens anders te zijn. 'Wilt u misschien iets drinken?' vroeg hij. 'Momentje.' Hij zette een stap in de richting van het huis. 'Isobel!' riep hij. 'Isobel! Drankjes graag – hier buiten als je het niet erg vindt. We hebben bezoek.'

Ze namen plaats op een paar lage houten stoelen in de schaduw van een appelboom. Dr. Watson had hem, in razendsnelle opeenvolging, de keus gegeven tussen limonade, Pimm's No. 1 of gin-tonic. Met de rit naar huis over de grote weg in gedachten koos McLoughlin voor limonade. Isobel Watson kwam met een zwaar dienblad de tuin in. Ze was net zo lang en slank als haar man en droeg haar grijzende haar kortgeknipt, zonder enige concessie aan een stijlvolle coupe. Dr. Watson stelde haar voor en stuurde haar vervolgens met een kus op haar wang en een wuivend handgebaar weer weg.

'Zo, inspecteur McLoughlin, wat kan ik nu precies voor u doen? U boft dat u ons hier nog treft. We vertrekken morgen en blijven dan tot half augustus weg. Toscane. Vrienden met een villa. Heerlijk.' Hij leunde achterover in zijn stoel en strekte zijn benen voor zich uit. Hij nipte genoeglijk van zijn hoge glas Pimm's.

McLoughlin probeerde zelfverzekerd te klinken toen hij vertelde dat hij door de hoofdcommissaris was gevraagd een aantal sterfgevallen te onderzoeken die als ongelukken werden beschouwd. Er was de laatste tijd in de media veel te doen geweest over een paar sterfgevallen die aanvankelijk het gevolg leken te zijn van ongelukken, maar waar uiteindelijk toch een luchtje aan bleek te zitten.

'Er is een nieuwe hoofdcommissaris, en hij houdt zich nogal bezig met pr, als u begrijpt wat ik bedoel.'

Dr. Watson sloeg zijn ogen hemelwaarts. 'PR,' mompelde hij afkeurend. 'Waar moet het naartoe met de wereld? Hetzelfde schijnt tegenwoordig in het leger te gebeuren. Mijn grootvader en twee van zijn broers zaten in het Britse leger. Ik weet zeker dat zij niets hadden moeten hebben van al die pr-onzin, maar de kereltjes die het vandaag de dag voor het zeggen hebben... Ach, wat zal ik ervan zeggen?' Hij glimlachte.

De glimlach van de veroveraar, dacht McLoughlin. 'Maar goed, terugkijkend op het afgelopen jaar zag ik dat Benjamin Roxby ten gevolge van een val was overleden. En dat er even... nou ja... gespeculeerd is over de vraag of het een ongeluk was of...'

'Of wat, inspecteur McLoughlin?' Dr. Watson had een kleur gekregen. 'Belachelijke roddels! Niks dan belachelijke roddels! Ben Roxby was een fatsoenlijke en rechtschapen vent. Was van heel goede familie. Deed geweldige dingen voor onze school. Deed ons een schenking voor het opzetten van onze website. Niet dat ik daar het nut van inzie, maar van zulke dingen begrijpen ouwe sokken als ik natuurlijk niets meer. Maar iedereen zegt dat het een prachtige website is en dat hebben we allemaal te danken aan Roxby's vrijgevigheid. Maar dat geroddel, nee, werkelijk...' Dr. Watson sloeg zijn lange, magere benen over elkaar en nam nog een slokje Pimm's.

'Wat voor dingen werden er dan gezegd, dr. Watson?' Zijn limonade was verrukkelijk. 'Mm, lekker is dit. Zelfgemaakt?'

'Natuurlijk. Isobel zou het niet in haar hoofd halen van dat andere spul in huis te halen. Vol kunstmatige kleurstoffen en conserveringsmiddelen. Allemaal kankerverwekkend.' Opeens leek hij een beetje in de war. McLoughlin wachtte. Dr. Watson schoof ongemakkelijk heen en weer op zijn stoel. 'Waar hadden we het over?'

'Roddels,' zei McLoughlin, 'over de dood van Ben Roxby.'

'O, ja, dat.' Dr. Watson ging rechtop zitten. 'Absolute nonsens. Rare praatjes over de een of andere vrouw. Ik kende hem heel goed. Hij had een uitstekend huwelijk. Annabel is een fantastische meid. Van heel goede familie. En hij heeft twee geweldige zoons. De kleine Josh begint hier na de vakantie, en Sam komt een jaar daarna.'

'Als Roxby van plan was zijn zoons hiernaartoe te sturen, dan heeft hij zich dus niet laten weerhouden door zijn eigen ervaringen als leerling?'

Dr. Watson fronste zijn wenkbrauwen. 'Ik begrijp niet helemaal wat u bedoelt.'

'Dat verhaal over het pesten. Mark Porter. Dat is niet zo goed afgelopen, is het wel?' McLoughlin dronk nog wat limonade.

Dr. Watson gaf een harde klap op zijn been. 'Ellendige paardenvliegen. Je wordt hier 's zomers levend opgegeten.' Zijn blik gleed over McLoughlins hoofd. 'U zei?'

'Mark Porter, het pesten. Als ik het goed heb was Ben Roxby daar ook bij betrokken?'

Dr. Watson wreef zijn ene been tegen het andere. Hij deed McLoughlin aan een magere oude ruin denken die tegen een paaltje aan stond te schuren.

'Ik geloof niet dat ik helemaal begrijp waar u naartoe wilt, inspecteur McLoughlin. Ik begrijp niet wat dit met Bens dood te maken heeft.'

Het was stil in de tuin. Heel erg stil. De geur van klimrozen hing in de warme lucht.

'Met Roxby's dood op zich misschien niets, maar er zijn nog twee van uw oud-leerlingen overleden. En voor zover ik heb begrepen waren zij vrienden van elkaar.' McLoughlin wachtte tot dr. Watson iets zou zeggen, maar hij zei niets. 'Marina Spencer is een paar weken geleden overleden. Het vermoeden is dat het zelfmoord was. En Rosie Webb eergisteren. En het zijn allemaal oud-leerlingen van deze school. En allemaal betrokken bij dezelfde reeks incidenten. Dat klopt toch?'

Een duif koerde zacht. McLoughlin zag de vogel hoog tussen de takken van een enorme beuk zitten. Dr. Watson zei nog steeds niets.

McLoughlin leunde naar voren. 'Het was destijds een behoorlijk schandaal nietwaar? Niet iets wat je zou verwachten op een school als deze. Het pesten werd zó erg dat Mark een poging deed om zich op te hangen. Althans, dat is wat ik heb gehoord. Gelukkig overleefde hij het. En zijn kwelgeesten, die werden gestraft. Marina Spencer werd van school gestuurd. De anderen, Roxby incluis, werden alleen gestraft. Wat was het? Niet meer uit op zaterdag? Privileges voor onbepaalde tijd opgeschort?

Was dat het? Mochten ze niet meer naar het snoepwinkeltje? De rest van het semester huisarrest?'

De duif had gezelschap gekregen van een soortgenoot. Ze riepen elkaar toe van de ene boom naar de andere.

Dr. Watsons handen plukten aan het verschoten linnen van zijn korte broek. 'Het was een heel ongelukkige kwestie.' Zijn stem had iets jankerigs, zoals die van een vermoeide kleuter. 'Heel ongelukkig. Maar soms heb je op een school, binnen zo'n gemeenschap van individuen, een rotte appel. Iemand die boosaardig is en vals en slechte manieren heeft en anderen daarmee aansteekt. En dan, nu ja, dan breekt de hel los. Het gebeurt niet vaak. En we zijn sindsdien natuurlijk veel voorzichtiger geweest met het aannemen van kinderen.'

'En over wie hebt u het dan?'

'Ik spreek niet graag kwaad over de doden, maar Marina Spencer had een bijzonder storende en negatieve invloed binnen de school. We konden haar niet langer handhaven.' Dr. Watson stond op. Lichtjes wankelend liep hij naar de tafel. Hij schonk zich nog een glaasje in uit de fles en zwaaide ermee in McLoughlins richting. 'Weet u zeker dat ik u niet kan verleiden tot een drupje?'

McLoughlin schudde zijn hoofd. 'Voor alle duidelijkheid, dr. Watson. Zodat we de zaak helemaal helder hebben. Als ik het goed heb begrepen is dit allemaal gebeurd na de dood van James de Paor. Klopt dat?'

Dr. Watson ging weer zitten. Hij knikte en nam een slok.

'Dat moet vreselijk zijn geweest voor de kinderen. Vooral voor Dominic.'

Dr. Watson knikte opnieuw.

'Om zo om het leven te komen, door een stom ongeluk. En zoveel ellende achter te laten.' McLoughlins stem klonk kalm, neutraal.

'Ja, die arme James. Maar aan de andere kant was het ook wel weer typerend voor hem. Hij was altijd al roekeloos.' Dr. Watson krabde aan zijn been.

'U kende hem dus?'

'Ja, ik kende hem al heel lang. Van lang voordat de kinderen geboren werden. Ik kende hem al toen hij nog Power heette. Voordat hij besloot alles wat Gaelic was te omhelzen. Ik heb op school gezeten met zijn oudere broers.'

'Dat wist ik niet.'

'Fijne familie. Dat prachtige huis in de bergen. Ze namen het niet serieus toen James opeens Iers begon te leren. Vervolgens veranderde hij zijn naam. En toen hij advocaat werd, begon hij die IRA-mensen te verdedigen bij het Bijzondere Hof van Justitie. Gelukkig heeft zijn vader dat niet meer hoeven meemaken.'

'En kende – kent u zijn eerste vrouw ook?'

'Helena,' zei dr. Watson, met de klemtoon op de eerste lettergreep. 'Een raadselachtige vrouw.' Hij fronste zijn voorhoofd. 'Een mooie vrouw. Een briljante vrouw. Juriste, net als James. Maar bij de geboorte van haar kinderen is er iets met haar gebeurd. Ik geloof dat ze het kraamvrouwenpsychose noemen. Het is een extreme vorm van postnatale depressie, heb ik me door mijn vrouw laten vertellen. Ze was er na de geboorte van Dominic al slecht aan toe, en toen kwam er nog een tweede kind, een meisje. Dat is gestorven. Wiegendood, zeggen ze. Daarna ging het van kwaad tot erger.' Dr. Watson nam een paar grote slokken van zijn drankje.

'Er heerste dat semester dus geen prettige atmosfeer op school. Die arme kinderen. Dat moet zwaar zijn geweest.'

Dr. Watson keek McLoughlin strak aan. 'Inspecteur, de mensen die hun kinderen naar deze school sturen zijn van taaie komaf. Hun voorvaderen hebben een imperium opgebouwd. Ze laten zich niet zo gemakkelijk uit het veld slaan. Ze lijden in stilte, ze zetten door en zegevieren.' Hij begon steeds harder te praten. 'Dat was een van de dingen die zo hinderlijk waren in Marina Spencer. Zij had een hysterische inslag. Ze deed me een beetje aan Diana Spencer denken. Het is ongetwijfeld toeval dat ze dezelfde achternaam hadden, maar Diana leek op Marina. Al die zinloze emoties, dat belachelijke zelfonderzoek. Marina besefte niet hoe gelukkig ze was. Door haar oppervlakkige relatie met James Power kreeg ze het voorrecht om hier op school te mogen komen.' Hij dronk zijn glas leeg. 'Nee, ze moest weg. Ze zou toch wel zijn weggegaan. Zodra Helena met succes de wettigheid van dat zogenaamde huwelijk tussen James en Marina's moeder had aangevochten, zouden ze het niet meer kunnen betalen.'

'Maar om haar dan van school te sturen? En alleen haar. Waarom de anderen niet?'

Dr. Watson stond op en schonk zijn glas nog eens vol. Hij stond te wankelen op zijn benen en de hand die de fles vasthield beefde.

'Isobel!' riep hij. 'Kom ons nog eens bijvullen. Vlug een beetje.' Zijn gezicht was nu vuurrood.

McLoughlin stond ook op en pakte zijn jasje.

Watson keek hem aan. 'Ik zal u vertellen waarom ik Marina heb weggestuurd. Dat meisje had geen achterland. Ze stond er alleen voor. De anderen hadden hun families om hen te beschermen. Ze hadden rijkdom en aanzien. Zelfs Mark, met zijn lichamelijke gebreken. Zijn familie bezit de helft van Georgian Dublin. Ze zijn samen met Cromwell naar Ierland gekomen. Dat had Marina allemaal niet.'

Zijn vrouw deed de achterdeur open. Ze haastte zich over het gazon. 'Zo is het wel genoeg, Tony.' Haar stem klonk scherp. Ze nam dr. Watson bij de arm en hielp hem naar het huis. 'Het komt wel goed, lieverd. Het is de warmte. Je weet best dat je je hoed moet opzetten.'

Dr. Watson probeerde haar weg te duwen, maar ze hield hem stevig vast. Zijn benen trilden. Hij zag er oud en kwetsbaar uit.

'Dat meisje was een dievegge. Weet je nog, Isobel, van het geld dat opeens weg was? Dat hebben we onder haar matras teruggevonden. En een slet was ze ook!' Hij schreeuwde nu. 'Dat weet jij ook wel, Isobel. Jij hebt haar zelf in de kelder betrapt met Roxby. Walgelijk gedrag. Walgelijk.'

'Sst, Tony, naar binnen. Het is tijd voor je middagdutje. Wij hebben niets meer te zeggen.' Ze duwde haar man naar binnen en de deur viel dicht. Er vlogen nu allemaal wespen om de fles Pimm's. Een ervan was erin gevallen en lag op zijn rug, met zijn pootjes in de lucht. Het gonzen hield op. Een milde dood, dacht hij.

Hij liep de tuin uit naar de school en zag op de begane grond een raam openstaan. Hij keek even om zich heen en hees zich toen op en over de vensterbank. Ik moet nu toch nodig eens wat gaan afvallen, dacht hij, terwijl hij ongelukkig neerkwam en bijna op de grond viel. Hij stond op. Hij bevond zich in het nieuwe gebouw, in een lange gang vol deuren die toegang gaven tot klaslokalen. Hij zette koers naar het oude gebouw. De overgang wel heel abrupt. Achter hem was het een en al magnoliawitte muren, versleten linoleumtegels en tl-verlichting. Vóór hem bevond zich een vierkante grote hal, met mahoniehouten lambriseringen, zwarte en witte ruitvormige marmeren plavuizen op de vloeren en verlicht vanuit een glazen koepel hoog boven zijn hoofd. De trap liep in een sierlijke boog naar boven, en van beneden gezien leken de zandstenen treden nergens op te steunen. Hij liep langzaam naar boven. Eerste verdieping, zitkamer en bibliotheek. Tweede verdieping, slaapkamers met donkerrood reliëfbehang en negentiende-eeuws meubilair. Op de derde verdieping waren de kamers kleiner, met lagere plafonds. Hij keek bij een van de kamers naar binnen. De ruimte stond vol met smalle bedden. Eén deur verder bevond zich een badkamer, met witte tegels en een ouderwets vrijstaand bad, een hele rij wasbakken en een rij hokjes, elk met een toilet, een stortbak hoog aan de muur en een lange ketting. Het rook er naar een desinfecterend middel.

Hij liep de overloop weer op en leunde over de trapleuning. De val naar de vloer was dramatisch. Hij bukte zich en controleerde de houten spijlen door zijn hand eroverheen te laten glijden. Eén van de spijlen verschilde van de rest. Het hout was nieuwer, niet origineel. Het was bewerkt om bij de andere spijlen te passen, maar dat was niet helemaal gelukt. Hij legde zijn hand eromheen. Mark Porter had het touw aan de leuning geknoopt en de strop om zijn hals gelegd. Toen was hij op de trapleuning geklommen. McLoughlin stond op. Boven hem bevond zich de ronde glazen koepel. Onder hem glansden de zwart-witte plavuizen. Mark Porter had op de leuning staan balanceren en had zich toen met zijn hoofd naar beneden in de diepte gestort, dieper en dieper. De strop was strakgetrokken en had hem een stukje omhooggetrokken. Hij had geluk gehad dat hij zijn nek niet had gebroken. Het hout had het begeven en hij viel. Hij bofte dat hij niet op zijn hoofd terecht was gekomen en zijn schedel had verbrijzeld. Hij was niet op zijn borst geland en had geen inwendige verwondingen opgelopen, maar hij was met zijn benen onder zich op de grond terechtgekomen. Hij snakte naar adem, verkeerde in shock en had een paar botten gebroken. Maar hij leefde nog.

McLoughlin liep langzaam de trap af en de hal in. De zware voordeur zat aan de binnenkant op slot. Hij pakte de metalen klink, gaf er een ruk aan, opende het nieuwe Yale-slot en liep naar buiten, de middagzon in. Hij liep over het stoffige grind naar zijn auto en hoorde toen een stem zijn naam roepen. Isobel Watson kwam haastig aangelopen vanuit haar huis.

'Meneer McLoughlin, kan ik u even spreken?' Haar gezicht was vertrokken van bezorgdheid. Ze bleef hijgend staan en stak haar linkerhand uit.

'Mijn man, schenk maar niet te veel aandacht aan hem. Hij is niet in orde. Hij heeft parkinson. Hij heeft nog niet zoveel symptomen, maar de diagnose is al wel gesteld. Binnenkort moet hij stoppen met werken en dat kan hij niet verdragen. De school is zijn leven.' Er klonk zo'n smekende toon in haar stem dat McLoughlin er bijna voor terugschrok.

Hij hoopte maar dat zijn glimlach een beetje meelevend overkwam. 'Maar natuurlijk. Ik kan me voorstellen dat zoiets heel beangstigend is.'

'Dat is het ook. Hij heeft de neiging om meer te drinken dan goed is voor een man van zijn leeftijd. Dat heeft hij vroeger nooit gedaan, en daarom heeft hij er vrij snel last van. En dan zegt hij dingen die hij misschien beter niet had kunnen zeggen.'

McLoughlin knikte. 'Natuurlijk. Ik begrijp het volkomen.'

Ze glimlachte, een strakke, mechanische grijns. 'U hebt hem vragen gesteld over Marina en het pesten. Ik weet dat hij gevoelloos klonk, maar zo bedoelde hij het niet.'

'Nee?' McLoughlin slaagde er niet in de scepsis uit zijn stem te weren. 'Wat zei hij over Marina en Ben Roxby? Walgelijk? Was dat de term die hij gebruikte?'

Isobel Watson kreeg een kleur. 'Ik betrapte hen in de kelder. Marina was – nu ja, ik zal niet in detail treden, maar laten we zeggen dat het geen fatsoenlijk gedrag was. We moeten heel voorzichtig zijn op een school als deze. We hebben niet altijd meisjes en jongens gehad. Ik heb het nooit echt een goed idee gevonden, maar Tony... Nu ja, de protestantse bevolking van Ierland is heel erg klein. Het leek hem een goede manier om relaties aan te moedigen. Zoveel van onze jongens waren al getrouwd met, nu ja...'

'Katholieken.'

'Eh, ja, inderdaad. Ik weet dat het bekrompen klinkt, maar het *Ne Temere*-decreet heeft een verschrikkelijk effect op ons gehad. Te veel protestanten zijn niet zo bezig met hun geloof en laten hun rooms-katholieke partner het voortouw nemen. En wanneer het kind eenmaal gedoopt is, volgt de rest vanzelf. Eerste communie, heilig vormsel, huwelijk. Dat is het eigenlijk. Tony vond dat we moesten doen wat we konden. Dus stelden we de school open voor meisjes. Maar we moeten voorzichtig zijn. Voor je het weet loopt het uit de hand. Marina was heel mooi, heel ontwikkeld voor haar leeftijd. Er moest een eind aan worden gemaakt.'

'Ik veronderstel dat u haar niet geschikt vond voor een jongen als Ben. Klopt dat?'

Ze haalde haar schouders op. 'Persoonlijk kon het me niet schelen. Maar Tony vat zijn rol *in loco parentis* bijzonder serieus op. Luister,' ze schuifelde onrustig heen en weer, 'als u precies wilt weten wat er is gebeurd, zou ik als ik u was een bezoekje brengen aan Dominic Power. Kent u hem?'

Hij schudde zijn hoofd. 'Power? Ik neem aan dat u Dominic de Paor bedoelt.'

'Wij noemden hem Power. Dat was de naam die op zijn geboorteakte stond.' Ze keek hem streng aan. 'Ik weet niet waarom ik dit zeg, maar ik heb altijd het gevoel gehad dat er iets speelde tussen Dominic en Marina. Ik kon het niet benoemen. Maar toen ze na het overlijden van James terugkwamen op school, was Marina veranderd. Ze gedroeg zich anders.' Ze haalde een klein zakdoekje uit de mouw van haar blouse en bracht het naar haar lippen.

McLoughlin wachtte. Toen zei hij: 'Uw man noemde haar een dievegge. Dat is nogal wat om iemand van te beschuldigen.'

'Helaas had hij wel gelijk. Er verdween geld. Kleine sieraden. Waarschijnlijk waren wij te gemakkelijk. De leerlingen mochten heel veel persoonlijke bezittingen op hun kamers hebben, en Marina kwam in de verleiding. Zij had niet zo veel als de anderen. Wij hadden haar moeten beschermen. Dat hebben we niet gedaan.' Ze vermeed het hem aan te kijken. Opeens kreeg McLoughlin medelijden met deze vrouw. Zij bezat niet het schild van zelfverzekerdheid dat haar man wel had.

'En dat gebeurde allemaal na het overlijden van James de Paor?'

'Ja, ik had altijd gedacht dat Marina een sterk meisje was. Heel goed in staat om voor zichzelf op te komen. Niet gemakkelijk te intimideren. Maar toen begonnen me kleine dingetjes op te vallen. Ik weet nog dat ik haar op een dag met Dominic samen zag. Zij was aan het tennissen en hij stond te kijken. Marina speelde goed. Vroeger nam ik de meisjes wel mee naar wedstrijden. Tennis, hockey, lacrosse. Dat doe ik niet meer. Daar ben ik nu te oud voor. Maar van Marina had ik hoge verwachtingen. Ik dacht dat zij het in zich had om een eersteklas tennisspeelster te worden. Een natuurtalent. Lef genoeg. Daarom stond ik zo te kijken van wat er gebeurde.' Ze bracht het zakdoekje weer naar haar lippen. Het had een mooi kanten randje.

'Wat gebeurde er dan?'

'Ze speelde tegen Rosie Atkinson. Ze ging winnen. Ze stond prachtig te serveren en had een perfecte return. Sloeg geweldige passeerslagen. Fantastisch spel. De overwinning kon haar al bijna niet meer ontgaan, en toen kwam Dominic. Hij bleef staan kijken. En na een paar minuten stortte ze helemaal in. Begon slecht te serveren en achter elkaar dubbele fouten te slaan. Ze raakte uit haar ritme. Maakte stomme fouten. En toen de wedstrijd was afgelopen, ja, het is vreemd, maar ik herinner me dat als de dag van gisteren, toen liep ze de baan af en Dominic liep achter haar aan. Hij legde zijn hand in haar nek en,' ze haalde haar schouders op, 'ik weet niet waarom, maar ik kreeg er koude rillingen van.'

'En het pesten? Hoe zat het daarmee?' McLoughlin rammelde met zijn sleutels.

Ze glimlachte. 'Dominic was, en ik weet zeker dat hij dat nog steeds is, heel intelligent. Charmant, voorkomend, sterk. Weet u, een school zoals deze maakt fases door. Het is een beetje de geschiedenis van de mensheid, maar dan in het klein. Je hebt vorsten, tirannen, welwillende despoten, democraten. Dominic was een vorst. Hij had zijn hofhouding en zijn favorieten. En wee je gebeente als je geen favoriet van hem was.'

'En wie waren zijn favorieten?'

'Nou,' zei ze, 'het is heel gek. Je ziet zoveel kinderen voorbijkomen op zo'n school en ik herinner me hen lang niet allemaal. Maar er was iets met die lichting. Ik zie het groepje nog voor me. Dominic, natuurlijk, en Ben, en dan de meisjes. Gilly Kearon, die met Dominic getrouwd is, Sophie Fitzgerald, Rosie Atkinson. Haar zusje niet.'

'U bedoelt Poppy?'

'Ja, maar Poppy was niet mooi. Je zou kunnen zeggen dat zij niet voldeed aan het profiel.' Ze glimlachte weemoedig, en even leek ze weer jong.

'En hoe paste Mark dan in het profiel? Ik neem aan dat hij zich niet kon meten met de andere jongens?'

'Nee.' De glimlach verdween. 'Maar hij maakte zich op andere manieren nuttig. Elke schoonheid heeft een beest nodig. Elke held een lafaard. Elk genie een dwaas.'

'En Marina? Wat was haar functie?'

'Dat weet ik niet helemaal zeker, maar wellicht was zij de katalysator, de versneller. Ik weet het niet.' Ze deed een stap bij hem vandaan. 'Ik heb genoeg gezegd. Ik kan u verder niets vertellen.'

'En hebt u hierover ooit met uw man gesproken?'

'Jawel, maar...'

'Maar Dominic had een achterland. Ook al was zijn vader dood.'

'Ja, hij had een achterland.' Ze duwde het zakdoekje weer in haar mouw en sloeg ter hoogte van haar middel haar handen in elkaar. 'Het is allemaal heel lang geleden. De school is inmiddels in de fase van liberale democratie beland. Wij zorgen ervoor dat iets dergelijks nooit meer kan gebeuren. We zijn veel voorzichtiger geworden met onze kinderen.' Ze staarde langs hem heen naar de tuinen en de sportvelden. 'Dit is een goede school. We hebben een uitgebreid programma van studiebeurzen en nemen kinderen op die in minder bevoorrechte omstandigheden zijn opgegroeid. We geven hun een kans.' Ze draaide zich om. 'Nu moet ik gaan. Het is tijd voor Tony's pillen. Ik moet erop letten dat hij ze inneemt.'

Hij keek haar nog even na, wachtte tot ze uit het zicht verdwenen was en liep toen het pad af naar de tennisbanen. Ze lagen er verwaarloosd bij. De afscheidingen van draadgaas hingen er slap bij en zaten vol gaten. Het gras moest nodig gemaaid en de lijnen waren vervaagd en moeilijk te zien. Hij opende het hek naar de dichtstbijzijnde van de drie banen. Een armoedig net hing losjes van de ene naar de andere kant. Iemand had zijn racket bij de middenlijn laten liggen. Hij raapte het op. Het was een oud, houten geval, zo krom als een hoepel en met een uitgezakte bespanning. Hij hief het boven zijn schouder en deed net of hij serveerde.

'Wat is er hier gebeurd, Marina? Wat is er met jou gebeurd?' Zijn stem klonk zacht en ingetogen. Een briesje speelde door de takken van de hoge naaldbomen. Hij liet het racket weer vallen. Tijd om naar huis te gaan.

17

Toen Margaret bezig was haar ontbijt klaar te maken, stond Vanessa op de stoep. Op het moment dat Margaret de deur opendeed, stormde ze meteen langs haar heen de gang in. 'Je hebt me achtergelaten!' riep ze. 'Je hebt me achtergelaten in de bibliotheek! Ik wist niet waar je was. Ik ging je zoeken en toen was je er niet meer. Waarom heb je dat gedaan?' Haar gezicht was rood aangelopen.

Margaret aarzelde. 'Het spijt me. Er was iets wat ik moest doen. Ik moest ergens naartoe. Jij leek je wel te vermaken daar in de bibliotheek. Toen ik je ging zoeken zat je lekker te lezen. Eerlijk gezegd dacht ik dat je toch niet met me mee zou willen.'

'Maar je hebt het me niet eens gevraagd.' De tranen rolden over Vanessa's wangen. 'Je hebt me niets gevraagd, je hebt me daar gewoon laten zitten. Je hebt me behandeld zoals iedereen me altijd behandelt. Alsof ik alleen maar lastig ben en volkomen onbelangrijk.'

Ze liet zich op haar knieën zakken en begon onbedaarlijk te huilen.

'Vanessa.' Margaret hurkte bij haar neer. 'Hé, kom op, Vanessa. Niet huilen. Het spijt me. Ik moest naar iemand toe. Ik heb je nog wel gezocht, maar je zat te lezen. Je leek het naar je zin te hebben en ik wilde je niet storen. Toe nou.' Ze probeerde de handen van het meisje van haar gezicht weg te trekken, maar Vanessa verzette zich. 'Het spijt me, ik heb er niet bij nagedacht.' Ze sloeg haar armen om Vanessa's gebogen rug heen en streelde haar zachtjes. 'Stil nu maar, meisje.'

Langzaam maar zeker nam het snikken af.

Margaret pakte haar handen. 'Kom, sta op, dan gaan we naar

de keuken en zal ik eens kijken of ik iets te eten voor je heb. Je zult wel honger hebben, of niet soms?'

Ze maakte een beker chocolademelk voor haar en belegde een dikke, witte boterham met kaas. Vanessa kwam aan de keukentafel zitten en at alsof ze uitgehongerd was.

'Zo beter?' Margaret ging tegenover haar zitten.

Vanessa dronk haar beker leeg. 'Dat was lekker. Je maakt goeie chocolademelk. Lekker romig.'

Margaret keek haar glimlachend aan en gaf haar een tissue aan. 'Je hebt een beetje chocola op je kin. Veeg het maar af.'

Vanessa poetste grondig. 'Is het zo beter?' vroeg ze, met enigszins hese stem.

Margaret nam de tissue uit haar hand. 'Hier zit nog een beetje...' ze veegde over haar neus '... ziezo.' Ze glimlachte, boog zich naar voren en sloeg haar armen om haar heen. 'En vertel me nu maar eens wat er werkelijk aan de hand is.'

Het was haar moeder. Ze sliep niet. Ze at niet. Het enige wat ze deed was huilen. Vanessa kon er niet meer tegen.

'En McLoughlin, de politieman over wie jij het had, heeft hij al iets gedaan?' Margaret begon hun bordjes af te wassen en zette ze in het afdruiprekje.

'Mam heeft gisteren een telefoontje van hem gehad. Hij zei dat hij vond dat ze de sloten op Marina's huis moest vervangen. Dus toen ik thuiskwam zijn we ernaartoe gegaan. Mam wilde niet in haar eentje. Ze wilde dat ik meeging.' Vanessa pakte een beker en begon hem af te drogen. Voorzichtig, grondig.

'En hoe was dat? Was het moeilijk?' Margaret bestudeerde de uitdrukking op Vanessa's gezicht. Ze leek opeens heel erg gespannen.

'Het was afschuwelijk. Het huis was een verschrikkelijke puinhoop. Er lag van alles op de grond. Boeken en foto's, cd's en bandjes, en boven in Marina's slaapkamer lagen al haar kleren overhoop en het matras was van haar bed getrokken. Het was verschrikkelijk.' Vanessa's gezicht was bleek en vertrokken.

Margaret nam de theedoek uit haar handen. 'Dat hoef je niet te doen. Ga zitten.'

Vanessa trok de theedoek weer terug. 'Nee, nee, ik wíl het juist. Ik wil iets doen.'

'Oké, ook goed.' Margaret ging weer aan tafel zitten en wachtte heel even. 'Heb je enig idee wie het heeft gedaan? Was er ingebroken?'

Vanessa schudde haar hoofd. 'Nee, dus het moet iemand zijn geweest die sleutels had. En voor zover wij weten hebben alleen wij, de politie, en Mark Porter die. Dus...'

'Mark Porter?'

'Dat is iemand die bij Marina op school heeft gezeten. De laatste tijd gingen ze weer veel met elkaar om.'

'Een romance?'

'O, nee, absoluut niet.' Vanessa's stem klonk heel vastberaden. 'Nee hoor, ze was alleen maar aardig tegen hem.'

'Waarom heeft hij dan haar huis overhoopgehaald?'

Vanessa stapelde het serviesgoed keurig op. Bekers, borden, kommen. 'Heeft je moeder de politie gebeld?' vroeg Margaret.

Vanessa pakte een theelepeltje en begon het op te poetsen. 'Nee. Ik zei dat ze dat moest doen. Maar toen zei ze dat er niets kapot was gemaakt en dat ze haar buik vol had van de politie. En als Mark het had gedaan, zei ze, had hij het toch alleen maar gedaan omdat hij zo overstuur was van alles wat er gebeurd was. En ze zei dat ze dat kon begrijpen.' Vanessa legde de theedoek neer. 'En toen raakte ze helemaal over haar toeren omdat er een paar foto's op de grond lagen. Een daarvan was een oude schoolfoto, van Marina toen ze een jaar of veertien was, met al die andere kinderen. Mark stond er ook op.'

Margaret wist nog hoe dat was geweest. Om oude foto's van Mary te vinden. Onverwacht. Om een oude tas open te maken en opeens een foto tegen te komen. Haar eerste schooldag. Haar krullende haar in twee paardenstaartjes en een brede grijns op haar gezicht. 'En de rommel in het huis?' Haar stem klonk vriendelijk. 'Wat hebben jullie daaraan gedaan?'

Vanessa stond inmiddels huilend de messen te poetsen. Margaret stond op en legde een arm om haar schouder. Ze pakte de theedoek uit haar handen en trok haar op een stoel.

'Mam heeft een slotenmaker gebeld en we hebben zitten wachten tot hij klaar was met het vervangen van de sloten. Toen zijn we naar huis gegaan. Maar ik heb haar de hele nacht gehoord. Ik werd telkens wakker en dan hoorde ik haar door het huis lopen. De hele nacht. En ik kan er niet meer tegen. Jij moet haar helpen,' smeekte Vanessa. 'Je moet met haar praten. Alsjeblieft! Ik zal haar bellen, en vragen of ze hiernaartoe wil komen. Je moet haar helpen.'

De vrouw die door Vanessa mee naar binnen werd genomen was klein en tenger. Margaret stond boven aan het trapje en zag hen het pad opkomen. Vanessa had een arm om haar moeders schouders geslagen en leidde haar voorzichtig over de gebarsten en ongelijke tegels.

'Fijn dat je er bent.' Margaret stak haar hand uit. 'Ik ben Margaret Mitchell. Kom binnen.'

De vrouw probeerde te glimlachen. 'Dank je.' Haar stem klonk zacht, behoedzaam, en haar gezicht was bleek. Ze had donkere kringen onder haar ogen en diepe lijnen om haar mond. 'Ik ben Sally, Vanessa's moeder. Ik hoop dat we niet ongelegen komen.'

Margaret trok haar mee naar binnen. 'Helemaal niet. Ik vind het juist fijn.' Ze keek langs Sally naar Vanessa, die een beetje onzeker in de deuropening bleef treuzelen. 'Wilde jij nog even weg? Wij redden ons hier wel.'

'Ja, graag. Ik heb nog het een en ander te doen.' Vanessa liep naar haar moeder en gaf haar een kus op haar wang. 'Tot straks, mam. Goed?'

De vrouw knikte. Ze raakte heel even de wang van haar dochter aan. 'Ga maar. Ik zit hier goed.'

Ze gingen in de keuken zitten. De ketel stond op het vuur. De klok tikte. Margaret verwarmde de theepot vast voor.

'Het spijt me. Ik hoop dat je geen last hebt van Vanessa. Ze heeft het de laatste tijd erg moeilijk gehad, en aan mij heeft ze ook niet veel. Ik vrees dat ik haar een beetje heb verwaarloosd.'

Sally Spencer frunnikte aan haar horlogebandje en haar trouwring, schoof de mouwen van haar blouse omhoog en trok ze vervolgens weer naar beneden.

'Nee, hoor, helemaal niet. Ze is een schat van een meid. Ik mag haar graag.' Margaret schonk water in de pot en gebaarde naar de twee witte bekers die op tafel stonden.

'Graag, een kopje thee lijkt me heerlijk.' Sally glimlachte. 'Mmm, dat ruikt lekker. Wat voor thee is het?'

'Darjeeling. Mijn vader was erg precies in die dingen – hij wilde alleen de beste kwaliteit. En hij haatte theezakjes. Daarom kon ik me niet voorstellen dat ik hier, in deze keuken, iets anders zou drinken.' Ze bood melk aan en schoof met het topje van haar wijsvinger een schaaltje met koekjes naar voren.

'De thee is verrukkelijk, maar ik hoef geen koekje,' zei Sally.

'Je bent wel erg mager.' Margaret nam een slokje van haar thee. 'Eet je wel genoeg?'

Sally keek naar de vloer. 'Ik heb geen eetlust. Ik word misselijk wanneer ik eet. Wanneer Vanessa thuis is dwing ik mezelf ertoe, maar voor mij hoeft het niet.'

'Dat is een fase. Dat gaat wel weer over. Ik dacht dat ik nooit meer een hap door mijn keel zou krijgen en nooit meer iets zou willen proeven. Op de een of andere manier leek het een soort verraad tegenover Mary, om iets te eten en het nog lekker te vinden ook. Dat ik kon eten om in leven te blijven, terwijl zij dat niet kon.' Margaret nam een koekje. Ze beet door het chocoladelaagje en dacht aan Jimmy Fitzsimons. Haar maag draaide zich om en even was ze bang dat ze moest overgeven. Ze dwong zichzelf te slikken.

Sally keek haar glimlachend aan. 'Ik vind het fijn om met jou te praten. Het is zo moeilijk om aan anderen uit te leggen hoe ik me voel. Mensen bedoelen het allemaal goed. Ze willen helpen. Willen proberen het te begrijpen. Maar ze snappen er niets van.'

'Hoe zou dat ook kunnen? Ze hebben geen ervaring met zoveel verdriet. En met verdriet is het zo dat je alleen dat van jezelf kunt voelen, en niet dat van een ander.'

Zwijgend dronken de twee vrouwen hun thee. Margarets chocoladekoekje bleef half opgegeten op haar schoteltje liggen. Sally's ogen vielen dicht en haar hoofd zakte op haar borst.

'Sally.' Margarets stem klonk heel zacht.

'Mmm?'

'Kom mee naar boven. Laat me je in bed leggen.'

'Dat kan niet.'

'Waarom niet?'

'Ik heb nog van alles te doen.'

'Nee, hoor. Je hebt slaap nodig. Dat is nu het allerbelangrijkste. Kom.' Margaret stond op en pakte Sally's hand. 'Kom maar mee.' Ze trok de andere vrouw overeind en sloeg een arm om haar heen. Ze nam haar mee het trapje op van de keuken naar de gang en bracht haar naar de slaapkamer aan de voorkant van het huis. Ze liet haar op het bed zitten en sloot de luiken. Toen legde ze haar plat neer en tilde haar voeten op. Ze trok Sally's sandalen uit en dekte haar toe met de sprei.

'Ga maar slapen,' zei ze. 'Ik zorg wel voor je. Slaap lekker.'

Sally zuchtte. Margaret trok de deur achter zich dicht en liep terug naar de keuken. Daar pakte ze het schaaltje met koekjes op en gooide ze in de vuilnisbak.

Los grind knerpte onder Vanessa's klompschoenen. Het felrode leer was bedekt met een laagje fijn stof. Ze haalde een verkreukeld papieren zakdoekje uit haar zak, bukte zich en veegde ze schoon. Toen richtte ze zich op, haalde diep adem en vulde haar longen met zilte lucht.

Ze liep de pier op in de richting van de vuurtoren, helemaal aan het eind. Het was erg rustig vandaag. Een paar jongens wierpen hun vislijnen uit in de haven. Ze werd gepasseerd door een jogger met soepele, bruine benen. Opeens zag ze een vrouw met een grote hond aankomen. Vanessa's hart begon te bonzen. De hond was een Duitse herder. Zijn vacht was toffeekleurig. Hij had zijn oren gespitst en zag er alert uit, op zijn hoede. Het zweet brak Vanessa uit. Ze keek om zich heen hoe ze kon ontsnappen, maar ze kon niet weg. Aan de ene kant bevond zich de hoge zeewering en aan de andere kant liep de pier steil af naar een lager niveau. De hond kwam steeds dichterbij. Vanessa drukte zich zo plat mogelijk tegen de muur. Een gevoel van paniek greep haar bij de keel en ze jammerde zachtjes. De hond was nu vlakbij. Hij liep heel langzaam, en zijn lange staart zwiepte heen en weer. Haar benen trilden en haar mond zat vol speeksel. De hond bleef staan en stak zijn grote kop naar voren. Zijn natte neus raakte haar rok aan. Hij snuffelde, met wijd opengesperde neusgaten. Toen jankte hij zachtjes. De vrouw achter hem klikte met haar tong tegen haar verhemelte, en de hond ging liggen. Hij legde zijn snuit op zijn voorpoten en sloot zijn ogen.

'Ben je geschrokken?' De vrouw legde haar hand op de kop van de hond. Hij knipperde even met zijn ogen en deed ze toen weer dicht.

Vanessa dwong zichzelf om te knikken. Ze kon geen woord uitbrengen.

'Het spijt me als hij je heeft laten schrikken. Hij doet niets, hoor. Het is echt een oude goedzak.'

Vanessa ontspande haar vuisten. 'Dat zal best.' Ze stond nog steeds als aan de grond genageld.

De vrouw haalde een brede leren riem uit haar zak en haakte hem vast aan de halsband van de hond. 'Ziezo. Zo beter?'

Vanessa knikte nogmaals. 'Het spijt me. Het komt doordat – toen ik klein was ben ik een keer gebeten door een hond. In mijn been.' Ze liet haar hand zakken en raakte even door haar rok heen het litteken aan.

'O.' De glimlach van de vrouw verdween. 'Wat spijt me dat. Heel akelig. Geen wonder dat je bang was.' Ze gaf een rukje aan de riem en de hond kwam gehoorzaam overeind. 'Arm kind. Kan ik iets voor je doen? Wil je misschien een lift naar huis?'

'Nee, hoor, het gaat wel weer.' Vanessa glimlachte flauwtjes. 'Ik woon hier vlakbij.'

'O?' De vrouw legde haar hand weer op de halsband van de hond. Ze streelde zijn dikke vacht. 'Ik heb vrienden in Monkstown. Waar woon je?'

'Trafalgar Lane.' Vanessa's benen trilden inmiddels niet meer.

Ze voelde zich duizelig van opluchting. 'Weet u waar dat is? Vlak bij Belgrave Square. Het is een heel fijne buurt om te wonen omdat het zo lekker dicht bij zee is.'

'Trafalgar Lane,' herhaalde de vrouw langzaam. 'Ik geloof wel dat ik weet waar dat is. Je hebt gelijk. Dat is een fijne buurt.' De hond keek naar haar op. Zijn lange, roze tong hing uit zijn open bek. 'Wil je niet proberen hem een beetje te aaien? Hij doet echt niets.'

'Nee.' Vanessa kreeg al klamme handen als ze eraan dacht. 'Nee, dat durf ik echt niet.' Ze probeerde te glimlachen. 'Bedankt, maar het gaat nu echt wel weer. Ik weet best dat ik niet zo bang moet zijn. Ik ben ook niet bang voor alle honden. Wij hebben thuis een klein bastaardje dat Toby heet, en daar ben ik dol op. Het komt gewoon doordat, nou ja...' Ze zweeg.

De vrouw stak haar de hondenriem toe. 'Waarom probeer je het zo niet? Hou zijn riem maar vast, dan blijf ik naast je lopen. Je zult zien dat hij heel volgzaam is. Hij zou geen vlieg kwaad doen. Echt niet.'

Vanessa pakte de leren riem van haar aan. De hond bleef rustig staan. Hij draaide zijn kop om om haar aan te kijken.

'Kom,' zei de vrouw terwijl ze haar een vriendelijke por gaf, 'dan lopen we een eindje samen op. Je zult zien dat het meevalt.'

De hond gaf een rukje aan zijn riem en Vanessa zette een stap naar voren.

'Goed zo. Kom op, laat me maar eens zien hoe dapper je bent.' Ze glimlachte, en Vanessa realiseerde zich dat ze ooit heel mooi moest zijn geweest. Toen ze jong was.

En samen liepen ze verder. Vrouw, meisje en hond. Terug over de pier.

Margaret stond in de deuropening en keek de slaapkamer in. Sally Spencer was wakker geworden en zat half overeind in de kussens. Ze zag er nog steeds doodmoe uit, maar toen Margaret binnenkwam, glimlachte ze. 'Bedankt hoor. Ik snap niet wat me opeens bezielde. Het is niet mijn gewoonte om bij andere mensen aan de keukentafel in slaap te vallen.' Haar stem klonk al iets krachtiger.

'Dat zit wel goed, hoor.' Margaret ging in de schommelstoel bij het raam zitten. Ze zette zich met één voet af en voelde de stoel schuin omhoogkomen.

'Wat een beeldige stoel,' zei Sally. 'Toen ik klein was hadden we er thuis ook zo een. Volgens mij ben ik er nog eens helemaal mee achterovergeklapt.'

'Dat is mij ook overkomen. Ik heb er jaren niet meer in mogen zitten.' Margaret schommelde zachtjes heen en weer. 'Toen ik klein was, was dit de slaapkamer van mijn ouders. Mijn moeder zat in deze stoel vaak naar de zee te kijken.'

'Is ze al lang dood?' Sally bewoog haar benen onder de dikke sprei.

'Een jaar of tien.'

Schommel, schommel, schommel. De gebogen houten staanders roffelden op de houten vloer.

'O, natuurlijk, nu herinner ik het me weer,' zei Sally op verontschuldigende toon. 'Ze is ongeveer gelijktijdig met je dochter gestorven, hè?'

'Ja, dat klopt,' zei Margaret. 'We hadden een eigenaardige relatie, mijn moeder en ik. Ik vond nooit dat we erg hecht waren, maar nu mis ik haar toch.' Margaret deed haar ogen dicht. Ze kon haar moeders parfum ruiken. Alles wat ze droeg had ernaar geroken, alles wat ze aanraakte.

'Die generatie vrouwen was heel sterk.' Sally draaide zich op haar zij en steunde haar hoofd op haar arm. 'Ik weet niet of wij ons wel met hen kunnen meten. Als wij iemand verliezen raken we meteen stuurloos. Zij accepteerden het gewoon.'

'Ik vraag me af of dat zo is.' Margaret opende haar ogen en keek naar de zee. 'Volgens mij hadden ze gewoon een andere manier om het te uiten, of het niet te uiten, als je begrijpt wat ik bedoel. En trouwens, kijk nu eens naar jezelf. Uit wat Vanessa me heeft verteld, heb ik begrepen dat jij je portie verlies wel hebt gehad, en toch ben je er nog steeds.'

'Denk je?' mompelde Sally. 'Ik heb het gevoel dat ik vervloekt ben. Of, om met Oscar Wilde te spreken: "Eén echtgenoot verliezen was al slordig, maar twéé…"' Ze glimlachte droevig.

173

'Vanessa heeft me iets verteld over de dood van haar vader. Zo vreselijk en onverwacht.' De horizon was prachtig. Een lichte groene streep, helder afstekend tegen de donkere zee.

'Onverwacht, vreselijk, dat was het allemaal. En het was zo'n mooie dag. Ik weet het nog goed.' Met zachte stem vervolgde ze: 'Het was heet. En wanneer het daar in de heuvels heet is, dan is het erg heet. Het huis en het meer liggen heel beschut. Ze lijken alle warmte op te vangen en vast te houden.'

Zo heet dat iedereen in zwemkleding liep. De hele familie was er. James' zoon en zijn schoolvrienden. Sally's kinderen. Vanessa, de baby, kroop over het fijne witte zand van het smalle strandje. Ze hadden in het koude water gezwommen. Dat was afkomstig uit de veenmoerassen in de omgeving. Het had een vreemde, donkere kleur. Net Coca-Cola waar de prik af is, dacht Sally. Haar huis kreeg er een amberkleurige gloed van. Ze zat in een ligstoel met een glas wijn in haar hand. Vanessa lag met een schone luier in haar kinderwagen, en het kleine parasolletje stond zo dat het haar lichte babyhuidje tegen de zon beschermde. Sally ontspande zich en sloot haar ogen. Voor het eerst in jaren voelde ze zich veilig en beschermd.

'Sinds Robbie, mijn eerste man, was overleden, had ik in m'n eentje voor mezelf en de kinderen gezorgd. Ik had een klein winkeltje, waar ik namaakbijouterieën en accessoires verkocht. Mooi, maar niet duur. Ik kon er net van leven. Maar het leven met James was heel anders.'

'En zijn eerste vrouw?'

Schommel, schommel, schommel. De houten staanders roffelden op de houten vloer.

'Dat lag moeilijk. Maar volgens James was hij in elk geval bij haar weggegaan, ook als ze niet ziek was geworden. Hij hield niet meer van haar en was al van haar gescheiden voordat wij elkaar leerden kennen. Hij wilde met me trouwen. We gingen een weekendje naar Londen en hadden de tijd van ons leven. Vanessa is daar verwekt.' Sally draaide zich op haar rug en staarde naar het plafond. 'Ik had nooit kunnen denken dat het zo zou eindigen.'

Het was zo stil. Ze kon even slapen terwijl Vanessa sliep. Daarna wilde ze het even met de huishoudster over het feestje van die avond hebben. Diner voor tien personen. Het was allemaal geregeld en georganiseerd, had James haar verteld. Ze hoefde zich nergens zorgen om te maken. Ze hoefde alleen maar te genieten.

'En opeens klonk er een verschrikkelijk kabaal. Een speedbootmotor die steeds harder klonk. Een van Dominics vrienden, een jongen die Ben heette, had zijn speedboot meegenomen toen hij kwam logeren. De jongelui wilden allemaal een keertje waterskiën. Eerst dacht ik dus dat zij het waren. Maar dat was niet zo. De boot kwam heel dicht langs de waterkant. Ik werd kletsnat van het opspattende water. Er zat een groepje jongens in. Ik herkende ze geen van allen.'

En toen kwam James het huis uit rennen. Hij riep iets naar Marina. Dat ze de buitenboordmotor van de jol moest starten.

'Ik stond op en riep dat hij het niet moest doen. Ik zei dat ik de politie zou bellen. Maar hij luisterde niet. Ik zag Marina met het trekkoordje prutsen, maar James duwde haar uit de weg. En toen voeren ze weg. James op de achtersteven, aan het roer, en Marina voorin.'

Over het meer. De speedboot bevond zich inmiddels aan de overkant, in de verte, waar een klein beekje over de stroomversnellingen het veenmoeras in stroomde. Sally stond op en waadde het water in, met haar hand boven haar ogen om ze te beschermen tegen de zon. Ze zag dat de speedboot was gekeerd en nu recht op de jol af kwam. Op het allerlaatste moment veranderde hij van richting, maar ze zag hoe de golfslag de jol heftig heen en weer deed slingeren. Nu begon hij in een cirkel om de jol heen te varen, steeds langzamer, tot hij opeens weer gas gaf en het kleine bootje opnieuw heen en weer werd geslingerd in de golfslag. De motor was afgeslagen. Sally zag dat James rechtop in het bootje was gaan staan en probeerde de motor weer te starten. Hij stond eroverheen gebogen toen de speedboot weer terugkwam. De boot had zoveel snelheid dat ze dacht dat ze op elkaar zouden botsen. Ze gilde en schreeuwde het uit.

'Dominic, Tom – help! Waar zijn jullie?' Ze schreeuwde zó hard dat Vanessa wakker werd en begon te krijsen. Sally draaide zich om van het meer om haar op te pakken. En toen ze weer keek, was de speedboot verdwenen, helemaal naar de andere kant van het meer, bijna uit zicht.

'En het zeilbootje? Waar was dat?'

Schommel, schommel, schommel. De houten staanders roffelden op de houten vloer.

'Met de jol leek niets aan de hand. Ik kon het niet goed zien. Dus legde ik Vanessa weer in haar kinderwagen en begon naar het huis te rennen. Ik riep om de huishoudster. Karen O'Reilly heette ze, een heel aardige vrouw, en toen ik haar vertelde wat er was gebeurd, zei ze dat Kevin, haar man, die het terrein onderhield en de herten verzorgde, in het bos aan het meer een paar jongens had gezien en dat zij waarschijnlijk de speedboot van zijn aanlegplaats hadden meegenomen. Ze zei dat er vast en zeker niets was gebeurd, dus gaf ik Vanessa aan haar en ging terug naar het water.'

En toen zag ze het zeilbootje. Het voer langzaam, heel langzaam. Ze zwaaide en riep, maar er kwam geen antwoord. Alleen die langzame, statige beweging van de boot door het water. En toen besefte ze waarom er geen antwoord kwam. Omdat de enige inzittende van de boot bezig was met roeien. Ze zag alleen de rug van het figuurtje dat aan de riemen zat. Het boog zich naar voren en richtte zich weer op en de riemen verdwenen in het water, kwamen weer boven en de zon glinsterde in de waterdruppels die van de houten roeispanen vielen. Het was haar dochter die daar roeide. De slanke, donkerharige gestalte van haar dochter, die midden in het bootje zat, haar handen stevig om de riemen, terwijl de zon in de druppels glinsterde wanneer ze weer boven water kwamen. En toen ze dichterbij kwam, draaide ze zich om en riep: 'Help! Help! Help!'

'Maar wat kon ik doen? Ik was helemaal alleen. En toen hoorde ik iemand roepen en zag ik de mannen vanuit het huis aan komen rennen. Kevin, en een paar van de mannen die voor hem werkten. De ene heette Peadar en van de ander wist ik niet hoe hij heette. En Kevin trok zijn kleren uit, liep het water in en zwom naar de jol. En ik zag hoe hij zich over de rand hees en zich even later uit het bootje boog. Ik zag hoe hij iets uit het water trok. Het was zwaar, want het bootje schommelde heen en weer. Ik zag het, maar ik wilde het niet zien. Ik wilde niet zien dat het James was.'

Schommel, schommel, schommel. De houten staanders roffelden op de houten vloer.

'En Marina begon weer te roeien. Kevin zat op zijn hurken in de boot. Ik kon niet zien wat hij deed, maar hij zat voorovergebogen en zijn hoofd ging op en neer. Na afloop realiseerde ik me pas dat hij James mond-op-mondbeademing had gegeven. In een poging hem te redden.'

Langzaam naderde het bootje de steiger. Ze zag het lichaam op de houten ribben liggen. Er zat een touw om James' borst gebonden. Een touw dat was vastgeknoopt aan het bankje op de achtersteven. De mannen maakten het touw los en droegen James' lichaam de steiger op. En Kevin probeerde het nog een keer. Probeerde nogmaals het leven in hem terug te blazen. Ze stonden allemaal naar hem te kijken, Sally ook. Ze kon niet geloven dat hij dood was. Hij zag er heel normaal uit, alleen kletsnat. Ze wilde tegen hem schreeuwen: 'Sta nou op! Hou op met die geintjes! Je maakt me bang!' Ze wilde hem een zetje geven met haar voet, zijn handen pakken en hem overeind trekken. Maar ze deed het niet. Ze knielde naast hem neer en legde haar hoofd op zijn borst. Waarom klopte zijn hart niet? Elke avond wanneer ze ging slapen, legde ze haar hoofd op zijn borst en luisterde naar zijn hartslag, langzaam, krachtig, regelmatig. Maar zo was het nu niet. Nu was er geen diepe, resonerende vibratie. Niets anders dan zijn koude, natte overhemd tegen haar borst.

'En ik ging zitten en schreeuwde tegen Marina. Zij zat nog in de boot. Ze zag spierwit en trilde over haar hele lichaam. Maar ik schreeuwde tegen haar: "Wat is er met hem gebeurd? Hoe heeft dit kunnen gebeuren?" En ze begon te huilen en zei: "Het spijt me, mammie, het spijt me zo. Ik kon niets doen."'

Ze stonden op de kleine houten steiger naar James' lichaam te kijken, en iemand ging terug naar het huis om een ambulance te bellen.

Kevin zei: 'Waar zijn de anderen? Weten zij het al?'

Sally kon geen woord uitbrengen. Ze schudde alleen maar haar hoofd.

En Kevin zei: 'Ik weet waar ze zijn. Ze zullen wel in het bos zijn. Waar ze altijd naartoe gaan. Ik ga ze wel halen.'

'En vertel jij het ze dan ook?' vroeg ze.

En hij knikte en sloeg een arm om haar heen, en ze rook de geur van mannenzweet. En ze wist dat het heel lang zou duren voordat ze die weer zou ruiken.

Het oude bed kraakte toen ze overeind kwam. Ze duwde de sprei van haar kleine, tengere lichaam.

'Ik kan nu beter gaan. Ik heb genoeg van je tijd in beslag genomen, en ik zal Vanessa bellen en tegen haar zeggen dat we naar huis gaan. Het is al laat.'

'Nee.' Margaret hield op met schommelen. 'Niet weggaan. Blijf bij mij eten. Ik heb Vanessa al aan de lijn gehad. Ze heeft een wandeling gemaakt over de pier en ik heb haar gevraagd wat boodschappen voor me mee te nemen. Ze klonk prima. Ik ga voor het eerst sinds tijden weer eens een echte maaltijd koken.'

'Weet je het zeker? Ik heb het gevoel dat we je al voldoende tot last zijn geweest.'

'Nee, echt niet. Ik zou het juist heel fijn vinden.' Margaret stond op en hoorde de trilling van een beltoon.

'O, sorry, dat is die van mij.' Sally pakte haar tas, haalde haar mobieltje eruit en gebaarde er verontschuldigend mee in Margarets richting. 'Een ogenblikje.' Ze hield het mobieltje bij haar oor. 'O, hallo, Michael, hoe gaat het met je?' Ze luisterde. 'Ik ben op dit moment niet thuis. Is het erg belangrijk? ... Oké, goed, zullen we dan voor morgen afspreken? Ik voelde me niet zo lekker en blijf vanavond bij een vriendin eten. ... Ja, prima, morgenochtend dan. Een uur of elf? ... Uitstekend. En bedankt, Michael. Heel erg bedankt.'

Ze stopte het mobieltje weer weg.

'Dat is mijn politieman. Of liever gezegd, mijn politieman die eigenlijk is gestopt met werken. Ik weet eigenlijk niet zo goed wat ik van hem moet denken. En ik geloof dat hij ook niet weet wat hij van mij moet denken. Volgens mij vindt hij me alleen maar een hysterische moeder.' Ze glimlachte. 'En daar zal hij wel gelijk in hebben.' Ze trok de sprei recht. 'Ik voel me zoveel beter. Niet alleen door het dutje, maar ook doordat ik met jou heb kunnen praten. Je weet hoe die dingen gaan. Mensen krijgen op een gegeven moment genoeg van zo'n tragedie. Het is allemaal goed en wel wanneer het net is gebeurd, maar na een tijdje, nou ja... Je kunt het hun ook niet kwalijk nemen.'

'Je kunt het hun niet kwalijk nemen. Maar je kunt hen wel haten. Ook al schiet je er zelf niets mee op.' Margaret opende de slaapkamerdeur. 'Luister, ik heb een goede fles witte wijn uit Nieuw-Zeeland in de koelkast liggen. Ik stel voor dat we daar een paar glaasjes van drinken. Hoe lijkt je dat?'

Het was al laat toen Sally en Vanessa naar huis gingen. Ze hadden lekker gegeten. Biefstuk met sla en aardappelpuree. Ze hadden de wijn gedronken en gepraat, en Sally had zelfs gelachen. En toen Vanessa naar boven was gegaan om een programma te kijken op Margarets oude zwart-wit-tv'tje, had Sally over de rechtszaak verteld die haar haar huwelijk had afgenomen.

'Het was de eerste in haar soort. Er was nog nooit een Engelse scheiding onderzocht in een Ierse rechtszaal.' Sally dronk haar wijnglas leeg en Margaret schonk haar nog eens bij.

'Ik neem aan dat zijn vrouw de rechtsgeldigheid aanvocht,' zei Margaret.

Sally knikte. 'Ja, en zo moeilijk was dat niet. Je weet dat je hier tot 1996 niet mocht scheiden, dus de enige manier om toch een scheiding te krijgen was voor de Britse wet. Veel mensen deden dat destijds. Maar daarvoor was het wel noodzakelijk dat de man zijn domicilie in Engeland had. Je had wel juristen die het – hoe zal ik het zeggen – gemakkelijk maakten om aan een Engels adres te komen. James was nogal nonchalant met de hele scheiding omgegaan. Het was dus voor Helena niet zo moeilijk te bewijzen dat hij in werkelijkheid in Ierland had gewoond.'

Margaret stond op en opende de keukendeur. Ze wenkte Sally om mee naar buiten te gaan. Ze maakten het zich gemakkelijk in de ligstoelen.

'Maar had zij ingestemd met een scheiding? Ik neem aan dat ze wist wat er gebeurde.' Margaret leunde achterover en keek naar de sterren.

'Jazeker. Ze hadden de gezamenlijke voogdij over Dominic. Dat was het enige wat Helena wilde – beweerde James. Maar na zijn overlijden was zij vastbesloten mij te straffen. Voor mezelf kon het me niet eens zoveel schelen, maar wat me wel kon schelen was dat de wettigheid van James' relatie met Vanessa werd aangevochten.' Sally nipte van haar wijn. 'En dan was er natuurlijk het probleem van zijn testament.'

'Zijn testament?'

'We zijn in Londen getrouwd en ik raakte meteen zwanger. James en ik bespraken zijn testament, dat hij zodanig zou wijzigen dat ik het huis in Dublin zou erven en dat Dominic Lake House en het landgoed in Wicklow zou krijgen. En er zouden ook voorzieningen voor Helena worden getroffen. James besefte dat zij nooit meer zou kunnen werken, nooit meer voor zichzelf zou kunnen zorgen. Ze was geestesziek. Ze had een bijzonder zware postnatale depressie gehad en daar was ze nooit meer helemaal van hersteld. Ze lag het grootste deel van de tijd in het ziekenhuis.'

'En jij was daar wel gelukkig mee? Met die voorzieningen in het testament?' Het was alweer een heerlijke avond. Warm, windstil, met de geur van kamperfoelie in de lucht.

'Ik vond het prima. Ik had niets tegen Helena. Ik voelde voornamelijk medelijden met haar. Ze was niet in orde.' Ze tikte tegen haar voorhoofd. 'Na Dominic hadden ze nog een kindje gekregen, een meisje, dat overleed toen het nog maar een paar maanden oud was.'

'Wiegendood?'

'Daar leek het wel op, ja. Maar James vertelde me dat de psychiater die Helena behandelde dacht dat ze misschien... nou ja, ik weet het ook niet precies, maar dat ze wellicht...'

'Het kindje zelf iets had aangedaan?'

'James geloofde het niet. Hij vond het verschrikkelijk dat iemand haar tot zoiets in staat achtte. Hij vertelde me dat de psychiater de een of andere theorie had dat Helena het kind had willen beschermen, een manier had willen vinden om haar naar de hemel te laten gaan zonder eerst de lijdensweg van het leven te moeten afleggen. Een manier om het verdriet van de wereld te vermijden. Iets dergelijks. Maar James ging er niet in mee. Hij vond dat de arts er te veel achter zocht.' Ze tilde haar glas op en schonk het weer vol. Ze herinnerde zich een geval uit haar tijd als psychiater in Nieuw-Zeeland. Een jonge vrouw die haar twee dochtertjes had doodgestoken. Ze had zelf dood gewild, maar had de gedachte niet kunnen verdragen dat zij moederloos achter zouden blijven. Haar eigen moeder was overleden toen ze drie was, en ze wilde niet dat haar dochters hetzelfde moesten doormaken als zij. Een buurvrouw had de kinderen horen gillen en had geprobeerd in te grijpen, maar tegen de tijd dat zij de deur had opengetrapt, waren de kleine meisjes al dood. En had hun moeder zich teruggetrokken in een toestand van volledige catatonie. Margaret zag de politiefoto's van de slaapkamer nog voor zich. Overal bloed. En de lichaampjes van de meisjes in een hoekje. Ze schudde haar hoofd om de beelden kwijt te raken.

'Is er iets?' Sally kwam overeind in haar ligstoel en keerde zich half naar haar toe.

'Nee hoor,' glimlachte Margaret. 'Niks aan de hand.' Ze nam nog wat wijn. 'En wat gebeurde er verder met je huwelijk en het testament?'

'Nou, zoals ik al zei stapte Helena naar de rechter. Ze won de zaak en mijn huwelijk met James werd ongeldig verklaard omdat hij bigamie zou hebben gepleegd. En omdat hij zijn testament nooit had veranderd, erfde Helena vrijwel alles. Maar wat het meeste pijn deed, was dat Vanessa niet langer als James' wettige kind werd beschouwd. Alleen was in 1988, rond de tijd dat James overleed, de wet zodanig gewijzigd dat buitenechtelijke kinderen ook recht hadden op een deel van de erfenis. Dus ben ik namens haar naar de rechter gestapt en ben ik erin geslaagd een toelage uit de erfenis voor haar te bemachtigen. Genoeg om haar te kleden en te voeden en haar schoolgeld te betalen. Genoeg om haar naar de universiteit te laten gaan. En daarbij besloot de rechter ook nog dat zij een deel van James' bezit behoorde te erven. In Wicklow had hij een klein buitenhuisje, heel mooi, en dat krijgt ze op haar achttiende verjaardag, samen met een lapje grond, ik meen iets van acht hectare groot. En dat is al over een paar weken.' Sally nam een slokje wijn. 'Alleen is het nu natuurlijk veel moeilijker, nu Marina daar gestorven is. Op die plek. Ik weet niet of Vanessa er nu nog wel iets mee te maken wil hebben.'

Margaret strekte haar armen boven haar hoofd. 'Heeft ze nog contact met James' zoon?' vroeg ze.

Sally schudde haar hoofd. 'Hij wil niets van haar weten. We hebben hem al jaren niet meer gezien. Er was heel veel verbittering en woede bij hem. Daarom was het ook zo vreemd toen Marina naar dat feest ging bij hem thuis. Zij en Dominic, hun relatie was op z'n minst moeizaam te noemen.'

'En jij? Wat vond jij van hem?'

'Ik? Om heel eerlijk te zijn vond ik hem een verwend, arrogant mannetje. Hij maakte meteen al heel duidelijk dat hij me niet mocht. Maar dat vond ik prima. Dat kon ik begrijpen. Hij was heel loyaal aan zijn moeder. Hij aanbad haar. Ik weet nog dat hij, als hij bij haar was geweest en daarna weer bij ons terugkwam, op haar leek. Dan had hij opeens maniertjes, en een manier van praten, die anders waren. Eerlijk gezegd,' ze wendde haar blik af, 'had ik in die tijd met Dominic te doen, en dat maakte het voor mij niet gemakkelijker. Wat hem betreft, had ik Helena's plaats ingepikt. Maar ik begreep niet waarom hij zo gemeen en akelig deed tegen Marina en Tom. Zij waren mijn kinderen, niet die van James. Ze wílden zijn kinderen niet eens zijn. Ze zouden nooit Dominics plaats hebben ingenomen, en ik al evenmin. James hield van zijn zoon.' Ze dronk haar glas leeg. 'En nu is het tijd om naar huis te gaan.' Ze stond op en stak haar hand uit.

'Het spijt me, Margaret. Ik ben vanavond heel egoïstisch geweest. Jij hebt zelf ook zoveel meegemaakt, en het enige wat ik heb gedaan is over mezelf praten.' Ze pakte haar tas. Margaret boog zich naar voren en kuste Sally's wang. Ze voelde het bot vlak onder haar huid. 'Maak je geen zorgen,' zei ze. 'Ik kom ook nog wel aan de beurt. Er komt vast nog een avond dat het je niet zal lukken me mijn mond te laten houden.'

Ze liepen samen naar boven. Sally riep Vanessa, smoorde haar protesten in de kiem en trok de voordeur open.

'Welterusten, en bedankt voor de heerlijke dag.' Ze sloeg haar armen om Margaret heen en trok haar tegen zich aan. 'Kom, Vanessa, tijd om naar huis te gaan.'

Margaret bleef in de deuropening staan wachten tot ze het hek uit liepen. Boven zee hing een vollemaan, die zijn blauwachtige licht over de tuin liet schijnen. Ze deed de deur dicht en liep terug naar de keuken. Daar stapelde ze de borden in de gootsteen en veegde de tafel schoon. Toen ging ze naar buiten. De buren hadden jasmijn tegen hun tuinmuur geplant. Die was heel groot geworden, en inmiddels hingen de stervormige witte bloemen tot in een van de oude appelbomen. De lucht was gevuld met de zware, verrukkelijke geur.

Margaret ging in een ligstoel zitten en ademde de geur diep in. Dus morgen kwam Michael McLoughlin bij Sally op bezoek. Ze vroeg zich af hoe hij er tegenwoordig uitzag, of de jaren hem welgezind waren geweest. Mij zijn ze in elk geval niet welgezind geweest, dacht ze, terwijl ze met haar hand langs haar voorhoofd en haar wangen streek en de rimpels voelde en de losse huid. De jasmijn was bijna te overweldigend, maar de geur ervan deed ook aan bederf en verrotting denken. Ze deed haar ogen dicht, en onmiddellijk drongen zich allerlei beelden aan haar op. Ze knipperde met haar ogen en stond op. Ze liep de keuken weer in en de trap op naar boven, waar ze in de schommelstoel ging zitten. Schommel, schommel, schommel. De houten staanders roffelden op de houten vloer. Ze staarde naar buiten, de duisternis in.

18

Ben Roxby, overleden door een val. Marina Spencer, dood door verdrinking. Rosie Webb, geboren Atkinson, zus van Poppy, overleden door een overdosis drugs. McLoughlin ging voor zijn computer zitten en tikte de namen in op het toetsenbord. Hij markeerde ze en vergrootte de letters. Zelfmoord of ongeluk? Of was er nog een andere reden? Hij draaide rond in zijn stoel en dacht na. Roxby's lichaam was gevonden door zijn vrouw toen zij na een nachtje bij haar moeder te hebben gelogeerd weer thuiskwam. Rosies lichaam was gevonden door de politie die door de huishoudster was gebeld. Wie had Marina's lichaam gevonden? Hij pakte de telefoon en belde Johnny Harris. Voicemail, zoals gewoonlijk. Hij liet een boodschap achter.

'Johnny, er is iets wat ik me afvraag. Wie heeft Marina gevonden? Het zal wel ergens in het dossier staan. Zou je me even terug willen bellen? En als je tóch bezig bent, heb je nog nieuws over de dood van Rosie Webb? Hartstikke bedankt. Hoop dat alles goed met je is. Spreek je snel weer. Tot ziens.'

Het was lunchtijd toen hij bij het huis van Sally Spencer in Monkstown arriveerde. Haar onooglijk kleine hondje begroette hem met een luid gekef en een staart die zo hard kwispelde dat het erop leek alsof hij eraf zou vallen. Sally had eten voor hem klaargemaakt. Koud vlees en een salade. Ze had de tafel gedekt in de tuin. Ze schonk een glas mineraalwater voor hem in en deed er een schijfje citroen in. Ze zag er beter uit, dacht hij, alsof ze een goede nachtrust had gehad. Hij zei dat tegen haar en ze glimlachte. 'Ja. Ik heb vannacht inderdaad goed geslapen. Voor het eerst sinds de dood van Marina.'

'Mooi. Dat is toch wel heel erg belangrijk, hè?' Hij nam een slok van zijn bubbelende water.

'Ja, maar het komt niet alleen door de slaap. Ik heb een heel prettige avond gehad. Vanessa en ik hebben bij een vriendin gegeten. Gek eigenlijk hoe die dingen gaan. Ik had die vriendin nog nooit gezien, ze is iemand die Vanessa heeft leren kennen, maar ik kon met haar praten op een manier waarop ik niet met veel mensen heb kunnen praten die ik al jaren ken. Ik denk dat het helpt dat zij ook een dochter verloren heeft. Heel andere omstandigheden, maar ook overeenkomsten. Het heeft me goedgedaan.' Ze ging aan de gang met de vinaigrette. Ze goot hem over de sla en husselde alles voorzichtig door elkaar. 'En, hoe is het jou vergaan?'

Ze luisterde terwijl hij praatte. Ze viel hem niet in de rede. Hij vertelde haar over de boodschappen op Marina's telefoon en over de foto's. Hij vertelde haar over zijn bezoek aan de school. Hij vertelde haar over de dood van Rosie Webb, en alles wat hij wist over de dood van Ben Roxby.

'Hoe komt het dat de politie dat niet allemaal te weten is gekomen?' Ze keek hem verwonderd aan.

'Omdat het hun een duidelijke zaak leek, vermoed ik. En dat is het vermoedelijk ook. Niets van dit alles maakt het minder waarschijnlijk dat Marina zelfmoord heeft gepleegd. Als je er al iets uit zou kunnen concluderen, lijkt het eigenlijk alleen maar waarschijnlijker dat ze dat inderdaad heeft gedaan.'

Ze wendde even haar blik af en keek hem toen weer aan. 'Ik had er geen idee van dat ze zich ergens zorgen over maakte.' Haar stem klonk zacht en onzeker. 'Ik heb niets aan haar gemerkt.'

'En die relatie met Mark Porter? Vond je dat niet vreemd, gezien hun geschiedenis?' McLoughlin prikte een kleine tomaat aan zijn vork.

Ze fronste. 'Van wie heb je dat gehoord?'

'Van Poppy Atkinsons, Rosies zus. Bovendien vrees ik dat het gewoon deel uitmaakt van Marina's geschiedenis. Je kunt er niet omheen.'

'Dat is zo, maar je moet niet slecht over haar denken.' Sally zag eruit alsof ze elk moment kon gaan huilen. 'Ik heb nooit begrepen wat er precies is gebeurd. Het was niets voor haar. Maar ze was erg ongelukkig op die school. Dat had ik me eerder moeten realiseren. Ik weet dat ik mijn eigen narigheid had, maar ik voel me toch verantwoordelijk voor alles wat daar is gebeurd. Marina zag er dan wel uit als een volwassene, maar vanbinnen was ze nog een kind.'

McLoughlin schepte nog wat sla op. 'Maar waarom dan die relatie met Mark? Waar kwam die vandaan?'

'Het was niet zozeer een relatie, niet in romantische zin in elk geval. Marina had al heel lang geen contact meer met de mensen van die school. Toen liep ze opeens Mark weer tegen het lijf, en misschien had ze wel het gevoel dat ze iets goed te maken had. We hebben het er nooit echt over gehad, maar ze leek zeer op hem gesteld te zijn. Het enige wat ik wel heel vreemd vond, was dat ze naar dat feest ging. Dat kon ik maar niet begrijpen.'

'Dus je wist van tevoren dat ze zou gaan?' McLoughlin zocht in de salade naar een stukje feta. Heerlijk.

'Ik was er net die dag achter gekomen. Ik belde haar om te vragen of ze zondag, de dag erna, nog kwam lunchen. Dat deed ze 's zondags wel vaker. Door de week had ze het altijd zo druk dat ik haar niet veel zag. Dus belde ik haar. Het was zaterdagavond rond een uur of acht. Toen ze opnam, was de ontvangst heel slecht. Ze viel telkens weg. Dus vroeg ik haar waar ze was, en toen zei ze dat ze in Lake House was.' Sally's gezicht was bleek en gespannen.

'En was je toen verbaasd?'

'Verbaasd? Ik was meer dan verbaasd. Maar voordat ik haar ernaar kon vragen, werd de verbinding verbroken. Ik probeerde het nog een paar keer, maar ik kreeg telkens meteen haar voicemail. Dus dat was de laatste keer dat ik haar heb gesproken.' Ze stond op van tafel en liep de keuken in, met de hond op haar hielen. McLoughlin schepte het laatste beetje salade op.

Even later kwam ze terug met een groot glas witte wijn. 'Neem me niet kwalijk.' Ze probeerde te glimlachen en ging weer zitten. 'Ik vind het gewoon onverdraaglijk dat dat ons laatste gesprek is geweest.'

'Lake House. Ik heb begrepen dat het een heel bijzonder huis is.' Hij leunde naar achteren en veegde zijn vingers af aan een witlinnen servet.

'Het is – althans toen ik er nog vaak kwam – een beetje vervallen, verwaarloosd, maar het ligt op een prachtig plekje. Het heeft iets magisch. Het ligt verscholen in een diepe vallei. Het meer is een volmaakt ovaal en is heel bijzonder van kleur. Bijna bruin. Moeraswater, snap je? Het staat er vol met de allermooiste bomen, de prachtigste beuken die je je kunt voorstellen. En onder die bomen voelt de bodem heel veerkrachtig aan, omdat het er vol ligt met de doppen van beukennoten. Dat noemen ze mast, beukenmast. Gek woord, vind je niet? Ouderwets.' Ze nam een slokje van haar wijn. 'Het is er gewoon… ik weet niet hoe ik het moet beschrijven. Je zou ernaartoe moeten gaan om de schoonheid ervan te kunnen inzien.' Ze speelde met haar trouwring. 'Zodra James ophield met werken zouden we er definitief gaan wonen. Ik dacht dat hij zich zou gaan vervelen, dat het landleven hem niet zou bevallen, maar hij zei dat hij het liefst bij mij en Vanessa wilde zijn en dat dat voldoende was.' Haar ogen vulden zich met tranen en ze sloeg haar handen voor haar gezicht. Hij wachtte tot het snikken afnam. Het hondje jankte zachtjes.

'Sorry.' Ze bukte zich en krabbelde het beestje achter zijn oren. 'Het lijkt wel of ik de laatste tijd niets anders doe dan huilen. Ik word er doodziek van. En ik ben zo kwaad! Kwaad op Marina. Maar dat is een van de redenen waarom ik zo zeker weet dat zij zichzelf niet van het leven heeft beroofd. Ze wist heel goed welk effect dat op mij zou hebben. En ik weet zeker dat ze me nooit zoveel verdriet had willen doen.'

Hij stond op.

'Niet weggaan.' Ze stak haar hand uit alsof ze hem wilde tegenhouden. 'Neem me niet kwalijk – ik kan de laatste tijd helemaal niets meer hebben. En dan is er nog iets.'

Hij ging op het puntje van zijn stoel zitten. 'Nog iets?'

'Nadat jij me had gebeld over Marina's huis, zijn Vanessa en ik ernaartoe gegaan. Het was helemaal overhoopgehaald. Het was een verschrikkelijke puinhoop. We hebben opgeruimd en een slotenmaker laten komen, maar... maar er was niet inge- broken, en voor zover ik weet zijn jij, ik en Mark Porter de enige mensen die de sleutels hebben. Ik weet dat Marina hem een setje heeft gegeven.' Ze dronk nog wat wijn. 'Waarom zou hij zoiets doen?'

McLoughlin schraapte zijn keel. 'Woede? Verdriet? Mensen doen vreemde dingen in vreemde omstandigheden.' Hij stond weer op. 'Ik ken hem niet, maar ik vond dat hij zich erg vreemd gedroeg toen ik hem in het huis ontmoette. Hij deed net of hij Marina's partner was. En hij vertelde me dat hij min of meer haar hele begrafenis had geregeld. De muziek had uitgezocht en meer van die dingen. Klopt dat?'

'Ben je mal?' riep ze uit. 'Vanessa en ik hebben de muziek en de gedichten uitgezocht. We hebben haar hele cd-verzameling doorgewerkt en haar lievelingsnummers uitgekozen.'

'Purcells *Dido*, was dat een van de stukken?'

'Ja, inderdaad. Dat is zo mooi, en dan was er nog een gedicht, dat voor ons allemaal heel speciaal was. "Hinterhof" van James Fenton. Ken je dat?'

Hij schudde zijn hoofd.

Zij begon te citeren:

> *'Stay near to me and I'll stay near to you,*
> *As near as you are dear to me will do,*
> *Near as the rainbow to the rain,*
> *The west wind to the window pane,*
> *As fire to the hearth, as dawn to –* '

Haar stem stokte even.

> *'As fire to the hearth, as dawn to dew.'*

'Marina was er dol op, en Vanessa heeft het op de begrafenis voorgelezen. Het was heel toepasselijk.' Ze streelde de ruwe vacht van de hond. 'Maar goed, verder heb ik eigenlijk niets meer te vertellen.' Ze pakte haar glas op en hief het in zijn richting. 'Je zult genoeg te doen hebben. Janet vertelde me dat je binnenkort een zeiltocht gaat maken. Klinkt heerlijk.'

'Dat hoop ik.' Hij haalde zijn autosleuteltjes uit zijn zak. 'Er is nog één ding wat ik je wilde vragen. Je zoon, Tom, waar is hij tegenwoordig?'

'In Darfur. Hij werkt voor een hulporganisatie. Hij is naar huis gekomen voor Marina's begrafenis. Ik wilde graag dat hij hier zou blijven, maar dat wilde hij niet. Hij is erg toegewijd aan zijn werk. Waarom?'

'Niets bijzonders, maar heb je een nummer waarop je hem kunt bereiken?'

'Natuurlijk.' Ze stond op en liep naar de keuken, waar ze iets op een velletje papier krabbelde. 'Hier, e-mail, de beste manier om hem te bereiken. Ze hebben wel satelliettelefoons, maar die zijn erg onbetrouwbaar.'

'Had hij een goede band met zijn zus?' vroeg hij.

'Of ze een goede band hadden? Vroeger wel, maar ze zijn uit elkaar gegroeid. Zoals dat nu eenmaal gebeurt bij broers en zussen.' Ze pakte een van de fotolijstjes van de schoorsteenmantel en liet de foto aan McLoughlin zien. 'Ik wilde maar dat hij naar huis kwam.'

McLoughlin pakte de foto van haar aan. Tom Spencer was net zo knap als zijn zus mooi was geweest. Hij zette het lijstje op tafel. 'Ik spreek je morgen. Pas goed op jezelf.'

De weg naar Wicklow was onlangs verbreed en opgeknapt. Het verkeer reed flink door. Vóór hem schitterde de kristallen top van de Sugarloaf in de zonneschijn. Hij nam de afslag bij Kilmacanogue en nam snelheid terug toen hij de oude Roundwoodweg opreed. Zijn oren klapten dicht naarmate hij hoger de Wicklowheuvels in reed. Het landschap was prachtig. Het gras was onwaarschijnlijk groen, bezaaid met de witte stippen van grazende schapen. En daarachter de zandkleurige hellingen van de bergen, afstekend tegen het blauw van de zomerhemel. De weg liep kronkelend voor hem uit. Bij de scherpe bochten nam hij snelheid terug. Het was vandaag nog verrassend druk op deze weg.

Even buiten het plaatsje Roundwood kwam er een bocht naar rechts, met een wegwijzer waarop de naam 'Sally Gap' stond. Picknickers hadden bezit genomen van de smalle berm. Hun kleine tafel was gedekt met een bontgekleurd geruit tafelkleed en een hele uitstalling aan sandwiches en drankjes. Een klein meisje zwaaide enthousiast naar de passerende auto's. Hij zwaaide terug. Ze sprong op en neer, met een brede grijns op haar ondeugende gezichtje, stak haar tong uit en wiebelde met haar vingers bij haar oren.

Langzaam reed hij verder naar de top van de heuvel. Hoge naaldbomen wierpen hun schaduw over de weg. En pal daarachter zag hij een hoog hek dat toegang gaf tot een oprit. Hij bracht de auto langs de kant van de weg tot stilstand. Het hek zat op slot. In de muur was een druktoetsenpaneel bevestigd, met een camera erboven. Hij drukte op het knopje waarop het symbool van een bel stond afgebeeld en wachtte af.

Hij drukte nog een keer op de bel, leunde tegen de muur en wachtte. Er passeerde een truck, in de voorgeschreven kakikleur geschilderd, met twee jonge soldaten in de bestuurderscabine en de donkere omtrekken van enkele andere, die vanuit de open laadbak naar buiten zaten te kijken. Er waren altijd soldaten in dit deel van de bergen. Niet ver hiervandaan lag een schietbaan. Op stille, windstille dagen kon je het geknal van vuurwapens vaak horen. Nu keek hij omhoog in de videocamera en grijnsde. 'Toe nou, doe eens open,' zei hij. Nog steeds geen reactie. Hij liep naar de andere kant van het hek, buiten het bereik van de camera. Op een groot bord stonden, in dramatische rode en zwarte letters: PRIVÉTERREIN. UITSLUITEND TOEGANG NA TOESTEMMING VAN DE EIGENAAR. Maar onder het bord was de muur beschadigd. Een aantal stenen was losgeraakt en op de grond gevallen, zodat er handige steunpunten waren ontstaan voor handen en voeten. Hij keek even om zich heen, hees zich toen over de muur, liet zich aan de andere kant op de grond vallen en begon snel de steile heuvel af te dalen.

Het was stil. Doodstil. Het meer, dat hiervandaan zichtbaar was tussen de bomen, glansde als metaal. Een plotselinge schaduw gleed over het oppervlak toen de wind een klein, trillend golfje voortdreef. Hij verliet de oprijlaan. De bomen waren hoog en mooi. De grond onder zijn voeten voelde veerkrachtig aan door de verteerde bladeren van tientallen jaren. En overal lagen enorme rotsblokken, die prachtig groen glansden van het mos. Opeens bleef hij doodstil staan. Wat zag hij daar tussen die enorme beuk en die spar? Hij hield zijn adem in, deed zijn best om zich niet te verroeren en keek toe hoe de twee herten, die hem als eerste hadden gezien, hem aanstaarden, hun koppen in zijn richting gedraaid, de oren gespitst, de lijven zo roerloos als standbeelden. Toen begonnen ze langzaam de heuvel op te lopen en even later verdwenen ze in de verte. Hij ademde langzaam uit. Hij was nog nooit zo dicht bij een hert geweest. Hij had hun amandelvormige ogen kunnen zien, hun gevlekte ruggen en hun verfijnde, spitse koppen.

Hij liep weer verder, zich bewust van zijn lompheid toen hij een tak onder zijn voet hoorde knappen. In de absolute stilte van het bos klonk het geluid alsof hij een voetzoeker had afgestoken. De helling naar het meer was steil en oneffen. Hij klauterde over halfvergane boomstammen en steenhopen, en ging even zitten om met zijn mouw het zweet van zijn gezicht te vegen. Het was verbazingwekkend warm, ondanks het uitgestrekte baldakijn van beukenbladeren en de diepe schaduwen van de dennen, sparrenbomen en lariksen. Aan de overkant van het meer rees de wand van de vallei, kaal gesteente, onbegroeid, steil omhoog. Een heel ander landschap, ruw en onherbergzaam. Hij wist hoe het hier midden in de winter moest zijn, wanneer de wind genadeloos door de heuvels floot.

Maar vandaag stond er vanuit zuidelijke richting een zacht briesje. Hij stond op en keek tussen de bomen door omlaag naar het water. Iets verder naar beneden bevond zich een open plek, een kleine, platte, uitstekende rots, omringd door een groepje bijzonder hoge dennenbomen. En in het midden zag hij een cirkel van stenen, zwartgeblakerd door vlammen, verkoolde takken en naast de stenen een paar grote boomstammen, als banken bij een haard. Hij liep er voorzichtig naartoe, zijn voeten tijdens het afdalen wegglijdend op het gladde tapijt van naalden. Hier en daar prikten varens hun bladeren in de richting van het licht. Ze waren nog vers en groen, nog niet aangetast door het bruine rottingsproces van de late zomer. Hij bereikte de open plek, hurkte neer en porde met een zwartgeblakerd stokje in de hoop as. Bierdoppen met het rode-sterlogo van Heineken keken hem aan, samen met de geblakerde resten van folie van pakjes sigaretten, her en der verspreid liggende peuken en de restanten van joints. Met zijn vingertoppen raapte hij er heel voorzichtig een op en leunde naar voren om eraan te ruiken. Onmiskenbaar de doordringende geur van cannabis. Hij zuchtte, en voelde de koude hardheid van iets metaalachtigs tegen zijn schedel drukken, vlak achter zijn oor. De druk nam toe. Er werd een hand op zijn hoofd gelegd, die hem dwong op zijn knieën te gaan zitten. Hij probeerde zich los te rukken, maar voelde de druk van wat heel veel op de loop van een geweer leek. Lang geleden dat hij iets dergelijks had gevoeld.

Hij probeerde te roepen: 'Wacht even, ik ben een bewaker. Ik ben hier als ambtenaar in functie. Laat me los.' Maar zijn stem klonk heel zwakjes.

'Dus jij bent een bewaker? Ambtenaar in functie? Dan heb je een eigenaardige werkwijze. Ik noem dit inbraak. Over een muur klimmen zonder zelfs maar toestemming te vragen.' En nu voelde hij een voet met een laars onder zijn billen, die hem zó'n zet gaf dat hij vooroverviel, met zijn gezicht op de ruwe bast van een gevallen tak.

'Zo.' De laars was nu heel dicht bij zijn gezicht. Het glimmend gepoetste leer was bruin en zacht en veel gedragen. 'Had je nu nog wat te zeggen?'

De gestalte boven hem leek enorm. De laarzen gingen over in lange benen met brede dijen, gehuld in een corduroy rijbroek. Een stevig lichaam, grote ronde borsten onder een geruit overhemd, en de opgerolde mouwen lieten een paar sterke, gebruinde armen zien. De vrouw had iets bekends. Haar haar, onnatuurlijk zwart, was weggekamd van een hoog voorhoofd. Haar gezicht was vlezig, knap, met een geprononceerde neus. Haar donkerblauwe ogen waren aangezet met eyeliner en haar brede mond was felrood. Hij keek naar haar vingernagels. Die waren lang, keurig gemanicuurd en hadden dezelfde kleur als haar lippen. Ze hield een wandelstok vast. Het uiteinde ervan was in metaal gevat. Ze stond hem aandachtig te bekijken. 'Ben je van me geschrokken?' Ze lachte. 'Dacht je soms dat dit iets anders was?' Ze bukte zich en stak haar hand uit. 'Heb je het daar beneden een beetje naar je zin? Geniet je van het uitzicht? Of zou je nu wel eens iets anders willen zien?'

Hij liet zich door haar overeind trekken. Van dichtbij was ze niet zo ontzagwekkend als ze vanaf de grond had geleken, maar ze was nog steeds een grote vrouw. Ongeveer net zo lang als hij, schatte hij, en ook net zo breed. Niet echt dik, maar sterk, bijna gespierd.

'Ziezo.' Haar stem klonk geamuseerd, 'zullen we het dan nog maar een keertje overdoen?'

Ze liep met hem mee het pad af naar het huis. Hij voelde zich dom, in verlegenheid gebracht, vernederd. Tijdens het lopen tikte ze met de stok op de grond. Ze liep met grote, zelfbewuste passen. Er had zich een hond bij haar gevoegd. Een grote, slanke Duitse herder, met alerte, amberkleurige ogen en een enorme kop. Zijn tanden glansden geelachtig en zijn lange, roze tong hing uit zijn bek terwijl hij met soepele bewegingen naast haar liep. Het leek wel een wolf. McLoughlin probeerde uit te leggen waar hij voor kwam. Hij vertelde haar de versie waarin hij onderzoek deed naar de zelfmoorden. Ze reageerde niet.

'Neem me niet kwalijk,' zei hij, 'dat ik van tevoren niet even heb gebeld. Ik was in de buurt, en toen besloot ik het er maar meteen even op te wagen. Eigenlijk was ik op zoek naar Dominic de Paor. Ik hoopte dat hij hier zou zijn. Kent u hem?'

'Hij is mijn zoon. Ik ben Helena de Paor.' Ze bukte zich en legde een hand op de brede halsband van de hond.

'Uw zoon? O, natuurlijk.' Hij keek haar aan, zag de gelijkenis. 'En is hij in de buurt?'

'Nee, hij woont in de stad. Hij komt alleen de weekenden. Jammer genoeg. Hij mist zoveel.' Ze bewoog haar arm in een halve cirkel die het meer, de bossen, en nu ook het huis omvatte.

'Wauw.' McLoughlin bleef staan. 'Wat mooi.'

Het was niet erg groot, of erg voornaam, maar wel heel erg mooi. Twee verdiepingen, breed en laag, en heel licht bleekroze geschilderd. Een leien dak in verschillende tinten grijs en paars. Een glad, groen gazon dat helemaal tot aan de oever van het meer liep. Aan één kant een groepje bomen, nog meer beuken, zag hij, en tussen de weg en het huis een groot weiland. En in het weiland de kudde herten. Minstens een stuk of dertig, veertig. Ze stonden zo roerloos naar de indringers te kijken dat het wel een foto leek. Hij hield zijn adem in, en ook de hond stond doodstil.

'Brave jongen... brave jongen.' Haar stem klonk zacht en kalmerend. De hond jankte zachtjes en likte zijn roze lippen af terwijl de herten beweginglloos stonden te staren om vervolgens plotseling, als een troep spreeuwen in de herfst, rechtsomkeert te maken en weg te stuiven. Even later verdwenen ze tussen de bomen.

'Wauw.' McLoughlin floot tussen zijn tanden. 'Zoiets heb ik nog nooit gezien.'

'Nee?' Ze liet de halsband van de hond los. Hij liep een paar stappen naar voren, stak zijn neus in de wind en sperde zijn neusgaten wijd open. 'Je zult hier wel meer verrassingen tegenkomen.' Helena liep weer verder. Ze keek over haar schouder. 'Ik weet niet hoe het met jou zit, maar ik ben toe aan een borrel.'

Ze leidde hem over een met keien bestrate binnenplaats met een schuur en een paar paardenboxen, en opende een deur. Ze liepen een kleine ruimte binnen. Aan haken in de muur hing een hele rij jassen, met daaronder laarzen. Er stond een rek met vishengels en op een plank lagen molens, vishaken en doosjes met vliegen. In een hoge kast met glazen deuren hingen geweren. McLoughlin bekeek ze. Twee jachtgeweren en drie buksen. Een Sauer 243. Perfect voor herten.

'Die zijn van mijn zoon. Hij is een uitstekende schutter.' Helena trok haar laarzen uit en zette ze netjes naast de andere. 'Om de paar jaar schiet hij de zwakste dieren af. De herten hebben hier geen natuurlijke vijanden, dus moet de populatie in toom worden gehouden. De oude, gewonde en zieke dieren. Het zet je wel aan het denken. Dat zouden ze bij mensen ook moeten doen.'

De muren hingen vol ingelijste foto's. Mannen met vishengels. Mannen met geweren. Minstens drie generaties. Snorren en bakkebaarden op de oudste foto's. En op de meer recente afbeeldingen herkende McLoughlin James de Paor, tot aan zijn knieën in een rivier, met een visspeer in zijn handen waaraan een enorme vis hing, een zalm. En naast hem een kleine jongen, met dik, zwart haar en een brede glimlach. 'Ik zie dat jagen in de familie zit.' Hij gebaarde naar de wapenkast.

'Ja. James heeft Dominic al leren schieten toen hij nog heel klein was. Ik deed het vroeger ook, maar ik ben ermee opgehouden. Ik heb niet meer zo'n vaste hand als vroeger. Kom, deze kant op.'

Ze duwde de deur open en liep een grote keuken binnen. Hij had de uitstraling van een traditionele boerderijkeuken, maar McLoughlin zag dat er bepaald niet was beknibbeld op accessoires en apparatuur. Alles was nieuw en hypermodern. Helena schonk voor zichzelf een glas Bushmills in en gebaarde met de fles in zijn richting. Hij schudde zijn hoofd. 'Ik moet nog rijden.' Hij glimlachte met naar hij hoopte een spijtige uitdrukking.

'Bedoel je niet dat je "dienst hebt"? Dat zeggen ze toch altijd in films?' Ze ging in een grote, rieten stoel zitten, met één lang been over de leuning gedrapeerd. De hond ging aan haar voeten liggen. Een onoplettende toeschouwer had kunnen denken dat het dier lag te slapen, maar McLoughlin zag dat hij, elke keer wanneer hij zich bewoog, zijn ogen opende en hem met die amberkleurige blik aanstaarde. Het bezorgde hem een intens onrustig gevoel. Hij had de voorgeschreven hondentrainingscursus gevolgd in Templemore en zelfs een tijdje met een hondenteam gewerkt bij de drugseenheid, maar deze hond was anders. Iets aan de duidelijk zichtbare spierbundels onder de dikke vacht bezorgde hem zweterige handpalmen.

'Hoe vind je mijn hond?' Helena hield haar vingers voor zijn neus. De hond likte er voorzichtig aan.

'Ik hou zelf meer van katten,' zei McLoughlin, 'maar ik moet toegeven dat het een erg mooi dier is. Hoewel ik ook moet zeggen dat ik blij was dat u erbij was toen we elkaar aan het meer tegenkwamen. Ik denk niet dat hij zo vriendelijk was gebleven als ik alleen was geweest.'

Ze lachte haar tanden bloot. Hond en bazin, elkaars evenbeeld. 'Maar je was aan het vertellen. Je bent geïnteresseerd in zelfmoorden. En je bent hier naar aanleiding van de zelfmoord van Marina Spencer. Klopt dat?' Ze nam een slok van haar drankje.

Ze leek op de actrice in die enge film met Bette Davis, dacht McLoughlin. Hij kon even niet op haar naam komen. Joan Crawford, die was het, met haar rondingen en haar rode mond en haar haar dat veel te zwart was. Eén ding was zeker. Deze vrouw leek in de verste verte niet op Sally Spencer.

'Ja, dat klopt. Marina Spencer is één van de zaken die men mij gevraagd heeft te bekijken. Een paar kleine vraagjes, als u dat niet erg vindt?' Hij ging anders zitten en kon de whisky ruiken. Het water liep hem in de mond. 'Waar was u op de avond van haar dood?'

Helena leunde achterover in haar stoel en keek naar het plafond. 'Was ik die avond hier? Ja en nee. Dominic wilde voor het feest het hele huis gebruiken. De meeste gasten zouden blijven logeren, dus toen zijn de hond en ik naar het kleine huis gegaan. Dat staat wat verderop aan het meer, helemaal geïsoleerd. De hond houdt niet van lawaai en vreemden en ik ook niet.' Ze keek McLoughlin aan. 'Jij wel? Hou jij van lawaai, en van vreemden en van alles wat daarbij komt kijken?'

Hij haalde zijn schouders op. 'Dat hangt ervan af. Toen ik jonger was wel, toen was ik dol op zulke feestjes. Maar nu – nu ben ik meer iemand voor een rustig biertje, met een sudoku erbij.'

'Godallemachtig.' Ze zette haar voet op de grond. 'Uit jouw

mond klinkt dat bijna fascinerend.' Ze stond op om haar glas bij te vullen. 'Weet je het zeker?'

Hij aarzelde, en dat zag ze. Ze gaf hem een glas en schonk er een fikse scheut whisky in. Hij bracht het glas naar zijn mond.

'Mooi zo. In m'n eentje drinken maakt me altijd nerveus. Maar goed,' ze ging weer zitten, 'de avond dat Marina Spencer overleed was ik dus hier. Ik was in het kleine huis, samen met de hond. We zijn zoals altijd vroeg opgestaan. Daarna hebben we onze ochtendduik in het meer genomen en een wandeling rond het meer gemaakt. Het was een prachtige ochtend. We zagen allerlei interessante dingen. Slapende mensen tussen de varens. Mannen en vrouwen, jongens en meisjes. De hond en ik liepen langs de waterkant, want dat doen we het liefst. Toen zagen we eerst het kleine bootje. Aan de andere kant van het meer ligt een klein haventje, de *cuan,* noemde wijlen mijn man het altijd. En daar zag ik het bootje liggen. Dat verbaasde me, omdat het de laatste keer dat ik het had gezien nog bij de steiger had gelegen.'

'En de steiger is waar?'

Ze zwaaide met haar arm. 'Bij het strand. Vanaf de voorkant van het huis kun je hem zien liggen. Maar goed, we dachten dat het bootje waarschijnlijk los was geraakt van de aanlegplaats en hiernaartoe was gedreven. Ik bond het vast aan een van de ringen. En toen begon de hond te snuffelen.' Terwijl ze dat zei, tilde het dier zijn kop op en legde zijn snuit op haar been. 'Hij keek me aan en draaide zich toen om. Het water stroomt uit het meer, over de kleine stroomversnellingen, het veenmoeras in. Het stroomt schuimend over de rotsen. Soms, wanneer het hard geregend heeft, stroomt het heel snel. Maar het was al een paar weken heel erg droog geweest, dus was de stroming tràger.' Ze klonk heel zakelijk, alsof ze de tekst had voorbereid en oplas van een blaadje. 'De hond liep langzaam in de richting van de rotsen. Ik volgde hem. Hij bleef staan. Ik bleef staan. Toen begon hij te janken. Ik zag pas waarom toen ik dichter bij het water kwam. De vrouw lag op haar buik. Haar jurk was opgekropen tot rond haar middel en ze droeg een rode string. Haar lichaam was spierwit. Haar haar was heel donker.' Ze zweeg een ogenblik. Het was doodstil. De hond stond op, tilde een grote poot op en legde die op haar been. Ze boog zich over hem heen en hij raakte even haar neus aan. Zijn neusgaten sperden zich open toen hij haar geur opsnoof.

'Wist u wie de vrouw was?' McLoughlin nipte zuinig van zijn drankje.

'Jazeker. Ik had haar eerder die avond gezien, toen ze samen met Mark Porter arriveerde. De hond had haar ook gezien.' Hij ging met zijn ogen wijd open aan haar voeten liggen.

'Dus u wist wie zij was?'

'Natuurlijk wist ik dat,' zei ze op verontwaardigde toon. 'Ik wist dat het Marina Spencer was. De dochter van de vrouw die mij van de liefde van mijn man had beroofd.' Ze stond op en dronk haar glas leeg. 'Oké, zo is het wel weer genoeg. Nu wil ik dat je weggaat. Ik heb niets meer te zeggen.' De hond stond eveneens op en leunde tegen haar been.

McLoughlin stond op en stak haar zijn hand toe. De hond maakte een onheilspellend geluid, diep in zijn keel. Niet echt een grom, maar wel iets wat erop leek. 'Het spijt me als ik u van streek heb gemaakt. Dat was niet mijn bedoeling. Het moet afschuwelijk geweest zijn om haar zo te vinden. Je raakt nooit gewend aan de aanblik van de dood. Dat weet ik maar al te goed. In mijn werk is het een beroepsrisico, maar het is altijd weer een hele schok.' Hij probeerde meelevend te klinken.

Maar ze schudde haar hoofd. 'Je begrijpt me verkeerd.' Er verscheen een verwrongen glimlach op haar gezicht. 'Ik was niet overstuur. Ik was in de wolken. Eindelijk kreeg ze wat ze verdiende. Door haar en haar familie is James verdronken. Door haar en haar familie ben ik vernederd, gekleineerd, behandeld als uitschot. De toekomst van mijn zoon werd in gevaar gebracht. Door haar en haar moeder werden wij uitgestoten. Ik kon dus niets anders voelen dan vreugde. Ongebreidelde vreugde.' Ze begon te lachen. Een triomfantelijke, schallende lach. Ze legde een hand op zijn schouder. Haar vingers groeven zich diep in zijn huid. Ze kwam wat dichterbij. Hij rook haar whisky-adem en een zweterige geur die opsteeg van tussen haar borsten.

'Dood. Ze is dood. En ik en de mijnen leven nog.' Ze begon steeds harder te praten. Haar ogen glommen, en terwijl ze de woorden nog eens herhaalde, verzamelden zich druppeltjes speeksel in haar mondhoeken. Ze legde haar andere hand op zijn andere schouder en trok hem naar zich toe. Opeens klonk er een harde stem in de hal en rennende voetstappen en werd de keukendeur opengetrokken. Het was een man die McLoughlin herkende. Lang, donker, breed, met haar gelaatstrekken – haar mond, haar ogen, haar neus, haar houding. De man greep haar vast en trok haar weg, terwijl de hond nerveus jankte, met zijn staart kwispelde en met zijn nagels over de houten vloer kraste.

'Wie voor de duvel bent u en wat doet u hier?' Dominic de Paors stem klonk boos, agressief. 'U hebt het recht niet om hier te zijn. U hebt geen toestemming gekregen om u op dit landgoed te begeven. En nu wegwezen, voordat ik de politie bel. Mijn moeder is niet in orde. Hoort u me? Voor uw eigen bestwil, maak dat u hier wegkomt.' Hij hield zijn moeder stevig vast, terwijl de hond naar McLoughlin gromde, met rechtopstaande nekharen en de lippen teruggetrokken van zijn lange, gele tanden.

McLoughlin liep snel weg van het huis. Twee mannen stonden tegen een oud Hiace-busje geleund dat naast een nieuwe BMW-cabriolet geparkeerd stond. Een van de mannen grijnsde toen McLoughlin passeerde en tikte even met zijn vinger tegen zijn voorhoofd. 'Om hieruit te komen moet je deze kant op.' Zijn accent klonk eerder Texaans dan Iers. Hij hield zijn hand in de vorm van een pistool: 'Pang, pang, jij bent dood,' zei hij, en de andere man grinnikte.

McLoughlin keek niet meer achterom en zette er stevig de pas in. Net voordat hij het hek bereikte, keek hij over zijn schouder. Voor zover hij kon zien was hij alleen. Hij bleef even staan en liep toen het bos in. Veel zelfverzekerder nu, haastte hij zich de helling af naar het water. De bomen maakten hier plaats voor een terrein vol laag struikgewas en hier en daar wat rotsen. Hij baande zich zorgvuldig een weg over iets dat vaag op een pad leek, en zag een klein, twee verdiepingen tellend huis met een voor- en een achtertuin en een hoge heg eromheen. En even verderop het kleine haventje waarover Helena het had gehad. Groot genoeg voor een klein bootje of een paar kano's. Of, zoals nu, twee traditionele *currachs,* die aan elkaar vastgebonden op kleine golfjes lagen te deinen.

Vanaf de plek waar hij stond kon hij nog net het grote huis zien, verscholen tussen de bomen aan de andere kant van het water. Hij liep bij het haventje vandaan. En zag de rotsen die de plek aangaven waar het riviertje uit het meer stroomde. Het water stond laag en de rotsen stonden droog. Hij zag Marina Spencer met haar gezicht in het water liggen. Hij zag haar zoals de politiefotograaf haar had gezien: haar huid wit afstekend tegen de rotsen, haar rok tot haar middel opgetrokken zodat haar slipje zichtbaar was, haar blote voeten, haar vuurrood gelakte teennagels, haar handen gekromd alsof ze probeerde zich ergens aan vast te houden om haar leven te redden, en haar gezicht, opzij gedraaid, met een grote blauwe plek op haar voorhoofd. Dat was gebeurd voordat ze stierf, had Johnny Harris gezegd. Waarschijnlijk was ze ermee tegen een rotsblok geslagen toen het water haar meesleurde.

'Marina... Marina,' fluisterde hij. 'Vertel me eens, Marina. Wat deed je hier? Wat kwam je hier doen? Wat was er aan de hand?'

Er gleed een wolk voor de zon en opeens was het donker. De kale rotswand tegenover hem zag er nu kil en onheilspellend uit. En toen hij zich omdraaide naar de bomen voelde hij zich bedreigd en kwetsbaar. Hij ging op weg naar het hek en begon steeds sneller te lopen, waarbij zijn voeten verstrikt raakten in het hoge gras en hij over rotsblokken struikelde. Toen hij geblaf hoorde, keek hij om en zag de hond aankomen, neus omlaag en staart omhoog. Hij zette het op een rennen, krabbelde de helling op en probeerde niet in paniek te raken toen het geblaf luider en luider klonk. Zijn adem schroeide in zijn longen en zijn kuitspieren schreeuwden hem toe te stoppen, maar hij rende verder, dwong zichzelf te blijven klimmen tot hij, naast het hek, de muur zag. Hij wierp zich ertegenaan, hees zijn lichaam erboven-

op en eroverheen, waar hij hijgend en naar adem happend in elkaar zakte op de grond. Zo bleef hij even liggen, terwijl het
zweet langs zijn voorhoofd in zijn ogen liep en zijn hemd door-
weekte. Toen kwam hij moeizaam overeind en keek door het
hek. En zag hij de hond met opgetrokken bovenlip staan grommen, terwijl zijn speeksel op de grond druppelde. Hij hoorde het
fluitje, een paar keer achter elkaar, waarop de hond langzaam
terugliep, om vervolgens in volle vaart de heuvel af te rennen.

19

De *penne* dwarrelden door het licht gezouten water. Het kookte bijna. McLoughlin trok de koelkast open en haalde er een groot stuk pecorinokaas uit. Hij sneed een paar dikke plakken af en legde ze op een bord. Toen opende hij een pot West Cork-honing, doopte er een dessertlepel in en hield die vervolgens hoog boven het bord, zodat de honing langzaam van de lepel op de kaas droop. Toen ging hij aan tafel zitten, sneed de kaas in hapklare stukjes en begon te eten.

Het was jaren geleden dat hij voor het eerst op deze manier kaas had gegeten. Hij had in Siena een conferentie over immigratie bezocht. Een van de Italiaanse politiemensen die erbij waren had medelijden met hem gekregen en hem bij hem thuis uitgenodigd om kennis te maken met zijn vrouw. Elizabetta di Luca had hem een klopje op zijn schouder gegeven toen ze het bord kaas met honing voor hem neerzette.

'*Mangia,*' had ze breed glimlachend gezegd. '*Delizioso.*'

'Ga je gang.' Haar man had een stukje afgesneden. 'Ze heeft gelijk. Het is verrukkelijk.' Hij wist nog dat hij zich even had afgevraagd of dit een Italiaanse manier was om iemand eens goed voor de gek te houden. Maar na één hap wist hij wel beter. Het was verrukkelijk.

Hij at de kaas op, stond op en controleerde de pasta. Die was perfect *al dente*. Hij pakte de pan van het vuur en goot de pasta af in een vergiet in de gootsteen. Toen gooide hij die weer terug in de pan, deed er een grote klont boter bij en roerde net zo lang totdat de pasta glansde op een manier waarvan het water hem in de mond liep. Hij raspte snel wat Parmezaanse kaas, strooide die over de pasta en gaf een paar stevige draaien aan de pepermolen. Hij mengde alles door elkaar en deed het vervolgens in een schaal. Hij sneed twee dikke sneden brood af en nam alles mee naar het terras. De tuintafel was al gedekt met een mes en een vork, een klein schaaltje zout en een halfvol glas wijn. Hij ging zitten. '*Buon appetito*, Elizabetta,' zei hij, en tastte toe.

Na het eten schonk hij nog een glas wijn in en leunde naar achteren. Toen hij zijn ogen dichtdeed viel hij opeens in slaap en zakte zijn hoofd opzij. Hij droomde over Marina. Ze zat in het bootje, pakte de riemen en begon te roeien. De jol gleed snel over het water. De maan scheen op het meer. Zilveren druppels vlogen van de roeispanen. Tussen de bomen zag hij het schijnsel van een vuurtje. De weerkaatsing ervan rimpelde in het kielwater van de boot. Opeens brak de kop van de hond door het wateroppervlak. Hij zag Marina in zijn ogen weerspiegeld. Ze bracht een fles naar haar lippen. Hij zag haar strottenhoofd op en neer gaan. De hond draaide zich naar hem om. Helena stond ook in het water. Haar lichaam was nat en glanzend, als dat van een grote zeehond. Ze boog zich naar hem toe en hij kon haar handen zien. Ze waren sterk en wit, de nagels glimmend rood. Ze bracht haar lippen naar zijn oor. 'Kijk eens,' zei ze. 'Kijk eens wat ik heb gevonden.' Hij voelde haar adem op zijn wang en draaide langzaam, heel langzaam zijn hoofd opzij. Hij wist dat hij moest kijken. Maar hij wilde het niet. Hij wilde het écht niet.

Met bonkend hart werd hij wakker en het zweet droop van zijn voorhoofd. Hij pakte zijn glas en dronk, wachtte tot zijn hartslag rustiger was geworden en de droom verdwenen was. Toen verzamelde hij zijn vuile vaat en liep de keuken in.

Hij draaide de kraan open en waste alles af, waarna hij zijn handen afdroogde. Hij was moe. Geen wonder dat hij opeens in slaap was gevallen. Geen wonder dat hij zo had gedroomd. Hij stak een hand in zijn zak, pakte zijn portefeuille en haalde het velletje papier eruit waarop Sally het e-mailadres van haar zoon had geschreven. Hij ging hem meteen een berichtje sturen. Misschien kon Tom Spencer hem helpen. Want zelf begreep McLoughlin er niets van. Hij wilde net de wijnfles pakken toen de telefoon ging. Hij herkende de stem onmiddellijk. Het was Finney, of hoofdinspecteur Finney, zoals hij niet mocht vergeten hem te noemen.

'O, hallo, hoe is het ermee?' Hij probeerde vriendelijk te klinken, maar Finney's toon was het tegenovergestelde. 'Ho, wacht eens even,' onderbrak hij het spervuur van scheldwoorden. 'Misschien was het je nog niet opgevallen, maar ik ben geen politieman meer. Ik werk helemaal niet voor jou.'

'Nee, dat kun je wel zeggen, vuile klootzak. En als dat wel zo was, kon je het nu wel vergeten.' Finney's stem klonk opgewonden. 'Ik ben zojuist gebeld door de commissaris. Het schijnt dat er iemand in z'n eentje op pad is gegaan en zich heeft voorgedaan als een politieman die in het geheim onderzoek doet naar zelfmoorden en de manier waarop de politie die behandelt. En je raadt nooit wie die iemand is.' Het bleef even stil, maar toen begon Finney weer. 'Ik heb altijd al gedacht dat er aan jou een steekje los zat, maar dit slaat alles. Je hebt een paar mensen met bijzonder hooggeplaatste vrienden kwaad gemaakt. Ik weet niet waar jij mee bezig bent, maar als ik nog één keer hoor dat je de kluit belazert, dan heb je een groot probleem. Dus hou ermee op. Hoor je me? Hou ermee op.'

Meer viel er niet te zeggen. McLoughlin legde de telefoon neer. Zijn handen beefden. Hij was bezig er een zooitje van te maken. Hij was met pensioen en hoorde zich niet meer met dit soort dingen bezig te houden, maar buiten in het zonnetje te zitten en over zijn toekomst na te denken. Hij pakte de telefoon weer op, toetste Paul Brady's nummer in en wachtte tot hij opnam. Hij liet een boodschap achter. 'Ha, Paul, met Michael McLoughlin. Ik vroeg me af hoe het met dat boottochtje was. Is er al nieuws? Zo niet, laat me dat dan even weten, want dan wil ik iets anders regelen. Bedankt. Ik spreek je snel.'

Hij liep terug naar de woonkamer, ging voor de computer zitten en streek het velletje papier met Tom Spencers e-mailadres glad. De hulporganisatie waarvoor hij werkte heette Hulp in Afrika. Hij tikte de naam in het dialoogvenster van Google en wachtte op de resultaten. Vervolgens klikte hij de website van

Hulp in Afrika aan. Het was niet moeilijk om Spencer te vinden. Hij kwam op meerdere foto's voor. Lang en knap, helderblauwe ogen in een gebruind gezicht, en gekleed in een vale spijkerbroek die hij met nonchalante elegantie droeg. McLoughlin tikte Spencers e-mailadres en begon te schrijven. Toen hij klaar was drukte hij op verzenden. Toen liep hij de keuken door en het terras op. Het was nog licht, maar in de stad onder hem begonnen de rode, oranje en gele lichtjes al te schitteren. McLoughlin ging zitten. De hemel verloor zijn kleur. Het ronde zilveren gezicht van de maan hing pal boven hem. Hij voelde zich overweldigd door verdriet. Verdriet om hemzelf, verdriet om Sally, verdriet om Marina. Waarom kwam hij er maar niet achter wat er met haar was gebeurd? De berichten op haar telefoon luidden: 'Ik zag jou.' Op de foto's stond: 'Ik zag jou' geschreven. Iemand had haar dus bespied, foto's van haar genomen. Nou, en? Ze had naar de politie kunnen gaan. Ze had gordijnen of jaloezieën kunnen ophangen. Ze had allerlei voorzorgsmaatregelen kunnen nemen om ervoor te zorgen dat het niet meer zou gebeuren. Ze had Mark Porter zozeer gepest dat hij een zelfmoordpoging had gedaan. Daar had ze een hoge prijs voor moeten betalen. En toen was ze onlangs opeens weer met hem bevriend geraakt. Ze was met hem uitgegaan en had hem mee naar huis genomen. Ze was naar het feest in Lake House gegaan, een verdrietige plek. Op datzelfde meer was ze getuige geweest van de dood van haar stiefvader. Ze had in het bootje gezeten en hem zien verdrinken. Was dat hetzelfde bootje geweest, vroeg McLoughlin zich af, als het bootje waarin ze vorige maand het meer op was geroeid? En wat was er op dat feest gebeurd? Ze had het equivalent van driekwart van een fles wodka gedronken. Ze had cocaïne en lsd gebruikt. Niemand die bij zijn volle verstand was zou dat hebben gedaan, om vervolgens in een bootje te stappen. Wat had haar ertoe gebracht? Hij huiverde. Het was nu donker, donker in zijn tuin, donker rond zijn huis.

Hij stond op, ging naar binnen en liep de woonkamer door. Hij trok de kartonnen flappen van een van Marina's dozen open en zocht tot zijn vingers het kille, harde plastic van haar mobieltje voelden. Hij zette het aan, toetste haar pincode in en liep het menu door, op zoek naar de nummers die haar hadden gebeld. Eén nummer stond er vijf keer in. Hij zocht de nummers op die zij zelf had gebeld. Hetzelfde nummer kwam in deze lijst zes keer voor. Hij haalde een keer diep adem en drukte op het groene knopje. Het nummer ging keer op keer over en schakelde toen door naar voicemail. Hij herkende de stem op de opgenomen boodschap. Hij had hem een paar uur geleden nog gehoord, in de keuken van Lake House.

'U spreekt met Dominic de Paor. Spreek een boodschap in en ik bel u zo spoedig mogelijk terug.'

McLoughlin liet het mobieltje vallen alsof het opeens gloeiend heet was geworden. Het lag zwijgend op de grond. Hij bukte zich om het weer op te rapen, ging nogmaals naar het register en maakte een aantekening van de data en tijdstippen van de oproepen. De dag vóór het feest had De Paor haar vijf keer gebeld en zij hem zes keer. McLoughlin haalde een paar mappen uit de doos. Hij bladerde erdoorheen tot hij haar telefoonrekeningen had gevonden. Hij liep de gespecificeerde lijst door en vond weer hetzelfde nummer. In de maand voor haar dood had Marina aan de lopende band contact gehad met De Paor. Hij dacht na over wat hij van hun relatie wist. Sally had hem verteld dat ze redelijk met elkaar overweg hadden gekund tot zij met James trouwde. Toen was het allemaal heel moeilijk geworden. Dominic had Marina geplaagd en gepest. Isobel Watson had gezegd dat Marina heel goed tegen hem op kon. Maar toen ze na het overlijden van James waren teruggekomen op school, was hun relatie veranderd. Hij intimideerde haar, ze was bang van hem. Waarom belde ze dan zo vaak met hem?

Hij pakte zijn eigen telefoon en belde Tony Heffernan.

'Hé, Michael. Alles oké?' Heffernan klonk blij en opgewekt.

'Luister, Tony, je moet iets voor me doen. Het gaat om Marina Spencer.' Hij vertelde Tony dat hij een lijst nodig had van mensen die op die avond op het feest waren geweest. Brian Dooley moest zo'n lijst hebben. Ook wilde hij alle verklaringen hebben die eventueel waren afgelegd.

'Een van de gasten heette Mark Porter. Waarschijnlijk heb je Sally wel eens over hem gehoord. En ik weet nog een paar andere namen. Rosie Webb, Sophie Fitzgerald, Dominic de Paor en zijn vrouw, Gilly. Ik zou heel blij zijn als jij me aan de andere namen kunt helpen, en wat ik vooral wil weten, is waar ze zich bevonden op het tijdstip dat Marina's lichaam werd gevonden.'

'Hallo zeg, dat is niet niks,' zei Heffernan op ongelovige toon. 'Dat gaat me niet allemaal lukken.'

'Tony, jij hebt me zelf gevraagd dit te doen. Ik heb de tijd en de energie niet om al die informatie zelf bij elkaar te sprokkelen. Wat ik in elk geval moet weten, is wie er allemaal waren. Jij kent Dooley. Je verzint wel een plausibel excuus.' In gedachten zag McLoughlin de blik op het gezicht van de ander.

'Wil dit zeggen dat je denkt dat er een luchtje zit aan Marina's dood?' Heffernan klonk opgewonden.

'Dat weet ik nog niet. Maar het is wel een raar stelletje bij elkaar. En dan nog iets. Weet Janet misschien iets over James de Paors eerste vrouw? Is ze gestoord of hoe zit dat? En die rechtszaak over de scheiding, hoe zat dat?'

'Weet je dat niet meer, Michael? Er was destijds heel veel over te doen. Een enorm schandaal. Ik had zelf ook zo'n Engelse scheiding in gedachten, maar na die rechtszaak heb ik me toch bedacht.' Heffernan klonk opeens lichtelijk spijtig. 'Heb jij toegang tot de archieven van de *Irish Times*? Ik weet zeker dat je er daarin alles over kunt lezen. Zo niet, dan kijk ik morgen wel even op mijn werk en e-mail je alles wat ik kan vinden.'

'En de rest? Zorg je daar ook voor?' Zo gemakkelijk liet McLoughlin zich niet afschepen.

'Ik zal zien wat ik kan doen. Ik bel je morgen terug, Michael. En bedankt. Janet had Sally gisteren aan de lijn en Janet zei dat ze veel opgewekter klonk.'

Dat komt dan niet door mij, dacht McLoughlin, terwijl hij weer achter de computer ging zitten. Hij logde in op de website van de *Irish Times* en voerde zijn gebruikersnaam en wachtwoord in. Hij tikte 'Helena de Paor' en 'Hooggerechtshof' in het dialoogvenster en wachtte af.

Een uur later stond hij op. Hij pakte de stapel papier die uit de printer was gekomen en nam hem mee naar de keuken, waar hij hem op tafel legde. Hij had weer honger en sneed een paar sneden brood af en opende de koelkast. Hij had trek in olijven, salami en geitenkaas. Hij legde zijn buit op een bord en ging zitten. Hij sneed stukken van de kaas en de worst en at ze snel op. Het was allemaal ook zo lekker. Hij spreidde de pagina's uit en begon er iets van te begrijpen. De woede, de haat, het verlangen naar wraak. De zwart-witkrantenfoto's waren korrelig en onduidelijk, maar Helena de Paors schoonheid was onmiskenbaar. Ze onderscheidde zich van alle anderen, en zag er prachtig en triomfantelijk uit. Sally daarentegen was klein en onbeduidend. Bleek en flets. En het waren niet alleen de foto's die zijn belangstelling hadden. De zaak had buitengewoon interessante details. James de Paor had hetzelfde gedaan wat heel veel mensen in zijn situatie hadden gedaan in de tijd voordat echtscheiding in Ierland werd gelegaliseerd. Hij had in Engeland een scheiding aangevraagd en had een vals adres opgegeven. Ook had hij Helena overgehaald tot een schikking, en waren ze een gedeelde voogdij over Dominic overeengekomen. Ze had een meer dan royale toelage gekregen en een huis in Foxrock. Vervolgens was hij in Londen met Sally getrouwd. Maar na zijn dood had Helena de rechtsgeldigheid van de scheiding, en daarmee dus ook van het daaropvolgende huwelijk, aangevochten. En ze had gewonnen.

Staand op de trappen van het gerechtsgebouw had ze een verklaring voorgelezen. Geheel in het zwart gekleed. Ze had in die tijd nog lang haar, dat ze strak uit haar gezicht had getrokken. In de gedrukte woorden op de pagina kon hij haar stem bijna horen.

'Ik ben in het gelijk gesteld. Mijn echtgenoot heeft geprobeerd me te verloochenen, me mijn rechtmatige plaats in het leven af te nemen, me mijn zoon af te nemen en me mijn rechten op zijn bezittingen af te nemen. Bij ons huwelijk hebben we elkaar een belofte gedaan, een eed afgelegd onder het toeziend oog van God. We zeiden dat niets ons ooit zou scheiden, behalve de dood. Mijn echtgenoot probeerde die eed te breken, ons huwelijk te bezoedelen. We zijn nu gescheiden, maar alleen door de dood. Ik hoop dat geen enkele andere vrouw ooit nog zal hoeven meemaken wat ik heb meegemaakt. Ooit nog zal hoeven worstelen zoals ik heb geworsteld. Maar nu wil ik een dankwoord uitspreken. Aan de Ierse staat en zijn grondwet, die mijn rechten heeft verdedigd en gesteund, en aan God, die mij en mijn gezin in onze beproeving niet in de steek heeft gelaten.'

'Wauw.' McLoughlin floot zachtjes en leunde achterover in zijn stoel, met een homp brood en een stuk salami halverwege zijn mond. 'Nou, ere wie ere toekomt, ik kan niet anders zeggen.' Hij schonk nog een glaasje wijn in. 'Op uw gezondheid, mevrouw De Paor. U bent me er eentje.'

Hij dronk zijn glas leeg en stond op. Toen pakte hij zijn bordjes en zette ze in de gootsteen. Het was laat. Volgens de klok in de gang was het al over half een. Toen hij zich wilde omdraaien, ging zijn mobieltje, en hij haalde hem uit zijn zak.

'Hé, Tony,' zei hij, met bewondering in zijn stem. 'Dát is snel. Ik wist wel dat je goed was, maar niet dat je zó goed was.'

'Michael, er is weer iets gebeurd. Een van de mensen die jij noemde. Mark Porter?'

'Ja, dat klopt. Wat is er met hem?'

'Nou,' McLoughlin hoorde hoe Tony even diep inademde, 'ik zit op dit moment op kantoor wat achterstallige administratie te doen en er is net gebeld. Iemand met diezelfde naam is dood aangetroffen in een woning aan Fitzwilliam Square. Ik dacht dat jij dat wel zou willen weten.'

McLoughlin stond tegen de muur geleund maar schoot nu overeind. 'Hoe lang geleden?'

'Zojuist, een kwartier geleden of zo. En degene die heeft gebeld, eens even zien, was een vrouw. Ene dr. Gwen Simpson.'

'Wie heeft er dienst?' Tijdens het praten haastte McLoughlin zich de gang in, trok zijn jas aan en voelde in zijn zakken of zijn autosleuteltjes erin zaten.

'Pat Hickey. Die ken je toch? Goeie vent.'

McLoughlin zette het alarm aan en draaide de voordeur achter zich op slot. 'Ja, dat is hij zeker. Luister, Tony, ik bel je morgen. Bedankt.'

'Niks te danken. Pas goed op jezelf, oké?'

McLoughlin stapte in zijn auto en reed achteruit de oprit af. Hij reed voorzichtig door de buitenwijken in de richting van het centrum. Hij was zich ervan bewust dat hij minstens driekwart van een fles wijn achter zijn kiezen had, maar het was rustig op de weg en er was geen verkeerspolitie te bekennen. Toen hij Fitzwilliam Square opreed zag hij de witte omtrekken van een ambulance en een aantal politiewagens. De voordeur van het gebouw stond open en een groepje mannen stond bij elkaar in het licht van de hal. Hij parkeerde zo dicht mogelijk bij de andere wagens en liep er toen snel naartoe. Hij herkende enkele gezichten. 'Ha, Pat, wat is er gebeurd?' Hij stak zijn hand uit.

Brigadier Pat Hickey deed net of hij schrok. 'Hé, Michael McLoughlin? Wat doe jíj hier?' Er verscheen een glimlach op zijn ronde gezicht.

'Ik ben een vriend van Gwen, oftewel dokter Simpson. Ze belde me helemaal overstuur op en ik heb gezegd dat ze bij jou moest zijn, maar ik heb ook beloofd dat ik even langs zou komen om te kijken hoe het met haar is. Waar is ze? Kan ik naar haar toe?' Hij probeerde zelfverzekerd over te komen, alsof hij helemaal op zijn gemak was.

'Ze zit boven in haar werkkamer. Ze is behoorlijk over haar toeren.' Pat keek hem aan. 'Gaat ie lekker, McLoughlin? Wat ben je toch een achterbakse rotzak, hè?' Hij begon te lachen. 'Ga maar naar boven om haar handje vast te houden.'

McLoughlin stapte over de drempel. Mark Porter lag op zijn buik op de kalkstenen plavuizen. Het bloed dat uit zijn hoofd was gestroomd vormde nu een keurig gestold donkerrood plasje. McLoughlin deed nog een paar stappen dichterbij en zag het gerafelde uiteinde van een touw en de strop om zijn nek.

'Wat is er gebeurd? Was het zelfmoord?'

Hickey haalde zijn schouders op. 'Daar ziet het wel naar uit. Barry,' hij wees naar de geüniformeerde agent bij de deur, 'heeft zijn appartement boven doorzocht. Er schijnt een briefje te liggen. Maar we zullen pas zekerheid hebben wanneer Harris zijn luie reet uit bed heeft gesleept en hiernaartoe komt. Maar...' Hij wees omhoog. McLoughlin volgde zijn blik. Een ongeveer twee meter lang stuk touw bungelde zachtjes heen en weer in de tocht van de open voordeur. Zo te zien was het op de bovenste verdieping aan de trapleuning vastgeknoopt.

Hickey's telefoon ging en hij klapte hem open. McLoughlin liep langs hem heen en gebaarde dat hij naar boven ging. Hickey stak een duim naar hem op.

McLoughlin rende met twee treden tegelijk de trap op. Toen hij voor Gwen Simpsons deur stond keek hij nog even naar beneden. Niemand schonk enige aandacht aan hem. Hij drukte zich tegen de muur en liep verder. De volgende trap op, de volgende en de daaropvolgende. De deur naar het appartement op de bovenste verdieping stond halfopen en een strook politietape hing losjes tussen de deurknop en de trapleuning. Hij dook eronderdoor en haalde een zakdoek uit zijn zak. Die gebruikte hij vervolgens om de deurknop vast te pakken en de deur achter zich dicht te trekken. Hier, boven in het huis, waren de plafonds veel lager. De muren waren warm rood geverfd en de inrichting was antiek. De enige concessie aan de eenentwintigste eeuw was de Apple-laptop op het grote mahoniehouten bureau. McLoughlin ging ervoor staan. Het beeldscherm was zwart en het bureau lag bezaaid met papieren. Hij boog zich eroverheen om ze beter te kunnen zien. Het vel papier dat bovenop lag was volgeschreven met dikke, zwarte letters.

Ik ben het zat. Ik kan er niet meer tegen. Ik heb geprobeerd te vergeten. Ik heb geprobeerd net te doen alsof het nooit is gebeurd. Maar het is destijds wel degelijk gebeurd, en nu gebeurt het weer. Genoeg is genoeg.

Naast het briefje lag een bruine, met plastic kussentjes versterkte envelop, en een klein plastic cd-hoesje. Porters naam en adres stonden met zwarte viltstift op de envelop geschreven. Het handschrift kwam hem bekend voor. McLoughlin gebruikte opnieuw zijn zakdoek om de envelop op te pakken en haalde er een velletje papier uit. Hierop stonden de woorden 'Ik zag jou' geschreven. McLoughlin boog zich over de computer en raakte het toetsenbord aan. Maar er gebeurde niets. Hij drukte vervolgens op ENTER. De laptop klikte, zoemde en kwam tot leven. Op het beeldscherm werd een stilstaand videobeeld zichtbaar. Een groepje mensen rond een vuurtje. Hij klikte op het pijltje, en het beeld begon te bewegen. Met ingehouden adem keek hij toe. Toen, opnieuw met behulp van zijn zakdoek, klikte hij op het symbool voor EJECT SCHIJF. Met een mechanisch gebrom gleed het schijfje uit de daartoe bestemde opening aan de zijkant van de computer. Hij pakte het op en stopte het in de envelop. Toen haastte hij zich weer naar de deur. Hij opende hem voorzichtig, liep op zijn tenen de trap af en hoorde een bekende stem. Hij gluurde over de trapleuning en zag Johnny Harris over het lichaam gebogen staan. McLoughlin glipte heimelijk Gwen Simpsons praktijkruimte binnen en liep door de wachtkamer.

'Hallo, dr. Simpson, bent u daar?' riep hij. Hij klopte op de deur en duwde hem open. Ze zat met een lijkbleek gezicht aan haar bureau en zag er diepgeschokt uit. En doodmoe.

'Meneer McLoughlin, wat doet ú hier?' Haar stem trilde een beetje.

'Ik heb gehoord wat er met Mark is gebeurd. Ik werd gebeld door een vriend.' Hij gebaarde in de richting van de trap. 'Ik dacht dat u misschien hulp nodig had. Ik wilde even kijken of ik wellicht iets kan doen.'

Er verscheen een beverig glimlachje om haar mond. 'Bedankt. Het is allemaal erg akelig. Ik heb geen idee wat ik moet doen.'

'Hebt u gezien wat er is gebeurd?'

Ze knikte. 'Ja, ik was hier.' Ze sloeg haar handen voor haar gezicht en haar schouders schokten.

Hij liep naar haar toe en legde een hand op haar onderrug. Hij voelde de botten van haar ruggengraat door haar blouse heen. 'Het komt wel goed,' zei hij.

'Het komt helemaal niet goed.' Haar stem klonk gesmoord. 'Ik voel me afschuwelijk. Ik heb het gevoel dat ik iets moet doen. Maar ik zou niet weten wat.' Ze keek naar hem op. De tranen liepen over haar wangen.

'U kunt niets doen. Dat is nog het moeilijkste van alles. U kunt helemaal niets doen.' Hij pakte haar handen, die ijskoud waren. Hij kreeg het er zelf ook koud van. 'Blijf maar lekker zitten, dan zet ik een kopje thee.' Hij liep naar de wachtkamer. 'Ik ben zó terug.' Hij trok de deur achter zich dicht.

20

De beelden bleven hem bij. Zelfs wanneer hij zijn ogen dichtdeed zag hij ze nog voor zich. Het groepje mensen rond het vuur.
Het vlammenschijnsel dat over hun gezichten speelde. En het
stel op de grond. Hun huid bijna goudkleurig. Glanzend en
mooi. Maar dan de kreet uit de geopende mond. 'Nee, nee, nee.'
De kreet die zich maar bleef herhalen. Tot hij het niet langer kon
verdragen.

Hij kwam pas na zonsopgang thuis. Hij had een kopje thee gezet
voor Gwen Simpson en op het punt gestaan het schijfje op de
computer van de receptioniste af te spelen toen Pat Hickey de
wachtkamer binnen was gekomen. Hickey maakte een hoofdge-
baar in de richting van Gwen Simpsons werkkamer. 'Is ze daar-
binnen?' Hij haalde zijn notitieboekje uit zijn zak.

'Ja.' McLoughlin kwam achter het bureau vandaan. Hij liep
voor Hickey uit en opende de deur. 'Gwen,' zei hij met zachte
stem, 'dit is brigadier Pat Hickey. Hij wil je een paar vragen stellen. Wil je dat ik erbij blijf?'

Ze lag op de bank. Ze had haar schoenen uitgeschopt en zag
er klein en weerloos uit. Ze kwam langzaam overeind. Haar
ogen waren rood en opgezet. 'Ja, dat zou ik fijn vinden – als u
dat tenminste goedvindt?' vroeg ze aan Hickey.

Hij knikte. 'Natuurlijk, geen probleem. Goed.' Hij trok een
van de rechte stoelen naar haar toe en plofte erop neer. McLoughlin deed de deur dicht en leunde ertegenaan. 'Vertelt u me eens
wat er vanavond is gebeurd.'

Haar stem kreeg weer zijn gebruikelijke rustige helderheid. Ze
was om zes uur naar huis gegaan, maar om circa half tien weer

teruggegaan. Ze werkte aan een presentatie voor een internationale conferentie over de effecten op de lange termijn van kindermisbruik. Ze werkte gemakkelijker op haar kantoor, zei ze. Het was er 's avonds altijd heel stil en ze had daar haar aantekeningen bij de hand. Ze dacht niet dat er nog iemand in het gebouw aanwezig was, in elk geval geen van de andere huurders. Rond middernacht hoorde ze de voordeur dichtslaan. Ze liep de overloop op en zag Mark Porter in de hal. Hij kwam de trap op en ze hadden even staan praten terwijl hij zijn helm afzette.

'Wat voor indruk maakte hij?' Hickey keek even op van zijn aantekeningen.

Ze trok een gezicht. 'Net als anders eigenlijk. Hij was een grappige mengeling van verlegenheid en arrogantie. Hij was zich altijd heel erg bewust van zijn lengte. Met name, denk ik, in gezelschap van vrouwen.'

'En toen u hem vanavond zag, hoe kwam hij toen op u over?'

'Heel goed. Hij zei dat hij op bezoek was geweest bij vrienden in Kildare. Bij die mensen met de stoeterij.'

'En wie zijn dat? Kent u hen?'

Sophie Fitzgerald, dacht McLoughlin. De beeldschone blondine.

Gwen schudde haar hoofd. 'Ik ken geen namen, maar hij gaat heel goed met hen om en gaat er wel vaker een weekendje naartoe.' Ze zweeg even. 'Hij zei dat hij nog wel even op zou blijven, voor het geval ik zin had om iets te komen drinken. Maar ik antwoordde dat ik nog heel wat werk had aan mijn presentatie. Hij vroeg me waarover die ging, en toen ik hem dat vertelde raakte hij een beetje geagiteerd, boos bijna.'

'O?' Hickey trok zijn wenkbrauwen op.

'Ja. Hij zei dat hij vond dat zulke zaken altijd schromelijk werden overdreven.'

'O?' Opnieuw de opgetrokken wenkbrauwen.

'Maar goed, dat was het dus. Ik ging weer naar mijn bureau en hij ging naar boven. Ik hoorde niets meer totdat...' ze keek heel erg ontdaan '... tot ik hoorde...' Ze zweeg.

'Helemaal niets? U hoorde ook niemand meer het gebouw binnenkomen? Geen deuren die open- of dichtgingen? Rinkelende telefoons? Wat dan ook?' Hickey's stem klonk vriendelijk, maar hij stelde heel directe vragen.

Ze schudde haar hoofd. 'Niets.'

McLoughlin dacht aan het schijfje dat hij uit Porters appartement had meegenomen. Het zat in de computer in de wachtkamer. De envelop stak uit zijn jaszak. Hij wist dat hij een misdrijf had begaan. Het verwijderen van bewijsstukken. Eigenlijk moest hij nu een smoes verzinnen, weer naar boven gaan en het schijfje terugleggen. Maar hij deed het niet. Hij wilde weten wat erop stond.

Hickey stond op. 'Als u hier nog even zou willen blijven? De patholoog onderzoekt op dit moment het lichaam, en we willen zo min mogelijk mensen op de trappen hebben. Zodra het weer kan, mag u weg. Ik weet zeker dat Michael u nog wel even gezelschap wil houden.' Hij knipoogde naar McLoughlin. 'Nietwaar, Michael?'

'Absoluut.' McLoughlin glimlachte. 'Als jij dat tenminste goedvindt, Gwen. Ik zal die thee even voor je gaan halen. Kokend heet en mierzoet, doktersvoorschrift. Waarom ga je niet weer lekker liggen? Doe maar rustig aan.' Hij deed de deur open en Hickey ging weg. 'Ik ben zó terug,' zei McLoughlin.

'Bedankt. Heel aardig van je.'

Hij liep achter Hickey aan Gwens praktijkruimte uit en bleef even staan wachten om zich ervan te vergewissen dat hij geen andere voetstappen op de stenen trappen hoorde. Toen sloot hij de deur en liep naar de kleine nis achter het bureau van de receptioniste. Hij vond de waterkoker, een doos theezakjes en een paar bekers. Hij zette de waterkoker aan en ging achter het bureau zitten. Hij raakte het toetsenbord van de computer aan, klikte op het dvd-icoontje. En wachtte.

Het was donker. Het was nacht. Er was een vuur. De vlammen schoten flakkerend omhoog en er was een regen van vonken. Een aantal mensen stond in een halve cirkel bij elkaar. Hun gezichten gloeiden. Hun monden stonden open. Toen bewoog de camera naar de grond naast het vuur. Daar lagen twee mensen. Hij zag de rug van de man. Die was breed en gespierd. Hij lag boven op een vrouw. Haar gezicht was spierwit. McLoughlin herkende haar van de foto's. Het was Marina. Haar armen lagen boven haar hoofd. De man had zijn handen op haar borsten gelegd en zijn hoofd was over haar hals gebogen. Ze staarde met wijd open ogen omhoog. De camera draaide weg. Naar Dominic de Paor. Hij stond als gebiologeerd naar het stelletje te staren. En nu stond de man op. Het was Mark Porter. De camera zoomde in op zijn penis. Die was zacht, slap, klein en hing als een dikke worm in zijn schaamhaar. De camera ging naar zijn gezicht. Hij wees naar de vrouw. Ze was inmiddels half overeind gekomen en zag er versuft uit, slechts half wakker. Ze draaide haar hoofd om en braakte, maar niemand kwam haar te hulp. Niemand deed iets. De camera ging weer naar Porter. Hij had zijn handen voor zijn ogen geslagen en zijn schouders schokten terwijl hij snikte en snikte. Het scherm werd zwart.

Het water in de ketel kookte en McLoughlin zette hem uit. Hij trok de laden van het bureau een voor een open en vond een doosje met cd's. Hij schoof er een in de computer en drukte op het icoontje voor branden. Toen stond hij op en schonk kokend water in de bekers. Hij roerde de theezakjes door het water, viste ze eruit met een theelepeltje en gooide ze in de afvalemmer. In het kleine koelkastje stond een pak melk en op de plank erboven zag hij een halve fles cognac staan. Hij zette alles op het bureau, ging weer voor de computer zitten en klikte op het juiste icoon en allebei de schijfjes gleden eruit. Hij stopte het origineel weer in het hoesje en in de envelop en de kopie in een ander hoesje in zijn zak. Toen liep hij naar de deur. Hij keek op de overloop en hoorde het geroezemoes van stemmen beneden. Hij sloop op zijn tenen naar buiten, rende snel en geruisloos naar Porters appartement en dook onder het politielint door en opende de deur. In de kamer was er in de tussentijd niets veranderd. Hij veegde het schijfje schoon met zijn zakdoek, schoof het zorgvuldig terug in Porters laptop en legde de envelop weer op het bureau. Toen haastte hij zich naar buiten. Hij drukte zich tegen de muur en glipte even later Gwen Simpsons praktijkruimte weer binnen. Daar pakte hij de bekers thee, het pak melk en de fles cognac. Hij hijgde, en voelde het zweet op zijn voorhoofd staan.

'Drink dit nu maar eens lekker op, Gwen.' Hij duwde de deur open. Ze zat met een pen in haar hand aan haar bureau. Toen ze hem aankeek leek het heel even alsof ze niet wist wie hij was. 'Hé, wat doe je nu?' vroeg hij. 'Je zou gaan liggen.'

'Wat?' Ze keek hem verbaasd aan. 'O, thee, natuurlijk. Lief van je. Zet die hete bekers maar liever niet op het hout. Hier.' Ze schoof een stapeltje kranten naar hem toe.

'Wat ben je aan het doen?' vroeg hij nogmaals. Hij gebaarde naar de melk en de cognac, en merkte dat zijn handen beefden. Ze wees op de cognac. Hij draaide de dop eraf, schonk een flinke scheut in beide bekers en schoof haar er een toe. Langzaam nam ze een slokje. 'Dank je. Lekker.' Ze nam nog een slok. 'Ik maak wat aantekeningen over Mark.'

Mark Porter, naakt, kwetsbaar, overgeleverd, vernederd.

'O?' Hij deed zijn best om neutraal te kijken.

'Ja, ik weet niet hoeveel jij van hem weet, maar als tiener heeft hij een keer een zelfmoordpoging gedaan.'

McLoughlin knikte. 'Dat heb ik gehoord, ja.'

'En de omstandigheden waren vergelijkbaar. Destijds heeft hij ook gebruikgemaakt van de trapleuning op de bovenste verdieping. Op zijn kostschool.'

Zijn thee smaakte bitter. De cognac was geen verbetering. Hij voelde de vloeistof brandend door zijn slokdarm glijden. 'Ja, ik weet het. Omdat hij zo gepest werd, de arme knul.'

'Nee,' zei ze. 'Ik geloof niet dat dat de reden was. Ik weet dat iedereen dat destijds beweerde, maar Mark had andere demonen waarmee hij strijd leverde. Hij was al lang daarvoor ernstig beschadigd.'

'O?' McLoughlin voelde zich niet erg lekker. Hij had behoefte aan frisse lucht. 'Hij zal het wel zwaar hebben gehad met zijn handicap. Het is nooit gemakkelijk om anders te zijn.'

'Het was meer dan dat. En veel en veel erger, ook al probeerde hij het te bagatelliseren. Hij accepteerde geen enkele vorm van zwakheid.' Ze speelde met haar pen. 'Mark werd niet alleen gepest, hij is ook misbruikt op school.'

'Op de Lodge? Door een docent?' Zijn verbazing was niet gespeeld.

'Ja, op de Lodge, maar het was niet iemand van de schoolstaf. Het was een hopman van de padvinders. Ik weet dat het een cliché lijkt, maar het is helaas maar al te waar. Arme Mark. Ik denk dat hij fysiek niet in staat was om deel te nemen aan al die natuurwandelingen en kampeeruitstapjes, maar hij vertelde me dat dat nu eenmaal van hem werd verwacht en dat hij er daarom toch aan deelnam. En de een of andere ellendeling maakte misbruik van zijn hulpeloosheid. Zo zie je maar weer dat pedofielen geen enkel ontzag hebben voor klassenverschillen.' Ze keek neer op haar papieren. 'Wat Mark betreft hoorde het misbruik nu eenmaal bij dat soort schoolleven. Hij vertelde me eens: "Al die schoolknaapjes worden gepakt. Het hoort er net zo bij als het ochtendgebed en een koude douche na de wedstrijd."'

'Dus hij heeft geen klacht ingediend? De politie is niet ingelicht?'

'Nee, dat was niet de gewoonte. Hoe minder je erover zegt, hoe eerder het vergeten is.'

'Ik begrijp het.' Hij staarde over haar hoofd naar de felle kleuren van het schilderij aan de muur. En zag weer Mark Porters hoofd, opengespleten in het vurige rood van zijn bloed.

'Is dat zo, Michael, begrijp je het echt? Ik ben er nog niet zo zeker van. Ik weet niet of iemand van ons die zoiets niet aan den lijve heeft ondervonden kan begrijpen hoe het je gevoel van eigenwaarde beschadigt. Mark is een tijdje bij me in therapie geweest en heeft me alles verteld, en niet lang daarna hield hij op met zijn bezoekjes. Hij heeft het er nooit meer over gehad. Ik vrees dat hij een uitzonderlijk beschadigd persoon was. En ik heb hem niet kunnen helpen.'

'Net als Marina dus? Zij was ook beschadigd.'

Voordat ze kon antwoorden ging de deur open en kwam Hickey binnen. 'U kunt nu wel naar huis, dr. Simpson. Wij zijn beneden helemaal klaar. Dit is voorlopig echter nog wel een plaats delict. Het gebouw blijft morgen gesloten. Misschien kunt u tijdelijk iets anders regelen voor uw praktijk?' Hij klonk verontschuldigend.

'Hoelang gaat dat duren?' Ze maakte een stapeltje van haar paperassen en stond op.

'Dat weten we op dit moment nog niet precies. Zodra de patholoog verslag heeft uitgebracht omtrent de dood van de heer Porter weten we meer.' Hickey liep weer naar buiten. 'We gaan de boel nu afsluiten, dus als jij ook zo goed zou willen zijn om te vertrekken, Michael?'

McLoughlin liep achter Gwen Simpson aan de trap af. Ze droeg een laptop in een tas om haar schouder en een doos vol boeken en paperassen. Mark Porter was niet langer een misvormd hoopje op de grond. Een plasje gestold bloed was het enige wat hier nog aan hem herinnerde. Johnny Harris stond naast een enorme vergulde spiegellijst tegen de muur geleund. Hij zag er moe uit en McLoughlin gaf hem een schouderklopje. 'Hé, Johnny, zware nacht gehad?' vroeg hij.

'Michael. Wat doe jíj hier?' Harris keek Gwen Simpson na die langs hen heen liep.

'Hij is een vriend van de dame,' siste Hickey.

'Mmm?' Harris hield zijn hoofd een beetje schuin.

'Ssst.' McLoughlin legde een vinger op zijn lippen en haastte zich naar buiten, Gwen achterna. Het was druk op straat. Er stonden twee politiewagens, en op het trottoir stond een politiemotor geparkeerd. Er stond ook een ambulance, met alle deuren open. Een paar ambulancebroeders waren bezig een lijkenzak van een brancard in de wagen te schuiven. Een groepje toeschouwers stond alles te bekijken, en tussen hen herkende McLoughlin enkele journalisten die hij kende.

'Laat mij je helpen. Die lui kunnen knap lastig zijn.' Hij pakte de doos uit Gwens handen. 'Waar staat je auto?'

Ze knikte met haar hoofd en liep toen naar een rode Mercedes cabriolet, die onder een lantaarnpaal geparkeerd stond. 'Bedankt.' Ze opende het portier. 'Nu red ik het verder wel.'

'Zal ik je niet liever thuisbrengen? Je hebt een zware avond achter de rug.'

'Nee, dat hoeft echt niet. Bedankt voor de thee en voor, nou ja...' Ze keek glimlachend naar hem op en bukte zich toen om de laptop en de boeken op de passagiersstoel te zetten.

Hij deed een stap naar achteren. De beelden bléven maar komen.

Ze richtte zich weer op. 'Je ziet er zelf ook niet zo fris uit. Ik hoop dat je na dit alles nog kunt slapen. Drink niet te veel vanavond, oké?'

Hij grijnsde wrang en draaide zich toen om. Johnny Harris stond al op hem te wachten.

'Mooie vrouw,' merkte Harris op.

'Ja, maar niet mijn type. Ze heeft haar hele leven al voor zich uitgestippeld. En iemand als ik komt niet in dat plaatje voor. Zo,' hij sloeg een arm om Harris' schouders. 'En vertel me nu maar eens wat jij ervan denkt. Hoe is Mark Porter aan zijn eind gekomen? Was het zelfmoord of hoe zit dat?'

Hij raakte de beelden maar niet kwijt. Zelfs wanneer hij zijn ogen dichtdeed zag hij ze nog. Het groepje mensen rond het vuur.

'Marina,' fluisterde hij, 'hoe kon je dit laten gebeuren? *Waarom* liet je het gebeuren? En waarom belde De Paor je op? Waarom belde jij hem op? Toe Marina, vertel het me alsjeblieft.'

Hij pakte de schoolfoto erbij en dacht aan de gezichten om het vuur. Hij probeerde ze te vinden en was er zeker van dat hij Rosie en Dominic de Paor herkende. En van een paar van de andere vrouwen was hij bijna zeker. De een was Gilly Kearon en daar stond freule Sophie Fitzgerald. Van de stoeterij in Kildare. En wie, zo vroeg hij zich af, had de camera bediend? Wie was van dit alles getuige geweest? Wie had willen vastleggen wat er gebeurde? Wie wilde kunnen zeggen: 'Ik zag jou. Wij hebben je gezien.'?

21

De twee vrouwen wandelden in de ochtendzon over de West Pier. Sally's kleine hondje rende steeds vooruit en bleef dan kwispelend en hijgend van inspanning op hen staan wachten.

'Hij doet zijn best, hè?' Margaret trok zachtjes aan zijn oren.

'Ja, dat doet hij zeker.' Sally hield een versleten tennisbal omhoog. 'Kom op, Toby – kijk!' Ze gooide de bal zo ver mogelijk weg en het hondje sprong keffend op en ging erachteraan.

'Denk je dat het leuk is om een hond te zijn?' Met haar hand boven haar ogen tegen de zon keek Margaret het beestje na.

'Leuk? Ik heb geen idee.' Sally streek het haar van haar voorhoofd. 'Het is wel erg warm vandaag. Meestal is het hier niet zo heet.'

'Nee, meestal is het hier stervenskoud. Mijn vader was wat je zou kunnen noemen een dagelijkse gebruiker van de pier. Hij wandelde hier steevast elke dag, zomer en winter, zon of regen, vrieskou of niet. Ik heb het grootste deel van mijn tienerjaren doorgebracht met het verzinnen van smoezen om niet mee te hoeven.'

'Ach, dat is weer een van de pluspunten van het hebben van een hond. De wandeling over de pier moet nu eenmaal gebeuren, of je het nu wilt of niet, dus beschouw je het niet langer als een keuze.' Sally stak twee vingers in haar mond en floot verbazend hard. De hond bleef even staan en kwam toen weer terug.

Margaret keek vol bewondering toe. 'Dat is fantastisch. Ik dacht dat alleen opgeschoten jongens zo konden fluiten.'

Sally lachte. 'Ja, ik ben er dan ook heel trots op. Mijn eerste man, Robbie, heeft het me geleerd. Toen we allebei nog tieners waren en hij me kwam opzoeken en mijn ouders dat niet goedvonden, floot hij altijd als hij de straat in kwam en dan glipte ik via de achtertuin weg.'

Zwijgend liepen ze verder, helemaal tot aan de vuurtoren aan het eind van de pier. Daar gingen ze op een granieten muurtje zitten en keken over de baai naar Howth. De hond vond een schaduwrijk plekje en ging daar uit liggen hijgen. Zijn flanken gingen snel op en neer en op zijn glanzende zwarte snuit vormden zich druppeltjes speeksel.

'Waar is Vanessa?' vroeg Margaret. 'Ik heb haar al een paar dagen niet gezien. Heeft ze genoeg van me?'

'Dat betwijfel ik ten zeerste. Ze is erg dol op je. En daar ben ik blij om, want ze is over het algemeen niet zo snel onder de indruk van mensen.' Ze hield haar hand boven haar ogen. 'Ik weet niet precies wat er op dit moment met haar aan de hand is. Ze staat vroeg op, wat ze nooit eerder heeft gedaan, en gaat dan weg, om pas heel laat weer thuis te komen.'

'Is het een jongen?'

Sally schudde haar hoofd. 'Dat denk ik niet. Als het wel zo was, zou ik heel blij voor haar zijn. Ze loopt niet over van zelfvertrouwen, weet je. Die hippielook, de klompschoenen, dat sjaaltje om haar hoofd, de kralen, eigenlijk is het gewoon een vermomming.'

'Daar zijn kinderen goed in, hè?' Margaret volgde een lang, fraai jacht dat tussen de twee pieren aan kwam zeilen. 'Mary was er veel beter in dan ik ooit had gedacht.'

'In welke zin?'

'Nou, het was heel vreemd. Na haar dood ontdekte ik allerlei dingen over haar die ik nooit had geweten. Ik ontdekte dat ze een abortus had laten plegen en in Nieuw-Zeeland een aantal vriendjes had gehad die ik nog nooit had gezien. En dan was er natuurlijk haar relatie met...' Ze zweeg en staarde naar de grond. Moeizaam probeerde ze de brok in haar keel weg te slikken. '... met de man die haar heeft vermoord.'

'Een relatie? Kon je het echt zo noemen dan?' Sally draaide zich naar haar om.

'Ja, het was een relatie. Niet een relatie die ik voor haar zou hebben gewild. Geen gezonde, waardevolle relatie. Maar het was wel degelijk een relatie. Hij kende een kant van Mary die ik niet kende. En dat was een van de dingen die echt pijn deden.' Ze balde haar vuisten en sloeg ermee op haar bovenbenen. 'Hij kende haar op een manier waarop ik haar niet kende, en hij vertelde me dingen over haar die ik niet wist.'

'Heb je hem gesproken dan?' Sally's stem klonk geschokt.

Margaret knikte. Ze staarde over de zee naar het jacht. Het had een flinke snelheid. De spinnaker, vrolijk rood en blauw gekleurd, bolde op in de wind.

'Ik heb hem ontmoet. Ik heb hem gesproken.' Het lag op het puntje van haar tong om te zeggen: 'Ik heb hem vermoord.'

'Hoe? Onder welke omstandigheden? Toen hij weer op vrije voeten was?'

'Daarvoor en daarna, maar daar wil ik het nu liever niet over hebben. Ik vind het moeilijk om erover te praten. Maar het heeft me wel doen inzien hoe slecht ik Mary kende.' Ze stond op.

'Maar vertelde hij je dan wel de waarheid?' Sally stond ook op. 'Weet je zeker dat hij niet loog? Om te rechtvaardigen wat hij haar had aangedaan.'

'Over sommige dingen loog hij, maar over andere niet. Ik moest het accepteren. Mary had gewoon kanten die ik niet kende. Zulke dingen moet je toch over Marina sinds haar dood ook wel hebben ontdekt? Ben je niet tot de ontdekking gekomen dat ze heel iemand anders was dan je dacht?'

'Niet echt. Volgens mij weet ik alles over Marina. Ze was niet volmaakt, maar dat maakt me niet uit.' Sally bukte zich om de halsband van de hond te pakken.

'Mij maakte het ook niet uit. Zo bedoel ik het niet. Mijn liefde voor Mary was nog net zo sterk en intens als altijd. Ik vond het alleen zo jammer dat ik niet meer met haar kon praten. Dat we onze vriendschap niet verder konden voortzetten. Ik dacht altijd dat we, naarmate we ouder werden, vriendinnen zouden worden. Dat we onze levens zouden delen. Zelfs als ze zou trouwen, zelf kinderen zou krijgen, dat we altijd een hechte band zouden houden. Maar...'

Ze begonnen terug te wandelen over de pier. Het grind onder hun voeten was droog en stoffig. Ze zwegen weer. Het was inmiddels nog warmer, en Margaret was moe. Sally gooide de bal voor het hondje, dat kwispelend heen en terug rende en blafte van plezier.

'Je weet toch wel,' zei Sally, 'dat iedereen veel belangstelling had voor wat er met jouw dochter was gebeurd? Niet alleen omdat het zo droevig en afschuwelijk was, maar ook omdat Patrick Holland de verdediger was. Wij kenden hem erg goed. En toen hij de zaak op zich nam, heb ik hem nog gebeld om hem te vragen hoe hij dat nu kon doen.'

'En wat zei hij toen?' Margaret keek haar aan.

'Hij zei dat iedereen recht had op verdediging. Dat was de wet. Onschuldig tot het tegendeel is bewezen, ongeacht de aard van het misdrijf. Ik zei tegen hem – ik weet het nog goed, want ik was erg boos – "Dat geloof je toch zeker zelf niet?"' Ze gooide de bal weer weg. 'En hij zei dat het hem verbaasde dat ik hem erop aanviel, omdat ik toch zelf ook een advocaat nodig had gehad nadat James' eerste vrouw ons huwelijk ongeldig had laten verklaren en ik naar de rechter was gestapt om een toelage voor Vanessa te eisen. En toen was hij mijn advocaat geweest.'

'O ja? Heeft Patrick je geholpen?' Margaret zweeg.

'Ja, hij was ontzettend aardig, en hij deed het voor niets. Ik wilde hem betalen, maar hij wilde mijn geld niet aannemen. Het was een moeilijke tijd. Ik had me niet gerealiseerd hoe het zou zijn om een rechtszaak aan te spannen. En Helena, James' eerste vrouw, kwam elke dag opdagen. Zag alles. Keek naar mij. Het was afschuwelijk.' Sally keek naar de zee. 'Ik ben zo blij dat ik hier kan wonen. De zaak duurde eeuwen. Telkens werd hij weer verdaagd, onderbroken, uitgesteld, weet ik veel. Wanneer ik thuiskwam kleedde ik me snel om, zette Vanessa in haar wandelwagentje, nam de hond mee en dan gingen we hiernaartoe. Zeelucht heeft iets zuiverends. Ik weet niet wat het is, maar het helpt je van een hoop ellende af.'

Ze hield het oude tennisballetje omhoog. De hond blafte en

sprong hoog op. Ze gooide de bal zo ver als ze kon, en ze zagen het kleine dier erachteraan rennen.

'Maar goed, we zijn erdoorheen gekomen. Ik heb je toch verteld, of niet soms, wat ik voor Vanessa heb weten los te krijgen?'

'Ja, dat heb je verteld. Het huis in Wicklow, dat ze op haar achttiende verjaardag erft. En dat is al gauw, hè?' De hond had het balletje gevonden en kwam alweer teruggerend.

'Volgende week. Maar Marina is echt vlak bij dat huis overleden, en nu wil ik eigenlijk niet dat Vanessa er nog iets mee te maken heeft. Het liefst zou ik zien dat ze het verkoopt.' Het hondje liet de bal voor haar voeten op de grond vallen. Het diertje hijgde zwaar. Sally aaide het over zijn kop en raapte de bal op. 'Eerlijk gezegd hebben we er gisteravond een beetje ruzie over gemaakt. Ik zei dat tegen haar, en toen reageerde ze heel verontwaardigd en zei dat ik er niets mee te maken had. Dat ik geen De Paor was, dus wat wist ik er nu van?' Ze glimlachte. 'Gek, hè, wanneer je kinderen je de les beginnen te lezen? Maar zo liggen de zaken dus. Zij is een De Paor, ik niet. Ik neem aan dat ze er recht op heeft om deel uit te maken van de familie. Dat zou Patrick in elk geval hebben gezegd. Als hij er nog zou zijn.'

'Kende je hem goed?'

'Behoorlijk goed. Toen ik hem voor de eerste keer ontmoette vond ik hem niet aardig. Ik dacht dat hij me afkeurde, want hij was altijd zo kortaf en nors. Maar toen ik hem wat beter leerde kennen, begreep ik dat hij gewoon zo was. Onder dat alles was het een schat. Hoewel jij het daar waarschijnlijk niet mee eens zou zijn.'

Margaret bleef staan. Ze voelde zich een beetje licht in haar hoofd. De zon scheen gloeiend heet in haar nek. 'Nee, ik mocht hem ook graag. Ik kende hem namelijk ook, van heel lang geleden.'

'O ja?' Sally draaide zich naar haar om. 'Waarvan dan?'

'O, je weet wel. We hadden gemeenschappelijke vrienden.' Vrienden die haar voor de kerst hadden uitgenodigd. Ergens in County Meath. Ze hadden een lift voor haar geregeld. Patrick arriveerde. Hij was alleen. Hij maakte haar meteen duidelijk dat hij er niet blij mee was dat hem een passagier was opgedrongen. Hij zei niet veel toen ze de stad uitreden en door het winterse landschap reden. Op het kerstfeest zei hij ook al niet veel tegen haar. Ze was blij toen ze een paar van haar eigen vrienden vond. Maar later waren ze op de een of andere manier opeens met elkaar aan het dansen. En als hij haar vasthield, leek het alsof ze nog nooit door een andere man was aangeraakt. En nog later, toen hij haar naar huis bracht, was hij onderweg gestopt om haar te kussen. En het was alsof ze nog nooit door een andere man was gekust. En toen hij vroeg of ze nog eens konden afspreken, zei ze ja, zonder erbij na te denken dat hij getrouwd was, dat hij een kind had. Dat was allemaal onbelangrijk. En toen ze in verwachting raakte van Mary was het enige wat voor haar belangrijk was het feit dat ze nu een stukje van hem had. En dat stukje zou ze voor altijd vasthouden.

'Wat dacht je toen je zag dat hij die man verdedigde?' Sally's gezicht was een mengeling van nieuwsgierigheid en afgrijzen.

Wat ik toen dacht? Ik dacht dat hij me dan mooi kon helpen op mijn eigen manier mijn recht te halen. Dat dacht ik. Margaret kauwde op haar lip. 'Ik dacht: die man doet gewoon zijn werk, meer niet. Ik zag gerechtigheid als een legitiem concept. Het heeft niets te maken met wat jij en ik als gerechtigheid zouden beschouwen. Wat het gerechtshof als gerechtigheid beschouwt zijn de bewijzen die kunnen worden aangevoerd en aangetoond. Meer is het niet, zo simpel is het. En iedereen die er iets anders van verwacht is niet wijs.' Er klonk verbittering in haar stem.

'Denk je er werkelijk zo over?'

'Ja, dat denk ik echt. Je moet op welke manier dan ook je eigen recht zien te halen. Je kunt niet verwachten dat de overheid dat voor je doet. Zoals de rechtbanken nu functioneren, is het niets anders dan een spel dat slimme mensen spelen met de levens van anderen. Dat zou jij toch ook moeten weten, Sally. Jij hebt met een advocaat samengewoond. Jij moet hebben gezien wat hij deed. Hoeveel van de mannen die hij verdedigde hadden een moord op hun geweten? En hoeveel van hen konden de rechtbank weer als vrij man verlaten?'

Sally antwoordde niet onmiddellijk. Ze staarde naar het water. Tussen de rotsen had zich allerlei rotzooi verzameld. Plastic flessen en witte stukken piepschuim. Het hoofd van een pop, ongeveer net zo groot als dat van een baby, dobberde naast een rotte sinaasappel. Ze schrok ervan en hield haar adem in. 'James was een fatsoenlijke man,' zei ze langzaam. 'Hij had overtuigingen en principes. Ik had respect voor hem. Hij zorgde ervoor dat ik heel anders over dit land ben gaan denken. Hij heeft me doen inzien hoezeer de katholieken in Noord-Ierland onderdrukt zijn. Hij was heel erg begaan met de mannen die werden aangezet tot geweld. Hij veroordeelde hen niet en nam hen ook niets kwalijk. Hij beschouwde hun daden als politiek. Ze werden gemotiveerd door het verlangen naar politieke verandering, door hebzucht, eigenbelang of door het najagen van plezier. En net als Patrick was hij vastbesloten dat ze de best mogelijke verdediging moesten krijgen.'

Margaret zei niets. Ze kón niets zeggen. Zij, die ook had gemoord. Zij, die niet voor haar misdaad was gestraft. Zij, die nog leefde, hier in de zon, met de wind in haar gezicht en de geur van de zee in haar neus. Jimmy Fitzsimons was een gruwelijke dood gestorven, helemaal alleen, in die donkere schuur in Ballyknockan. Ze pakte Sally's hand en kneep er zachtjes in. Sally kneep glimlachend terug. Ze liepen verder naar de spoorlijn en het pad naar huis, terwijl het kleine hondje vrolijk voor hen uit rende.

Ze lagen in ligstoelen in de tuin. In een ijsemmer stond een fles wijn, bedekt met condens. Het hondje lag te doezelen op een schaduwrijk plekje onder de appelboom. Het had zijn ogen dicht, zijn kleine pootjes bewogen en hij jankte zachtjes in zijn slaap. Vanaf de muur die de tuin omgaf dreef de geur van kamperfoelie hen tegemoet. Tijdens een vakantie in West Cork had Margarets vader haar geleerd nectar uit de bloemen te zuigen. Terwijl ze over landweggetjes hadden gewandeld, had hij kamperfoelie geplukt en zich over rozen gebogen, terwijl zij met paars verkleurde vingers rijpe bramen van de struiken had geplukt. Het was jaren geleden sinds ze voor het laatst een braam had gegeten. In Australië werden ze zoveel mogelijk vernietigd, vergiftigd, verbrand als een giftig onkruid. En ze zou er ook nooit meer een eten, dacht ze. Tegen de tijd dat ze rijp waren, zou ze haar keus hebben gemaakt en niet meer in staat zijn door de velden te wandelen en ze te plukken.

Sally bewoog zich in haar stoel en schonk nog wat wijn in. 'Zeg eens eerlijk,' zei ze, 'jij was het, hè?'

'Ik? Wat bedoel je?' Margaret keek haar aan.

'Jij was degene met wie Patrick een verhouding had. James heeft het me verteld. Iedereen, al zijn vrienden, wisten dat er iemand was, maar niemand wist precies wíé het was.' Ze glimlachte. 'Ik zie het in je gezicht wanneer je zijn naam noemt. Je hebt vast heel veel van hem gehouden.'

Margaret pakte de fles en schonk zichzelf nog wat bij. 'Het is heel lang geleden. Ik was jong en wist niet waar ik aan begon. Ik dacht niet na over de consequenties. Voor mij of voor anderen.' Ze nam een slok. De wijn was droog en ijskoud.

'En wat waren die consequenties?'

Margaret antwoordde niet meteen. 'Het is heel lang geleden,' herhaalde ze zacht. Onvoorstelbare consequenties. En wat stond haar nog te wachten? Even kromp haar maag samen van angst. Thuis in Eumundi had het nog zo eenvoudig geleken. Mary was dood. Jimmy Fitzsimons was dood. Patrick was dood. Er was niemand meer die ze pijn kon doen. Ze moest onder ogen zien wat ze had gedaan. Ze moest boeten voor haar zonde. Ze moest teruggaan en de consequenties onder ogen zien. Maar nu? Ze zette haar angst van zich af in de duisternis, deed haar ogen dicht en keerde haar gezicht naar de zon. Ze voelde de kalmerende warmte op haar gezicht. Ze tilde haar glas op en dronk.

De middag verstreek heel langzaam. Ze aten brood en kaas, kleine, sappige tomaten en grote zwarte olijven. Het hondje werd wakker om zich te krabben, hapte wat naar vliegen en droomde vervolgens weer verder.

'Dank je wel,' zei Sally.

'Waarvoor?'

'Dat ik hier bij je mag zitten. Dat je niets van me verwacht. Dat je me verdriet laat hebben zonder eisen aan me te stellen.'

Toen Sally naar huis ging was het al bijna middernacht. Margaret liep met haar mee tot voorbij de Martellotoren en de steile heuvel op naar de grote weg. Het hondje snuffelde in de greppels.

'Nogmaals bedankt,' zei Sally.

'Graag gedaan. Het is lang geleden dat ik wat vriendschap in mijn leven heb gehad.' Margaret glimlachte.

Sally keek de weg over naar het rijtje huizen. 'Ik hoop dat Vanessa thuis is. Ik heb het gevoel dat ik haar een beetje verwaarloos.'

'Je moet je niet schuldig voelen. Het lijkt me hoog tijd dat Vanessa zich weer gaat bezighouden met wat tieners nu eenmaal doen, vind je ook niet?' Margaret sloeg haar armen over elkaar. Ze rilde. In de avond was het een beetje afgekoeld.

'Je zult wel gelijk hebben.' Sally begon over te steken. Toen draaide ze zich om. 'Er is nog één ding dat ik je wilde vragen. Je kende de man toch die je dochter heeft vermoord?'

Margaret knikte, en ze had het gevoel dat plotseling haar keel werd dichtgeknepen.

'Nou, ik vroeg me af wat er met hem is gebeurd. Ze hebben zijn lichaam toch gevonden, ergens bij Blessington? Maar ze hebben nooit gezegd hoe hij is gestorven. Niet echt.'

Margaret slikte. Haar mond was kurkdroog. 'Hij is gestorven van honger en dorst. De meest elementaire en simpelste manier om te sterven.'

'Maar hoe dan?' Sally keek haar aan met een blik vol nieuwsgierigheid. 'Hoe is dat gebeurd?'

'Iemand heeft hem opgesloten. Iemand heeft het hem onmogelijk gemaakt om ooit nog te eten of te drinken.'

'Maar wíé heeft dat dan gedaan? Wie doet er nu zoiets? Wie wilde dat hij zo aan zijn eind zou komen?'

Zij keken elkaar in de ogen. Toen wendde Margaret haar blik af. 'Welterusten, Sally.' Ze draaide zich om om naar huis te gaan.

'Wacht. Wacht even.' Sally kwam naar haar toe. Ze kuste haar op beide wangen, nam toen haar gezicht tussen haar handen en kuste haar voorhoofd. 'Welterusten, Margaret, welterusten,' zei ze zachtjes.

Margaret knikte. Er kwamen geen woorden.

22

De telefoon rinkelde, doordringend en aanhoudend. McLoughlin begroef zijn gezicht in zijn kussen en hield zijn handen voor zijn oren. Stilte. Hij viel weer in slaap. Toen ging de telefoon opnieuw. Hij draaide zich op zijn buik en voelde naast het bed tot zijn vingers zich om het harde plastic sloten. Hij raapte het toestel op en staarde met slaperige ogen naar het schermpje. Maar er was geen trilling, geen lichtjes, niets. Hij tilde zijn hoofd op van het kussen en keek op de wekker op het nachtkastje. Het was heel licht buiten en de zon gluurde om de gordijnen heen naar binnen. Het was laat, bijna één uur. Hij gaapte en hoorde de telefoon weer overgaan. Het geluid kwam nu uit de woonkamer. Hij stond snel op en haastte zich door de gang, maar net toen hij binnenkwam hield het rinkelen op.

'Shit, verdomme,' mompelde hij, toen hij tegen de salontafel aanliep en zijn knie stootte tegen de punt. En toen begon de telefoon te piepen. Twee keer, heel hard. Opeens zag hij het toestelletje liggen, op het bureau naast de computer. De lichtjes brandden even en gingen toen weer uit. Marina's mobieltje. Waar hij het had neergelegd nadat hij dat nummer had gebeld en Dominic de Paors stem had gehoord. Hij hinkte de kamer door en pakte het op. Hij zag drie gemiste oproepen en het symbooltje voor een bericht, zo'n klein, gesloten envelopje in de linkerbovenhoek van het scherm. Hij nam het mobieltje mee naar de keuken en legde het op tafel terwijl hij de waterkoker met water vulde en de stekker ervan in een stopcontact duwde. Vervolgens pakte hij het mobieltje weer op, opende de schuifdeuren, liep het terras op en liet zich op het bankje ploffen. Hij had een vieze, droge smaak in zijn mond en voelde zich slap en gedesoriënteerd. Hij toetste het nummer in om de boodschap te kunnen afluisteren en hield de telefoon bij zijn oor en hoorde de stem.

'Ik weet dat het niet Marina was die me heeft gebeld. Dus wie ben je? En wat wil je van me? Wíé je ook bent, rot op. Laat me met rust.'

Hij stond op, liep naar de keuken en zette thee. Hij luisterde de boodschap nog een keer af. De Paors toon was kwaad en vijandig. 'Rot op. Laat me met rust,' zei hij. Maar hij was toch nieuwsgierig. Wie had Marina's mobieltje? En waarom had diegene hem gebeld? Waarschijnlijk meende hij dat het iets toevalligs was, dacht McLoughlin. Het een of andere kind dat de telefoon te pakken had gekregen en alle nummers probeerde. Nou, dan vergiste hij zich. En misschien werd het eens tijd dat McLoughlin bij hem langsging. En hem alles vertelde. En nog een paar andere dingen. Hem vertelde dat hij wist wat er die avond op het feest was gebeurd, dat hij had gezien wat er met Mark Porter en Marina was uitgespookt. Hem vroeg wat hij precies wist over Marina's dood en hem naar zijn schooltijd vroeg.

Hij liep naar de badkamer, zette de douche aan en stapte onder de waterstraal. Met dat afvallen wilde het nog niet erg vlotten. Zijn lichaam vervulde hem nog steeds met walging. En wanneer hij zijn huid aanraakte, was het net of hij bedekt was met een dikke, ongevoelige opperhuid. Hij trachtte zich te herinneren hoe het was om door iemand te worden aangeraakt die van hem hield. En wanneer was eigenlijk de laatste keer dat hij iemand had aangeraakt van wie hij hield? Of van wie hij meende te houden. Heel lang geleden. De keer dat hij Margaret Mitchell een hand gaf toen hij afscheid van haar nam na het fiasco van Jimmy Fitzsimons' proces. Dat was de laatste keer dat hij fysiek contact met haar had. Nadien had hij haar natuurlijk nog wel gezien. Zoals die avond in Ballyknockan. Toen had hij haar uit de auto zien stappen waarin Jimmy achter het stuur zat. Hij had naar haar toe willen rennen om haar te helpen, maar had zich bedacht toen hij Patrick Holland zag. Toen had hij begrepen dat er voor hem geen plaats was in haar leven. En sindsdien? Ze was 's nachts in zijn dromen verschenen, en overdag dacht hij vaak aan haar. Hij herinnerde zich de glans van haar donkere haar, haar sierlijke houding, de klank van haar stem. Hij herinnerde zich hoe ze in die ligstoel lag in de tuin in Brighton Vale. Hij verzon verhalen over hoe ze elkaar weer zouden tegenkomen, en wat hij dan zou zeggen en wat hij dan zou doen.

Hij stapte op de badmat, trok een handdoek van het rekje en ging zijn lichaam ermee te lijf. Er waren nog wel een paar anderen geweest, éénmalige afspraakjes. De seks was prima geweest, maar achteraf voelde hij zich altijd een beetje schuldig. Belachelijk eigenlijk. Hij ging op de toiletbril zitten om zijn tenen te kunnen drogen. Margaret was weg. Hij zou haar nooit meer zien. En bovendien kon er nooit iets tussen hen ontstaan. Niet sinds die avond in Ballyknockan.

'Ik zag jou.' Hij sprak de woorden hardop uit. 'Ik zag jou en wat je hebt gedaan.'

'Ik zag jou.' Dezelfde woorden die naar Marina waren gestuurd. Wat had zij gedaan? Wat had iemand haar zien doen? Wie had haar gezien? En wat was het geheim dat die woorden dreigden te onthullen?

Hij hing de handdoek over het rek om te drogen en hoorde de telefoon weer overgaan. Ditmaal was het zijn eigen beltoon. Hij haastte zich terug naar de slaapkamer, pakte zijn mobieltje en zag de naam 'Harris' op het schermpje staan. 'Hé, Johnny, hoe is het ermee? Hoe staat het leven?'

'Ik dacht dat je het wel zou willen weten. Mark Porter...' zei Harris.

'Ja, ga verder.' McLoughlin klemde het toestel tussen zijn oor en zijn schouder.

'Daar lijkt weinig twijfel over te bestaan. Het was zelfmoord. Door ophanging.' Hij klonk heel nuchter.

'Was er niets vreemds aan? Iets met het touw of zo?' Hij trok een kastlade open en zocht met één hand naar een schoon T-shirt en een onderbroek.

'Het is een goede kwaliteit natuurvezel. En hij heeft er een echte strop van geknoopt. Met precies de goede knooptechniek en alles. Denk je dat hij bij de zeeverkenners zat?'

'Waarschijnlijk niet. Eerder bij de landverkenners.' McLoughlin dacht aan wat Gwen hem had verteld. Over het misbruik.

'Nou, dat verklaart dan alles.' Harris zuchtte. 'Een knoop voor elke gelegenheid. Maar goed, het is een tragische zaak. Zelfmoord heeft altijd een nare nasleep. Ik ken de familie, de Porters, een beetje. Heel stijfjes en afstandelijk. Erg op zichzelf. Ze zullen hier niet blij mee zijn. Zo'n openbare dood.' Hij zweeg even. 'Heb je zin om vanmiddag te gaan zeilen? Ik zit een beetje om bemanning verlegen.'

'Ik weet het nog niet, Johnny, ik heb nog het een en ander te doen.' Hij ging op het bed zitten en stak zijn benen een voor een in zijn broek. 'Maar hoor eens, ben je verder nog iets te weten gekomen over Rosie Webb?'

'Eigenlijk niet, nee. Lijkt me niet dat er verdachte omstandigheden waren rond haar dood. Geen sporen van dwang of geweld of iets dergelijks. Maar goed,' zijn toon klonk monter, zakelijk, 'ik moet er weer vandoor. Bepaalde dingen doen, mensen zien. Tot gauw.'

'Absoluut, kerel, absoluut.' McLoughlin legde de telefoon neer en ging verder met aankleden. Daarna liep hij naar de woonkamer, ging voor zijn computer zitten en bekeek zijn e-mails. Hij had weer de gebruikelijke rotzooi ontvangen, maar tussen de aanbiedingen voor investeren in effecten, online-medicijnen en speciale aanbiedingen van de plaatselijke supermarkt, zag hij opeens de naam 'Tom Spencer' staan. Hij opende de e-mail.

Beste Michael McLoughlin,
Mijn moeder zei dat je waarschijnlijk contact met me zou opnemen. Het valt niet mee hier een rustig plekje te vinden, maar je hebt me enkele vragen gesteld en ik zal proberen ze te beantwoorden, hoewel ik er eigenlijk het nut niet van inzie. Ten eerste vroeg je me of ik verbaasd was dat Marina een eind aan haar leven had gemaakt. Het antwoord is simpelweg nee. Mijn zus is altijd diep ongelukkig geweest. Achteraf bekeken, ver-

moed ik dat ze nooit helemaal over de dood van onze vader heen is gekomen. Marina was zes toen hij overleed. Ik was vier. Ze hadden een hechte band. Als eerstgeborene was zij voor mijn beide ouders heel speciaal. Ook al was ik erg jong, toch kan ik me nog herinneren dat ze altijd op mijn vaders knie leek te zitten. Misschien kwam het doordat ik een jongen was, maar ik geloof niet dat hij en ik ooit zo'n hechte band hebben gehad. Hoe dan ook, volgens mij was dat haar eerste en allergrootste verlies. En haar eerste kennismaking met de dood. Marina is altijd gefascineerd geweest door de dood. We hadden het er heel vaak over. Ze probeerde zich voor te stellen hoe het zou zijn om dood te zijn. En hoe het zou zijn om te sterven. Toen ze een jaar of twaalf was, vroeg ze me een keer of ik een kussen op haar gezicht wilde leggen. Stom genoeg deed ik het en ging ik er nog bovenop zitten ook. Maar toen werd ik bang, stond ik op en haalde het kussen weg. Ze was boos op me en zei dat ik had moeten doorgaan.

Haar tweede ervaring met verlies was toen mijn moeder met James trouwde. Dat vond Marina heel erg. Ze zag het als verraad. Aan mijn vader en aan ons. Ik probeerde haar uit te leggen dat onze moeder iemand nodig had in haar leven, maar Marina wilde er niets van weten. Ze mocht James helemaal niet. Hij was heel anders dan alle andere mensen die wij kenden. Wij waren altijd op elkaar aangewezen geweest, en met ons drieën vormden we een hechte eenheid. Maar James brak ons kleine gezinnetje helemaal open. Hij was luidruchtig, hield van veel mensen om zich heen en had massa's vrienden. Hij ontving graag gasten, en de huizen – Lake House en zijn huis in Leeson Park, waar wij een paar jaar hebben gewoond – zaten altijd vol met mensen. En dan had je natuurlijk onze stiefbroer, Dominic. Hij en Marina hadden altijd ruzie. Hij plaagde haar. Maar zij stond haar mannetje en beet flink van zich af. Soms leek het wel een soort spel dat zij samen speelden. Maar ik moet eerlijk zeggen dat James er goed mee omging. Hij was lief voor Marina. Hij heeft dat kleine zeilbootje nog voor haar gekocht. Ze nam het van hem aan, maar achter zijn rug om haalde ze haar neus voor hem op. Na zijn dood is ze ingestort. Ze bleef maar zeggen dat het haar schuld was. Ze had ervoor moeten zorgen dat hij een reddingsvest droeg.

En dan was er nog dat gedoe op school. Ik begreep niet wat er aan de hand was en probeerde me afzijdig te houden. Eerlijk gezegd geneerde ik me voor Marina. De andere kinderen liepen altijd om haar te giechelen. Ik geloof niet dat ik als broer erg loyaal was. Ik denk dat ik gewoon niet begreep wat er gaande was. Marina was nooit zo geweest. Ze leek zo beheerst en zelfverzekerd, maar dat was ze niet. Ze wilde verschrikkelijk graag aardig gevonden worden, en op de een of andere manier dacht ze niet dat het zo was. Ik vond haar net een van die zwarte gaten in de ruimte. De zwaartekracht dreigde haar voortdurend op te slokken.

Het tweede wat je me vroeg, was wat er precies was gebeurd op de dag dat James overleed. Welnu, dat is heel lang geleden, en ik weet niet hoeveel details ik me nog kan herinneren. Maar Dominic had een stel vrienden uitgenodigd om te komen logeren. Eén van hen, ene Ben, had zijn speedboot meegenomen. Het was fantastisch. Ze lieten hem te water op het meer. Het was die zomer stralend weer. Ze gingen allemaal waterskiën en zonnebaden, en er werd veel gedronken. Maar goed, het eerste waaraan ik die dag merkte dat er problemen waren, was toen ik de motor van de boot op volle toeren hoorde draaien. Ik was niet bij de anderen. Dominic wilde mij er niet bij hebben. Ze waren met z'n allen het bos ingegaan. Mijn moeder had Vanessa, de baby, mee naar het meer genomen om een beetje pootje te baden. Marina zat een beetje te rommelen in haar bootje en ik zat in het bos in een boom, om met mijn verrekijker naar de herten te kijken. Toen hoorde ik de boot. De herten schrokken ervan en ze gingen ervandoor. Ik klauterde uit de boom en begon ze te volgen. Toen ik boven op de heuvel stond, wist ik niet wat ik zag. Ik zag het huis en de bossen. Ik zag het meer en de rotswand die daaruit oprees, zag mijn moeder in een ligstoel liggen en de baby in haar kinderwagen. En ik zag een kleine rookpluim opstijgen tussen de dennenbomen aan de waterkant waar Dominic en zijn verwaande vrienden zaten. En toen zag ik aan de andere kant van het meer een speedboot. Hij draaide rondjes, heel snelle rondjes, in grote witte cirkels over het water. En ik zag het zeilbootje en een klein figuurtje, Marina, dat over de rand gebogen stond. Ik liep weer verder, achter de herten aan, maar toen ik weer naar beneden keek, naar het meer en het strandje, zag ik dat er iets aan de hand was. Dominic en de anderen renden naar het huis. Mijn moeder stond op het strand. Ze zag er zo tenger uit, ze leek wel een popje. En af en toe, wanneer de wind even uit de goede hoek kwam, hoorde ik iemand schreeuwen. Uiteindelijk liep ik de heuvel maar weer af en kwam aan de achterkant van het huis uit, maar daar was niemand. Toen ik naar het meer liep, stond iedereen daar in een kringetje naar James te kijken. Hij lag op de steiger. Mijn moeder stond volledig hysterisch te gillen. En Marina ook. Ze stond te huilen en te schreeuwen. Ze bleef maar zeggen dat het haar schuld was, dat zij ervoor had moeten zorgen dat James een reddingsvest aantrok. Dat hij niet verdronken zou zijn als hij een reddingsvest had gedragen. En nog heel lang daarna, tot lang na de begrafenis, toen we allang weer terug waren op school, bleef ze daar maar over doorzeuren. Hoe het allemaal haar schuld was geweest. Tenslotte heb je me nog gevraagd of er iemand was die Marina kwaad wilde doen. Ik heb geen idee. Ze werd weggestuurd van de Lodge, en daarna heeft ze het er een beetje bij laten zitten. Ze wilde niet meer naar school en ging het huis uit. We zagen haar niet veel meer. Op een gegeven moment ging ze naar de Verenigde Staten en hoorden we soms maanden achtereen niets van haar. En tegen de tijd dat ze terugkwam, was ik vertrokken. Mijn moeder hield me wel op de hoogte van nieuwtjes. Ik was blij dat het goed met haar leek te gaan, hoewel ik er eerlijk gezegd niet helemaal van overtuigd was dat het zo goed met haar ging. Dus toen mijn moeder me opbelde en me vertelde dat ze dood was, was het niet eens zo'n erge grote verrassing. En ik zie het opeens heel duidelijk voor me. Het uitzicht vanaf de top van de heuvel die dag. Het meer, het zeilbootje en Marina. 'Mijn schuld', bleef ze maar herhalen. 'Mijn schuld'.

Ik moet nu stoppen. Het is hier erg druk. Te veel hongerige monden en niet voldoende voedsel. Alle donaties worden dankbaar aanvaard.

Het beste,

Tom Spencer

'Ik zie het nu duidelijk,' had Tom Spencer geschreven. En McLoughlin zag het ook. Hij zag Spencers uitzichtpunt op de top van de heuvel. En alles wat Spencer vanaf die plek kon zien. Hij begon een beetje te tekenen met een pen. De ovale vorm van het meer. De lange rechthoek van het huis. Het vierkant van het grote weiland dat helemaal doorliep tot aan de waterkant. Hij arceerde het beboste gebied bij het huis en langs het water, gaf aan waar het smalle zandstrandje lag en tekende de slingerende oprijlaan vanaf het hek en het kleine vierkantje van het kleine huis. En aan de andere kant gaf hij, met een reeks kleine cirkeltjes, de stroomversnellingen aan waar Helena Marina's lichaam had gevonden, en het kleine riviertje dat over de rotsen de naastgelegen vallei in stroomde. Hij pakte een rode pen, draaide de dop eraf, bekeek zijn plattegrond en zette een X op de plekken waar iedereen zich had bevonden. Marina en James in de jol. Sally en Vanessa op het strand. Dominic de Paor en zijn vrienden op de kleine klip. Tom Spencer op de top van de heuvel. En wie kon er verder nog zijn geweest? vroeg hij zich af. Waar was Helena op die warme zomerdag in 1985? Was ze in de kliniek in de stad of was ze ergens anders? In het kleine huis misschien? Of ook in het bos? Kijkend, wachtend, hatend.

Hij stond op, liep de keuken in en trok de koelkast open. Hij had trek, maar kon niet besluiten wat hij wilde eten. Hij opende de glazen deuren en liep naar buiten. Zijn telefoon ging over. Hij ging op het bankje zitten en keek op het schermpje. Het nummer kwam hem niet bekend voor, maar de stem herkende hij onmiddellijk.

'Michael McLoughlin?' Poppy Atkinsons stem klonk veel beheerster dan de vorige keer dat ze elkaar hadden gesproken. 'Ik heb zojuist het nieuws gehoord over Mark Porter en ik wil je graag persoonlijk spreken. Kunnen we vanmiddag samen lunchen?'

Ze stelde voor dat ze elkaar in de bar van het Shelbourne Hotel zouden ontmoeten. Het bleek dat ze bij de Anglo-Ierse Investeringsbank werkte, pal om de hoek in Kildare Street. Ze was daar vennoot en fondsmanager. Hij had zich niet gerealiseerd dat ze zo'n prestigieuze baan had. Maar, zoals ze zelf al had gezegd, zij had de hersenen gekregen en Rosie het knappe gezichtje.

Ze zat al op hem te wachten aan een tafeltje in de hoek. De bar was donker en leeg. Haar wijnglas was ook leeg. Hij vroeg de barkeeper voor haar nog een wijntje in te schenken en voor hem een mineraalwater.

'Heel verstandig.' Poppy hief haar glas en proostte.

'Zo,' hij leunde naar achteren in de diepe, leren stoel, 'en waarover wilde je me spreken?'

Tegen de tijd dat ze de bar verlieten was het al laat in de middag. Hij liep met haar mee naar de draaideur van de bank. Ze stond niet meer zo heel stevig op haar benen en hij stelde voor een taxi naar huis te nemen, maar ze wuifde zijn voorstel weg.

'Het gaat best.' Ze gaf hem met twee handen een duwtje. 'Als de mannen lang mogen lunchen, dan mag ik dat ook.' Toen slokte de deur haar op. Hij stak de straat over, liep langs de geüniformeerde agenten die de wacht hielden voor het gebouw van het Ierse Lagerhuis en ging door de smeedijzeren poort de bibliotheek binnen. Hij liep snel de marmeren trappen op naar de leeszaal. Het was er rustig en stil. Hij ging aan een van de leestafels zitten en knipte de groene leeslamp aan. Toen haalde hij zijn notitieboekje tevoorschijn en begon te schrijven.

Ben Roxby en Rosie Webb hadden een relatie gehad. Daaraan was een einde gekomen toen hij van het dak was gevallen. Rosie vond dat zij schuld had aan zijn dood. Annabel was erachter gekomen dat zij samen iets hadden en had Ben die avond toen hij thuiskwam ter verantwoording geroepen. Zijn schuldgevoel was de reden geweest dat hij het dak op was gegaan. Zijn schuldgevoel had hem het leven gekost.

'Wist Rosies echtgenoot ervan?'

'Iedereen wist ervan.'

'Iedereen?'

Ze legde uit hoe het zat. Het groepje van school was elkaar nooit uit het oog verloren. Maar Bens vader had ambitieuze plannen voor hem en stuurde hem naar Amerika om aan het Massachusetts Institute of Technology, het MIT, te studeren. Tegen de tijd dat hij terugkeerde naar Ierland, had Rosie Nick Webb ontmoet en was met hem getrouwd. Vervolgens was Ben met Annabel Palmer getrouwd, die hij al zijn hele leven kende, maar het duurde niet lang voordat Rosie en hij weer geliefden werden. Hun oude vrienden hielpen hen daarbij. Zorgden voor plaatsen om elkaar te ontmoeten. Van Dominic mochten ze Lake House gebruiken, en Mark Porter hield een van zijn flats aan Fitzwilliam Square speciaal voor hen gereserveerd.

'En wat gebeurde er toen Ben was overleden?'

De groep had Rosie erdoorheen gesleept en bood haar steun en troost. En Dominic gaf haar nog meer.

'Zoals?'

Hij gaf haar cocaïne. Daar had hij zo zijn bronnen voor. Haar verslaving werd steeds erger, en ze deed alles om aan drugs te komen. En toen...

'Hij wilde iets van haar, nietwaar?'

'Ja.' Poppy knikte. 'Niets is gratis in het leven. En een lijntje coke al helemaal niet.'

'En haar man, die moet toch geweten hebben wat er gaande was?' Hij trommelde met zijn vingers op de tafel.

'Weet je,' ze dronk haar glas leeg en wenkte de ober, 'ik heb Nick nooit goed begrepen. Hij is een slimme vent, een man van de wereld, noem maar op. Maar óf hij wist het en het kon hem niet schelen, óf hij had werkelijk geen idee. En eerlijk gezegd denk ik het laatste. Ik zat altijd te wachten tot het gedonder in de glazen zou beginnen, maar dat gebeurde gewoon nooit.'

'En Mark? Welke rol speelde hij in het geheel?' Hij viste het schijfje citroen van de bodem van zijn glas en zoog het sap eruit.

'Mark was hun loopjongen. Hun boodschappenjongen. Hij kende al hun smerige geheimpjes, al hun stiekeme relaties. Rosie was niet Dominics enige verovering.' Ze gniffelde zachtjes en pakte haar nieuwe glas. 'Ik ken er heel wat. En ze vertelden me altijd hoe Mark dan kwam aanzetten met bloemen en cadeautjes. Het was altijd bijna alsof ze Marks minnaressen waren.' Ze nam een slok wijn. 'Vroeger vond ik het groepje altijd net de Vijf. Weet je wel, uit de boeken van Enid Blyton?'

McLoughlin knikte. 'Zelf hield ik meer van de Geheime Zeven.'

'Ja, ach, over smaak valt niet te twisten. Maar je weet vast wel dat de Vijf een hond hadden. Nou, Mark was de hond.' Ze sloeg haar benen over elkaar en stootte haar knie tegen de tafel. Hun glazen stonden te schudden. 'Hij kreeg de restjes. Wanneer Dominic op iemand was uitgekeken, kwam Mark opdagen.'

McLoughlin keek even op van zijn notitieboekje. De leeszaal was vrijwel verlaten. Een paar grijze hoofden zaten over boeken gebogen. Een meisje, misschien een studente, zat een krant te lezen. Een echtpaar, waarschijnlijk Amerikanen, bestudeerde een stoffig register dat de bibliothecaris voor hen had gehaald. Hij schreef het woord 'feest' in zijn boekje. Wat had Poppy daar ook weer allemaal over gezegd?

'Het feest? Nou, daar was ik natuurlijk niet voor uitgenodigd. Ik heb me beschikbaar gesteld om op Rosies kinderen te passen.'

'Dus Nick was er ook?' McLoughlin kon zich niet herinneren hem in het groepje bij het vuur te hebben gezien.

'Nee, hij was weg voor zaken. Dus bood ik aan om op de kinderen te passen. Ik ben dol op ze en doe graag leuke dingen met ze.'

'Heb je zelf geen kinderen?' McLoughlin ging verzitten in de leren stoel, die kraakte.

'Nee. Zoals ik al zei, Rosie kreeg het mooie gezichtje. En ze kreeg ook een stel perfecte eileiders. Ik kreeg de hersenen en de buitenbaarmoederlijke zwangerschappen. Ik kan geen kinderen krijgen, dus geniet ik maar van die van mijn zus.' Ze dronk nog wat wijn. 'Het moet een heftig avondje zijn geweest. Rosie was er verschrikkelijk aan toe toen ze thuiskwam. Ik heb haar meteen in bed gestopt met een valiumtablet.'

'Ik neem aan dat ze erg overstuur was over Marina's dood.'

Poppy schudde haar hoofd. 'Nee, dat was het niet. Het was iets anders. Ik ging ervan uit dat het iets met Dominic te maken had. Per slot van rekening was zijn vrouw, de schattige Gilly, er ook. En Sophie Fitzgerald. Al Dominics mooie dames. En verder was zijn moeder er ook nog. Met haar in de buurt kon er van alles gebeuren.'

'Ken je haar?'

Poppy trok een gezicht. 'Niet echt. Ik betwijfel of iemand haar écht kent, op Dominic na. Rosie zei altijd dat zijn moeder de enige was die Dominic echt begreep. Wat zegt dat dus over hem? Als de enige persoon die enig idee heeft wat er in zijn hoofd omgaat de een of andere halvegare is? Iemand die honderd procent paranoïde schizofreen is? Dat klinkt toch niet erg gezond? Eerlijk gezegd denk ik dat Rosie nogal jaloers was. Altijd wanneer ze naar Lake House gingen, bracht Dominic uren achtereen door in dat kleine huisje waar zijn moeder altijd naartoe ging wanneer hij gasten had. En ze heeft me eens verteld dat hij, wanneer hij terugkwam, altijd naar haar rook. Getver, het idee alleen al.' Ze rilde.

'Op wat voor manier rook hij naar haar?' McLoughlin herinnerde zich haar parfum. Zijn maag draaide zich om.

'Op wat voor manier, denk je? Parfum, lichaamsgeur, weet ik veel. Rosie werd er akelig van.' Poppy haalde haar lange neus op. 'Maar wat het feest betreft, heeft Rosie het niet over Helena gehad. Maar wie weet wat er die avond allemaal is gebeurd? Eén ding weet ik wel zeker. Er is een heleboel cocaïne gebruikt.'

'En lsd?'

'Dat betwijfel ik. Dat is tegenwoordig niet meer zo'n populaire drug. Het is meer voor tieners, de ecstasygeneratie. Niet voor mondaine Dubliners.' Ze lachte.

McLoughlin schreef 'cocaïne' en onderstreepte het woord. Bijna niet te geloven dat cocaïne nog maar vijf jaar geleden een zeldzaamheid was. Toen konden alleen beroemdheden en de zeer rijken het zich veroorloven. Nu begon elk feestje in de buitenwijken, elk familiesamenzijn, elke bruiloft, elk avondje uit, met die kleine plastic zakjes wit poeder.

'Vertel eens, hoe denk je nu over Mark? Over zijn zelfmoord? Waarom denk je dat hij het heeft gedaan?'

'Geen idee. Ik hoopte eigenlijk dat jij me dat zou kunnen vertellen. Jij bent er gisteravond per slot van rekening geweest.' Ze raakte heel even de rug van zijn hand aan.

'Hoe weet jij dat?' McLoughlin liet zijn hand op zijn schoot glijden.

'Er staat een foto van je in een van die sensatieblaadjes. Op die foto kom je samen met een vrouw uit Marks huis.' Ze dronk haar glas leeg. 'Heb je hem gezien?'

'Ja. Het was niet leuk om te zien.'

'Nee.' Ze speelde met de brede gouden armband om haar pols. 'Dat is het nooit. Maar wat ik me afvroeg... in de krant stond dat er sprake is van een briefje. Wat stond daarin?'

'Waarom wil je dat weten?'

'Nou,' ze schoof onrustig heen en weer op haar stoel, 'ik bedacht dat Mark, na alles wat er de laatste tijd gebeurd is, misschien iets heeft gezegd over mensen die wij kennen. En om eerlijk te zijn kunnen we die publiciteit niet echt gebruiken.' Ze boog zich naar hem toe. Haar adem rook naar alcohol. 'Jij bent een goeie vent, Michael McLoughlin. Een van ons. Als er iets zou zijn waarvan jij denkt dat ik het zou moeten weten, dan zou je het me toch wel vertellen?'

Hij was blij dat hij de verleiding had weerstaan om te drinken. 'Volgens mij wordt het tijd dat we opstappen.' Hij stond op en stak haar zijn hand toe.

'O, kom op zeg, je bent toch niet boos op me?' Ze duwde de tafel naar achteren, die luidruchtig over de tegelvloer kraste. Ze stond op, een beetje wankel op haar benen.

'Ik ben niet boos op je, Poppy. En trouwens, ik heb dat briefje niet gezien. Ik heb geen flauw idee wat erin staat. Ik zou me maar geen zorgen maken. De politie houdt het heus wel stil.' Maar niet heus, dacht hij. Tegenwoordig was elke politieman die ook maar een beetje het zout in de pap waard was een lieveling van de pers. 'Kom,' hij pakte haar bij een arm, 'dan gaan we.'

Ze liepen de hal door. McLoughlin voelde dat Poppy niet meer zo vast op haar benen stond. Hij hield haar stevig beet toen ze door de draaideuren het drukke trottoir opliepen.

'Weet je,' zei hij, terwijl hij haar in de richting van Kildare Street leidde, 'toen wij het laatst over Marina hadden, oordeelde je heel hard over haar. Maar inmiddels komt ze mij eigenlijk niet zoveel anders voor dan de rest. Wat Mark betreft, bedoel ik.'

'Nee? Vind je?' vroeg Poppy met luide stem. 'Nou, volgens mij was zij de aanstichtster. Ik denk dat zij ermee is begonnen. Zonder Marina was dit allemaal niet gebeurd.' Ze maakte zich los uit zijn greep en keek hem aan. 'Zij heeft hun geleerd wat ze moesten doen. Zij heeft hun laten zien hoe ze hem pijn moesten doen. Als zij er niet was geweest, had mijn zusje nu nog geleefd. En Mark ook.' Ze deed een stap naar achteren en viel bijna van de stoep toen de naaldhakken van haar laarzen bezweken onder haar gewicht. Hij greep haar vast en hield haar overeind.

'Ik kan het wel alleen,' protesteerde ze. 'Ik heb geen hulp nodig.'

'Ja, tuurlijk. Kom op, deze kant op naar je kantoor.' Ze liepen snel verder. 'Ik vind het trouwens helemaal niet erg. Het komt niet vaak voor dat ik de kans krijg om op zo'n mooie dag een beetje door het centrum te zwerven. Ik kom graag in dit deel van de stad. De zetel van de regering en zo.'

'Ja, gezellig, hè?' Ze bleef even staan en leunde tegen een hekje. 'Mijn man en ik werken vijf minuten bij elkaar vandaan. Het kantoor van Rosies man is hier twee minuten vandaan. En weet je wie hier nog meer vlakbij werkt?' Er verscheen een overdreven glimlach op haar gezicht. Ze wachtte zijn antwoord niet af. 'De bekende raadsman Dominic de Paor, jawel, in hoogsteigen persoon. In een prachtig oud gebouw in Georgian-stijl dat toevallig eigendom is van de familie Porter. Is dat gezellig, of is dat gezellig?'

McLoughlin keek naar zijn notitieboekje. Ze had gelijk. Het was allemaal wel heel gezellig. Al die jaren na hun schooltijd op de Lodge en nog steeds waren ze niet bij elkaar weg te slaan. Het bezorgde hem een claustrofobisch en misselijk gevoel. Hij sloeg het boekje dicht en stak het weer in zijn zak. Toen knipte hij de lamp uit en liep de leeszaal uit, de brede trappen af en de zonneschijn in. Hij had Poppy gevraagd waarom ze aan het werk was. Het was immers nog maar een paar dagen geleden dat haar zus was overleden. Ze was nog niet eens begraven. Had ze geen tijd nodig om te rouwen?

'Rouwen? Wij rouwen niet. Niet in het openbaar. Wij nemen de formaliteiten in acht, en in Rosies geval zal dat een crematieplechtigheid in besloten kring worden. En intussen gaan we gewoon verder.' Haar gezicht was een masker van pijn. Het was niet moeilijk om medeleven te voelen met Poppy Atkinson, dacht hij, toen hij de straat overstak. Ook al had ze geen behoefte aan zijn medeleven. Daar was ze heel duidelijk in geweest.

Langzaam liep hij door Kildare Street, zo discreet mogelijk de koperen naambordjes naast de Georgian-deuren lezend. Even later vond hij de naam die hij zocht. Hij drukte op het knopje van de intercom en zag een klein cameraatje op zich gericht staan.

'Hallo?' antwoordde een vrouwenstem. 'Wat kan ik voor u doen?'

'Ik ben op zoek naar Dominic de Paor. Ik vroeg me af of ik hem even zou kunnen spreken.' Hij keek glimlachend in de camera.

'Hebt u een afspraak?' De stem klonk competent en verveeld.

'Nee, maar mijn naam is Michael McLoughlin. Ik ben een kennis van mevrouw Sally Spencer, en ik weet zeker dat meneer De Paor mij zal willen ontvangen.' Hij glimlachte nogmaals bemoedigend.

Hij wachtte. Er verstreken enkele ogenblikken. Toen klonk

opnieuw de stem: 'Het spijt me, maar meneer De Paor is niet beschikbaar.' Er volgde een luide klik.

'Hé.' McLoughlin drukte hard op het knopje. 'Hé, kan ik dan een afspraak maken om hem te spreken?'

Maar er kwam geen antwoord meer. Hij stak de straat weer over. Dominic de Paors kantoor bevond zich pal tegenover het National Museum. McLoughlin leunde tegen het hoge zwarte hek bij de ingang. Het was er druk, zoals altijd 's zomers. Er kwamen busladingen toeristen. Toen zijn mobieltje overging, ging hij een beetje achteraf staan. Het was Paul Brady.

'Hé, Paul, hoe is het?' Zijn stem klonk gelaten.

'Michael, ben je er helemaal klaar voor om morgenavond met het tij uit te varen?' Brady klonk opgewonden.

'Wat? Meen je dat nou? Ik dacht dat het nog weken zou gaan duren.' McLoughlin voelde zich opeens een beetje teleurgesteld.

'Vraag me niet de eigenaardigheden te ontleden van het leven dat sommige mensen leiden,' lachte Brady. 'Gisteren kreeg ik een belletje van de eigenaar. Ze hebben hun vakantieplannen omgegooid. De enkel van zijn vrouw is aan de beterende hand. Nu willen ze dwars door Frankrijk en Zwitserland rijden en uiteindelijk in Venetië uitkomen. En ze willen dat wij de boot naar de jachthaven brengen en daar op hen wachten. We hebben er tien dagen de tijd voor, dus we moeten zo snel mogelijk vertrekken. Ik ben al proviand aan het inslaan. Ik wilde alleen even weten of ik wat jou betreft nog rekening moet houden met bepaalde dieetvoorschriften.'

McLoughlin antwoordde niet meteen. Zijn aandacht was getrokken door een beweging achter de ramen op de tweede verdieping van het gebouw aan de overkant. Daar stond Dominic de Paor naar hem te kijken. 'Luister, Paul, ik zit met een probleem.' Hij begon langzaam weg te lopen van de drukke ingang. De Paor bewoog mee om hem in het vizier te houden. 'Ik heb op dit moment een baantje. Het spijt me echt, maar ik had niet verwacht dat dit tochtje er ooit echt van zou komen.'

'Shit, Michael.' Er klonk een smekende toon in Brady's stem. 'Je bezorgt me echt een groot probleem. Ik heb geen idee hoe ik zo snel aan iemand anders moet komen. Ik dacht dat je niet meer werkte. Dat je de tijd aan jezelf had.'

'Ja, dat is ook wel zo. Maar ik doe nu wat werk voor een vriend, en het is heel belangrijk dat ik dat afmaak.' Intussen bleef hij strak naar het raam kijken. De Paor was nergens te bekennen. 'Luister, het spijt me echt heel erg, Paul. Je kunt zeker niet nog een paar dagen wachten?' Hij liep weer terug naar de menigte, en op dat moment ging de deur van De Paors kantoor open en verscheen hij, met een woedende blik op zijn smalle gezicht, in de deuropening.

'Dat gaat niet lukken, Michael, dan hebben we gewoon niet genoeg tijd.' Er klonk ergernis in Brady's stem. 'Ik dacht dat ik duidelijk had gemaakt dat dit echt iets van het allerlaatste moment is.'

McLoughlin drong zichzelf tussen de toeristen. De menigte sloot zich om hem heen. 'Tja, ik stond een paar weken geleden al klaar om te gaan en het spijt me erg, maar ik kan er echt niets aan doen. Veel succes ermee.' Hij ging op zijn tenen staan en tuurde over de hoofden heen. De Paor stond nu op het trottoir en zocht de straat af. McLoughlin maakte zich zo klein mogelijk tussen de toeristen.

'Je gaat wat missen. We gaan ons prima vermaken. Ik zal je een kaartje sturen vanaf het San Marcoplein, oké?'

Iemand ging op McLoughlins voet staan en hij onderdrukte een kreet van pijn. '*Bon voyage,* Paul. Veel plezier.' Het schermpje werd donker. Shit. Weer een gemiste kans. En iedereen maar denken dat hij kon doen waar hij zelf zin in had.

Hij baande zich een weg door de menigte en keek achterom. De Paor stond nog steeds op de stoep, de straat in te turen. Toen haalde hij zijn telefoon uit zijn zak en toetste een nummer in. Toen hij klaar was voelde McLoughlin een trilling en hoorde hij een gedempte beltoon. Het was Marina's mobieltje. De naam stond op het scherm. 'Dominic,' stond er. Hij zag dat De Paor in de gaten had dat hij het mobieltje in zijn hand had, en opeens voelde hij zich kwetsbaar, bedreigd. Op het moment dat De Paor een stap in zijn richting zette, kwam er net een touringcar aanrijden, en er ontstond een chaotische situatie toen alle toeristen zich voor de bus verdrongen. McLoughlin zag zijn kans. Hij dook de straat achter de bus in en rende naar de overkant. Om niet de aandacht op zich te vestigen keek hij niet meer om. Hij zag het glazen portaal van het Buswell Hotel, rende met twee treden tegelijk naar boven en haastte zich de draaideuren door en de foyer in. Vergeleken met buiten was het hier rustig, koel en donker. Hij keek om het hoekje van de bar, die vrijwel verlaten was. Er zaten alleen een paar in sobere kostuums geklede mannen met een glas bier in hun hand en hun hoofden gebogen over de pagina's van de *Independent* met de paardenrennen. 'Een biertje, graag,' zei hij tegen de barkeeper.

'Een biertje?' Het accent was Pools. 'Wat voor biertje, meneer?'

'Guinness.' Waar was de tijd gebleven dat een biertje maar één ding kon betekenen?

'Komt eraan.'

Hij nam zijn glas mee naar een klein tafeltje in de hoek, ging zitten en nam een grote slok. Verrukkelijk. Hij leunde achterover in zijn stoel. Dit was vroeger een van zijn favoriete plekken om te lunchen. Een hamtosti en een biertje. Soms twee, afhankelijk van het gezelschap. De goeie ouwe tijd, dacht hij. Toen was drinken tijdens de lunch nog zo goed als verplicht. Tegenwoordig was het een en al mineraalwater en kopjes koffie wat de klok sloeg.

Hij schoof onrustig heen en weer op zijn stoel. Nóg een reden om niet meer zoveel bier te drinken, dacht hij, terwijl hij opstond en de foyer weer binnenliep, naar de trap die omlaagvoerde naar de kelder, waar de toiletten waren. Het was hier donker en koel na de felle zon buiten. Hij ging voor het urinoir staan en hield even later zijn handen onder de koude kraan. Een vuile afrolhanddoek lag op de grond. Hij haalde een zakdoek uit zijn zak, droogde zijn handen eraan af en opende de deur. Twee mannen stonden vóór hem op de trap. De grootste van de twee stak zijn hand uit en gaf McLoughlin een duw, zodat hij zijn evenwicht verloor en achteruitwankelde.

'Hé,' zei McLoughlin, 'wat is jouw probleem?'

De andere man kwam op hem af. McLoughlin rook sigaretten en zweet. De man legde zijn linkerhand op McLoughlins schouder, greep hem stevig vast en doorzocht toen met zijn rechterhand zijn zakken.

'Hé, waar denk jij verdomme dat je mee bezig bent?' McLoughlin probeerde zich los te trekken, maar de man was sterk. Hij voelde hoe de man zijn portefeuille uit zijn zak haalde, vervolgens zijn mobieltje en dat van Marina, om dat alles aan de andere man te geven. McLoughlin hoorde de telefoon overgaan en daarna de stem van de man. 'Ja, we hebben het. Oké. Geen probleem.' Hij zag Marina's telefoontje in zijn zak verdwijnen. Dat van McLoughlin gooide hij, samen met zijn portefeuille, op de grond. Toen greep hij McLoughlin bij de keel en kneep hem dicht.

'Oké, heb je alles? Laat die klootzak dan maar gaan,' zei de man achter hen op rustige toon.

'Laten gaan? Moet ik hem laten gaan?' De man glimlachte, en McLoughlin stampte keihard op zijn voet. De man schreeuwde het uit, liep rood aan en hief zijn arm op. McLoughlin zag een tatoeage vlak onder zijn pols. Een opgerolde slang, de bek wijd open, klaar om toe te slaan. Een vuist beukte in zijn gezicht – een verzengende pijn in zijn neus en jukbeen, de smaak van bloed op zijn tong en een tweede, nog hardere klap, die sterretjes voor zijn ogen deed verschijnen. Het bloed gonsde in zijn oren, gevolgd door een misselijkmakende duizeligheid en toen helemaal niets meer.

23

De slang kronkelde om de pols. De kaken wijd open. De giftanden ontbloot. De pijn in zijn hoofd, het bloed dat uit zijn neus stroomde en een metalige smaak achterliet op zijn tong. Hij zat op het harde plastic stoeltje op de afdeling Spoedeisende Hulp van het St. Vincent-ziekenhuis. Het was er een gekkenhuis. Er had een kettingbotsing plaatsgevonden op de M50 en er arriveerden nog steeds nieuwe ambulances met gewonden. Hij had helemaal niet naar het ziekenhuis gewild, maar de barkeeper die hem had gevonden en hem half overeind had gesjord, had al gebeld voordat hij er iets tegenin kon brengen. En toen hij Johnny Harris had gebeld, in de hoop dat die hem kon komen halen, had Johnny gezegd dat hij vooral moest blijven om een paar foto's te laten maken van zijn gezicht en zijn hoofd. Om er zeker van te zijn dat er geen grotere schade was aangericht dan een gebroken neus, twee blauwe ogen en een ernstig geval van gekrenkte trots.

Maar het was de slang die hem dwarszat. Hij had hem eerder gezien. Toen was hij onder de mouw van een wit overhemd vandaan gekomen, aan een arm die triomfantelijk in de lucht werd gestoken, met een uitdagend gebalde vuist. Poserend voor foto's voor de ingang van het Bijzondere Gerechtshof. Een warme zomerdag, vorig jaar. De man was aangeklaagd wegens samenzwering tot moord en het importeren van drugs die bedoeld waren voor de verkoop. Aangeklaagd op de getuigenverklaring van een verklikker. Schuldig bevonden en veroordeeld tot dertig jaar gevangenisstraf. Tot hij in hoger beroep was vrijgekomen. De verdediger had korte metten gemaakt met de bewijzen. En die verdediger was Dominic de Paor geweest.

McLoughlin schoof van zijn ene bil op de andere. Naarmate

de middag overging in de avond werd het stoeltje steeds harder. Zijn oogleden waren inmiddels zo gezwollen dat hij amper nog iets kon zien. Hij wist dat hij er verschrikkelijk uitzag, want iedereen die langsliep leek even ineen te krimpen. Hij had de barkeeper en de ambulancebroeders niet verteld wat er werkelijk was gebeurd; hij had gezegd dat hij op de bovenste trede van de trap was gestruikeld en helemaal naar beneden was gevallen. Het laatste waaraan hij nu behoefte had, was een jong agentje dat hem vervelende vragen kwam stellen. Hij had nu zelf vragen waarop hij een antwoord wilde en daarom wilde hij hier zo snel mogelijk weg.

Hij stond op. Zijn hoofd deed pijn en hij was misselijk. Hij wankelde, maar wist op de been te blijven en ging op weg naar de uitgang. Hij controleerde of hij zijn portefeuille weer in zijn zak had en pakte zijn mobieltje uit zijn zak. Hij moest twee mensen bellen. Hij toetste Tony Heffernans nummer in en wachtte. Klotevoicemail.

'Tony, luister. Gerry Leonard, weet je nog? Daar heb ik zojuist een aanvaring mee gehad. Was niet grappig. Kun jij wat spitwerk voor me doen? Ik wil zijn achtergrond, zijn geschiedenis, zijn hele hebben en houden. Wil je dat voor me doen? Alvast bedankt, Tony.'

Hij liep de deur uit en de zon in, leunde tegen een muur en toetste een ander nummer in.

'Ha, Johnny... Ja... Nee. Hoor eens, ik blijf hier niet langer zitten wachten. Het is hier een gekkenhuis. Ik heb geen idee wanneer ze eindelijk eens tijd voor mij hebben. Ik weet zeker dat ik niks heb gebroken, maar ik heb alleen iemand nodig om me een beetje op te lappen. Kan ik bij je langskomen? Dan kun jij er even naar kijken. Alsjeblieft Johnny, doe me een lol. Oké?'

Hij bleef even staan luisteren en liep toen heel langzaam en voorzichtig, met één hand zijn ribben vasthoudend, naar de hoofdstraat, op zoek naar een taxi.

Het was druk toen Margaret voor de stoplichten bij Connolly Station stond te wachten. Ze had de trein van Monkstown naar het centrum genomen. Het centrum was vergeven van de toeristen. Met opengeslagen stadsgidsen en plattegronden uitgespreid over hun knieën. Het was eb, en het bruine zand van Sandymound Strand leek zich uit te strekken tot aan de horizon. Heel in de verte gaf een enkel streepje blauw het terugtrekken van de zee aan.

Op Connolly Station zelf was het ook heel erg druk. Met behulp van haar ellebogen baande ze zich op de roltrap een weg naar beneden, naar straatniveau. Zo had Dublin er in haar herinnering niet uitgezien. Een eindeloze stroom voertuigen. In haar herinnering was het een veel rustiger stad, veel gemakkelijker om in rond te lopen. Met een bepaalde nonchalance ten opzichte van verkeerslichten. Altijd de mogelijkheid om even naar de overkant te rennen, omdat de auto's wel even voor je afremden. Maar dit was heel anders. Dit verkeer was gevaarlijk. Ze was zich zeer bewust van haar vlees en haar botten, van de huid onder haar kuitlange rok.

Het licht sprong op groen en het voetgangerssignaal liet zijn schrille gepiep horen. Ze haastte zich naar de overkant en liep verder richting North Circular Road. Ze begon steeds sneller te lopen, met haar tas onder haar arm geklemd. Zoveel veranderingen in de stad! Kleine winkeltjes met uithangborden in cyrillische letters. Gesluierde vrouwen met donkere kinderen in kleine groepjes voor een groentewinkel, waar grote bossen koriander, gladde, glanzende aubergines en puntige okra hoog opgestapeld lagen. Op Drumcondra Road moest ze alweer voor een stoplicht wachten. Nu was het niet ver meer naar de Mountjoy-gevangenis. Ze bevond zich al binnen de invloedssfeer van de gevangenis, samen met de anderen wier levens verbonden waren met die van al die mensen achter die hoge grijze muren. Ze zag ze overal. Over de trottoirs sjokkend, hun ogen dof, hun stemmen hard en klagend. Hun kinderen naast zich. Ze begon langzamer te lopen en bleef toen staan. De gevangenis bevond zich rechts van haar, aan het eind van een smalle afrit. Bij het metalen hek stond een grijze Portakabin. In de deuropening zat een gevangenismedewerker in uniform. Hij begroette de voorbijgangers met een mengeling van vertrouwdheid en nonchalante geringschatting, maar ze leken het niet eens te merken. Ze liepen met z'n allen over de smalle weg naar de hoge houten gevangenispoort. Margaret liep achter hen aan. Toen ze langs de Portakabin liep, zag ze dat de man naar haar keek. Hij glimlachte en kwam naar buiten.

'Kan ik u helpen?' vroeg hij op vriendelijke toon.

'Eh.' Ze zweeg even. 'De vrouwengevangenis. Kunt u me vertellen waar die is?'

Hij kwam wat dichter bij haar staan, en ze kon zijn aftershave ruiken. Een zware, weeïge geur. Hij wees naar het bakstenen gebouw aan de andere kant van de weg. 'De poort is helemaal aan het eind. Als u aanbelt, doet er wel iemand voor u open.'

Ze knikte en lachte stijfjes. 'Daarginds, bedoelt u?' Ze wees naar het hoge gebouw met de hoge, smalle ramen.

'Precies.' Hij ging weer in de deuropening staan. 'Veel plezier.'

Ze stak over naar het andere trottoir, dat langs de vrouwengevangenis liep. Ze zag wel ramen op de begane grond, maar de dikke perspex ruiten waren ondoorzichtig. Een eind verderop zag ze de ingang en een groepje luidruchtige meisjes. Ze bleef even staan om te kijken. De poort was van zwaar metaal. Om de paar minuten gleed hij, met een rommelend, knarsend geluid, langzaam open. De meisjes verdrongen zich om binnen te komen, en de poort gleed weer dicht en slokte hen op. Ze liep verder. Hiervandaan kon ze naar binnen kijken. Achter de poort bevond zich een armoedige ontvangsthal met vuil, afbladderend verfwerk. Een deur leidde naar een kantoor, en daarachter zag ze een matglazen deur die met metalen spijlen was verstevigd. Meer kon ze niet zien. Terwijl ze stond te kijken, ging de poort rammelend weer open en kwam er een geüniformeerde agent, ditmaal een vrouwelijke, naar buiten. 'Kan ik u helpen?' vroeg ze op koele, zakelijke toon. Margaret antwoordde niet. Ze begon snel weer de helling af te lopen, naar de grote weg. Het liefst was ze gaan rennen. Om het harde plaveisel door de zolen van haar sandalen heen te voelen, de zon op haar gezicht te voelen en haar longen vol te zuigen met zuurstof. Om het lawaai van het verkeer te horen en de mensen op straat te zien. Ze wilde weten dat ze vrij was. Dat ze kon gaan en staan waar ze wilde. Een bus kon pakken, een trein, of een taxi naar het vliegveld. Dat ze op een vliegtuig kon stappen. Kon verdwijnen. Terug naar het leven dat ze voor zichzelf had gecreëerd. Alles beter dan de plotselinge realiteit van de toekomst die haar wachtte. Een toekomst die ze zich had trachten voor te stellen toen ze wakker had gelegen, nachten achtereen, in het huis in Eumundi. Nachten waarin ze had getracht te bedenken hoe ze haar schuld moest inlossen. Hoe ze datgene wat ze had gedaan kon goedmaken.

McLoughlin zat met Johnny Harris op het balkon van Harris' gloednieuwe appartement aan de rivier. Ze keken naar de stad om hen heen. De lichtjes langs de rivier weerkaatsten in het iriserende water. Langs de Liffey-promenade zaten mensen aan tafeltjes. Harris trok een fles Prosecco open en ze dronken van de borrelende drank. Hij had McLoughlins wonden schoongemaakt met warm water en een desinfecterend middel en had een paar zwaluwstaartjes over de wondjes in zijn wenkbrauwen en oogleden geplakt. Hij had in zijn neus gekeken en hem met twee handen betast, maar was tot de conclusie gekomen dat er niets gebroken was.

'Waarschijnlijk zal de kleur van je huid de komende week of zo het een en ander te wensen overlaten en zal je gezicht nog een tijdje pijn doen, maar verder ben je er volgens mij genadig van afgekomen. Als de vent die jou in elkaar heeft geslagen degene is die jij denkt, dan is het een wonder dat ze in dat hotel op dit moment niet bezig zijn je hersenen van de muren en de vloer te schrapen.'

McLoughlin nam voorzichtige slokjes. De alcohol prikte in de wondjes in en rond zijn mond. Praten ging moeilijk, dus knikte hij alleen maar en probeerde te glimlachen. Ze zaten in gemoedelijk stilzwijgen te drinken en olijven te knabbelen tot de warme avond afkoelde. Toen verkasten ze naar binnen, naar het reusachtige open woonkamer/eetkamer/keukengedeelte, dat de hele bovenverdieping van Harris' maisonnette in beslag nam.

Zelfs McLoughlin, met zijn sceptische houding ten opzichte van moderne appartementen, moest toegeven dat hij onder de indruk was.

'Je hebt het druk gehad. Ik dacht dat je hier nog maar net was ingetrokken. Heb je dit allemaal in, wat, in drie weken gedaan? Ik wist niet dat je zo'n goede smaak had,' mompelde hij met getuite lippen. Hij wees naar de hardhouten vloeren, het roestvrijstalen fornuis en de met warme oranje en gele tinten beklede banken en stoelen.

Harris deed de enorme Amerikaanse koelkast dicht. De deur maakte een aangenaam solide geluid en McLoughlin werd eraan herinnerd dat zijn vriend zo ongeveer een expert was op het gebied van koelkasten. Ze maakten per slot van rekening een belangrijk deel uit van zijn werkdag.

Hij zette een nieuwe fles op de lage, glazen tafel en ging zitten. 'Modelappartement. Ik heb het volledig ingericht gekocht, het hele zooitje.' Hij ontkurkte de fles en rook er tevreden aan. 'God zij dank ruikt het niet naar formaldehyde. Een dag op mijn werk kan behoorlijk stinken.' Hij schonk in en gebaarde naar McLoughlin hetzelfde te doen zodra zijn glas leeg was. 'Eerlijk gezegd geloof ik zelfs dat die zelfmoorddame van jou deze inrichting heeft verzorgd. Dat heeft ze goed gedaan.'

McLoughlin pakte zijn glas en stond op. Hij liep de enorme ruimte rond, bekeek de schilderijen aan de muren, de vazen op het dressoir, de potplanten op het balkon. Toen liep hij naar de trap.

'Ga je gang, Michael.' Harris keek hem glimlachend aan. 'Het lijkt me hoe dan ook verstandig dat je vannacht hier blijft, dus kies maar een kamer uit. Er zijn er drie. De rommeligste is van mij. En er zijn twee badkamers, dus kies maar uit.'

Beneden was het al even mooi als boven. De slaapkamers waren ruim. Twee ervan hadden een eigen balkon. De badkamers waren luxueus. In een ervan stond een prachtige vrijstaande badkuip. Kranen die wel iets weg hadden van moderne sculpturen glansden hem tegemoet. Hierbij vergeleken leek zijn badkamer thuis, met het lichtgroene sanitair en gehavende linoleum, iets uit de derde wereld. Hij liep de grootste logeerkamer in en ging op het bed zitten. Hij voelde zich opeens doodmoe, ging in de kussens liggen, deed zijn ogen dicht en viel heel even in slaap. Toen schrok hij wakker. Zijn hart ging als een bezetene tekeer en het zweet droop van zijn voorhoofd en prikte gemeen in de wondjes rond zijn ogen. Hij deed ze open, en weer dicht, en weer open. Hij staarde omhoog naar het plafond en zag dat het slecht geschilderd was. Ze hadden bezuinigd op de deklaag. Dat zou je verdomme altijd zien. Onder het wit was een donkere vorm zichtbaar. Een veeg in een andere kleur. Rood, of zwart misschien. Hij bleef omhoogstaren en probeerde te verzinnen wat het kon zijn. Terwijl hij het wandlampje draaide om het beter te kunnen zien, kwam Harris binnenlopen.

'O, ben je hier gebleven? Ik begon me al zorgen te maken. Dacht dat je misschien toch een hersenschudding had opgelopen.' Hij liep naar het raam en trok de gordijnen dicht. 'Hoe ligt het bed?'

'Heel comfortabel, dank je.' McLoughlin schoof een eindje op. 'Hier, kom eens liggen en kijk eens omhoog.'

'Wat? Een uitnodiging? Ik dacht dat je het nooit zou vragen.' Harris grinnikte en deed alsof hij op het punt stond naast hem in bed te springen.

'Hou op, Johnny,' zei McLoughlin. 'Kijk nu eens naar het plafond. Wat zie je daar?'

'O, dat.' Harris keek omhoog. 'Dat overschilderen hebben ze niet zo netjes gedaan, hè?'

'Wát hebben ze overgeschilderd?'

'Rond de tijd dat ik het appartement kocht is er ingebroken. Vandalisme. Ondanks het nieuwe gebouw en het feit dat de buurt heel trendy wordt, is dit nog steeds een beetje een ruige wijk Ze dachten dat de daders waarschijnlijk opgeschoten jongelui waren uit die oude flats een eindje verderop.'

'Wat hadden ze precies gedaan?' McLoughlin leunde op zijn ellebogen.

'Er was op alle muren geschreven. Hier, en ook boven in de woonkamer. De makelaar zei dat het meteen verholpen zou worden en dat gebeurde inderdaad heel snel. Maar wie het ook heeft gedaan, er was rode verf gebruikt, dus het viel niet mee dat dekkend over te schilderen.'

'En je weet niet wát ze hadden geschreven?'

'Nee, ik heb het zelf niet gezien. Ik kreeg een verontschuldigend telefoontje. Ze hebben zelfs een paar honderd piek van de prijs afgedaan vanwege het ongemak, zoals ze het zelf noemden.' Harris ging zitten. 'Ik zat er niet mee. Ze beloofden dat ze extra veiligheidsmaatregelen zouden nemen en dat hebben ze gedaan, dus ik vind het best. Maar wat ik je eigenlijk kwam vertellen is dat Tony Heffernan heeft gebeld. Hij heeft nieuws voor je over de knaap die je te grazen heeft genomen. Hij komt over een halfuurtje even langs, dus kom je nest uit. En gauw een beetje.' Hij zwaaide zijn benen van het bed. 'Jij zit vol verrassingen, Michael. Ik heb nooit geweten dat je zo'n populaire knaap bent. Je mobieltje piept onafgebroken. Wees maar niet bang,' zei hij, met een opgeheven vinger voor McLoughlins gezicht, 'ik heb je berichten niet gelezen. Ik zou het niet dúrven. En nu zou ik maar opstaan als ik jou was. Straks staat Tony voor de deur.'

Tony Heffernan arriveerde met een plastic tas vol dossiermappen. Hij kiepte de tas leeg op de salontafel. 'Vraag me niet hoe ik hieraan kom,' zei hij, met een rood, bezweet gezicht. 'Schenk wat voor me in, Johnny, snel.' Hij legde uit dat hij een beroep had gedaan op mensen die hij jaren geleden een dienst had bewezen. En het moest allemaal vóór morgen weer terug zijn. 'Anders zit ik zwaar in de nesten. Maar goed, neem het maar eens door. Je had gelijk over die slangenman. En waarschijnlijk herken je de man die bij hem was ook wel.'

McLoughlin begon te bladeren. Gerry Leonard, geboren op 19 juli 1968. Opgegroeid in Fatima Mansions in Rialto. Jongste van zes kinderen. Zijn veroordelingen gingen een heel eind terug – diefstalletjes, joyriding, openbare geweldpleging – tot eind jaren tachtig. Toen begon zijn naam te verschijnen in gezelschap van een aantal bekende criminelen. Kerels die containerladingen heroïne het land binnensmokkelden. Die de straten en de arbeiderswijken overspoelden met de drug. Leonard werd een aantal keren gearresteerd en verhoord, maar de politie kon hem nooit vasthouden. Er was nooit voldoende bewijs. Dus zocht de politie een informant. Ze zetten een programma op ter bescherming van getuigen en ene Martin Kennedy was hun eerste lokaas. De vangst was indrukwekkend. Ze konden Gerry Leonard en al zijn kameraden inrekenen. McLoughlin bekeek de foto's. 'Ja, dat is 'm. En dat is die andere klootzak, Peter Feeney. Hij fungeerde als rugdekking.' Hij tikte met zijn vinger op de foto.

Peter Feeney, Gerry Leonard en Shane Ward hadden terechtgestaan voor drugshandel. Voor alle zekerheid had de openbare aanklager er nog een paar extra aanklachten aan toegevoegd. Het probleem was echter dat Martin Kennedy niet helemaal spoorde. McLoughlin herinnerde zich nog goed hoe pijnlijk het was geweest om hem al stotterend door zijn getuigenverklaring te zien worstelen. De man zat zó zwaar onder de tranquillizers dat hij amper op zijn benen kon staan en zich nauwelijks zijn eigen naam kon herinneren. Hij was zó bang dat hij bij het geluid van een dichtslaande deur lijkbleek was weggetrokken en stond te trillen op zijn benen. Toch was zijn verklaring overtuigend. Leonard en Ward waren beiden veroordeeld tot dertig jaar cel. Feeney, die duidelijk een ondergeschikte rol had gespeeld, werd vrijgesproken. Maar vorig jaar had Leonard beroep aangetekend. Zijn advocaat, Dominic de Paor, had korte metten gemaakt met de argumenten van de openbaar aanklager. En Leonard was op vrije voeten gesteld.

'Wat heeft hij sinds zijn vrijlating gedaan?' vroeg McLoughlin aan Heffernan. 'Iets interessants?'

'Voor zover wij weten, helemaal niets. Hij heeft een paar maanden in Spanje gezeten. Maar hij heeft zijn handen nergens meer aan vuil gemaakt. Hoewel je er zeker van kunt zijn dat hij nog een belangrijk aandeel heeft in de handel in drugs in de binnenstad.'

McLoughlin bladerde door de stapel papieren. Leonards carrière was een microkosmos van de manier waarop de misdaad en de misdadigers in Dublin de afgelopen twintig jaar waren veranderd. Hij zocht nog even terug naar zijn eerste vergrijp.

'Hé,' riep McLoughlin opgewonden uit. '"Ondervraagd op de negenentwintigste juni 1988 op bureau Bray Garda. Verdachte is verhoord in verband met het zonder toestemming van de eigenaar meenemen van een speedboot op Lough Dubh. Verdachte was in gezelschap van drie andere mannen, Shane Ward, Peter Feeney en Lawrence O'Toole. Allen zijn verhoord, maar niet in staat van beschuldiging gesteld."' Hij nam een slok uit zijn glas. 'Dat is wel erg toevallig. Jullie weten wat dat betekent, hè?'

Harris en Heffernan keken hem nietszeggend aan.

'Het betekent dat Gerry Leonard een van de jongens was die indirect verantwoordelijk waren voor de dood van James de Paor. Ze hebben die speedboot van de aanlegsteiger gestolen. Het kwam door hen dat James en Marina het water opgingen met dat zeilbootje en dat James vervolgens verdronk.' Hij legde het dossier op de stapel en leunde naar achteren. 'En bijna twintig jaar later krijgt James' zoon hem uit de gevangenis.'

'Denk je dat hij het wist?' Heffernan veegde zijn handen af aan een schone witte zakdoek.

'Misschien, misschien ook niet. Zo vader, zo zoon. Het was het soort zaak waarin James gespecialiseerd was. Controversieel, opvallend, bijzonder goed betaald.' McLoughlin gebaarde naar Harris dat hij nog wel een glaasje lustte.

'Ja.' Hij pakte de fles. 'Hoeveel per dag? Een paar duizend?'

'Op z'n minst.' McLoughlin bedankte hem met een knikje. 'Op z'n minst.'

Ze zaten een tijdje peinzend voor zich uit te kijken.

'Ongelooflijk, hè?' Heffernan leunde naar achteren en strekte zijn benen voor zich uit. 'Gratis juridische bijstand, bedoeld om fatsoenlijke armen te helpen. Maar het heeft al die slimme jongens miljonair gemaakt. Het is niet eerlijk.' Hij kwam zuchtend overeind. 'O, Michael, ik wilde je nog iets vertellen. Je vroeg me naar Helena de Paor, en wat Janet over haar wist.'

'Ja.' McLoughlin keek hoe de luchtbelletjes in zijn glas naar boven dreven.

'Dat is een raar type. Zij en James hadden een dochtertje dat is overleden. Er werd verondersteld dat het wiegendood was, maar volgens Janet hadden de artsen een vermoeden dat het wellicht geen natuurlijke doodsoorzaak is geweest. James was niet overtuigd. Hij kon zich niet voorstellen dat ze zoiets zou doen. Hoe dan ook, het uiteindelijke resultaat was dat ze werd opgenomen in een inrichting. Ze leed aan waanvoorstellingen en hallucinaties. Ze hoorde stemmen, dat soort dingen. James nam haar in bescherming. En ook al waren ze uit elkaar, hij bleef toch voor haar zorgen.' Heffernan spreidde zijn armen. 'Maar Helena de Paor, dat moet ook gezegd worden, was net zo intelligent als ze gestoord was.' Hij sloeg zijn benen over elkaar.

'Ja,' viel McLoughlin hem in de rede,' ik heb alles over die rechtszaak gehoord. Maar hoe zit het eigenlijk, is ze nu nog steeds ziek?'

Heffernan haalde zijn schouders op. 'Voor zover iedereen weet, is ze uit de inrichting ontslagen Maar dat is omdat haar zoon voor haar zorgt.'

'Dominic?'

'Ja, de enige echte. Volgens Janet is daar zo'n Mr. Rochester-en-de-krankzinnige-echtgenote-op-zolder-situatie gaande. Kennelijk heeft hij haar ergens opgeborgen op een landgoed in Wicklow. Hij is dol op haar. Als hij er niet was geweest, had ze nu nog steeds in Grangegorman gezeten en was ze daar nooit van d'r leven meer uitgekomen.'

McLoughlin lag in bed en staarde naar het plafond. Hij dacht aan de e-mail die Tom Spencer hem had gestuurd. Volgens hem had de speedboot aan de overkant van het meer gelegen. Hij had niets over de inzittenden gezegd. Wel had hij aangegeven waar alle anderen zich bevonden. McLoughlin haalde zich zijn geschetste plattegrondje voor de geest. Sally en Vanessa op het strand. Dominic de Paor en zijn vrienden in het bos. Marina en James in het zeilbootje. En Gerry Leonard, Shane Ward, Peter Feeney en Lawrence O'Toole in de speedboot. Hij draaide zich op zijn zij. En toen weer op zijn rug. Hij ging zitten, knipte het leeslampje aan en draaide het naar het plafond. Hij zag de vormen onder de witte verflaag. Lussen en krullen van letters, misschien. Hij stond op, liep naar het raam en deed het open en keek omlaag op de centrale binnenplaats van het appartementencomplex. Het terrein was mooi aangelegd, geplaveid met zandstenen flagstones en een grote, ronde vijver in het midden. Een fontein liet een lieflijk geklater horen. Hij hoorde de hoge metalen hekken openschuiven om bewoners binnen te laten. Het was hier erg veilig, dacht hij. Vierentwintig uur per dag bewaking. Geen kans op ongewenste bezoekjes van de buitenwereld.

Hij draaide zich om van het raam en begon zich aan te kleden. Toen liep hij stilletjes de gang op, langs Harris' slaapkamer en de trap op naar de woonkamer. Daar nam hij de sleutels van het haakje bij de deur en liet zichzelf uit. De lift was snel en geruisloos, en hij liep de foyer in. De vloeren waren van marmer en de muren waren in een matte okertint geschilderd. Het enige licht kwam vanachter de langwerpige balie, waaraan een bewaker zat. Toen McLoughlin naar hem toe liep, vroeg hij: 'Kan ik iets voor u doen, meneer?'

Hij sprak met een zwaar accent. Russisch, dacht McLoughlin. Hij liet zijn legitimatie zien. 'Ik ben op zoek naar informatie over een incident dat hier een paar maanden geleden heeft plaatsgevonden. Iemand is toen binnengedrongen in het modelappartement en heeft alle muren beklad. Ik vroeg me af of u me daar iets over zou kunnen vertellen.' De bewaker keek verveeld. Hij gaf geen antwoord.

'Ik voer een onderzoek uit naar een zelfmoord die enkele maanden geleden is gepleegd. Misschien hebt u de dode vrouw gekend. Marina Spencer? Die heeft hier de inrichting ontworpen. We hebben reden om aan te nemen dat de omstandigheden rond haar dood anders waren dan ze leken.' Hij leunde met zijn ellebogen op de balie.

'Jazeker, Marina, ik ken haar goed. Zij heel aardige vrouw. Heel verdrietig toen ze stierf.' De bewaker wees op McLoughlins gehavende gezicht. 'U beetje problemen?'

'Ik ben tegen een glazen deur aan gelopen. Had niet in de gaten dat hij niet openstond. Je weet hoe die dingen gaan,' zei McLoughlin tegen hem. 'Maar om nog even terug te komen op waar we het over hadden, ik zou graag willen weten wat er op de muren van het appartement geschreven stond.'

De bewaker trok een lade open, zocht even en legde toen een aantal computerprints op de balie. 'Deze. U zoeken deze?'

McLoughlin pakte ze op. Op de muren en het plafond stonden in enorme rode letters de woorden 'Ik zag jou' geschreven.

'Wie had het gedaan? Zijn jullie daar ooit achter gekomen?' Hij tikte met zijn vinger op de afbeeldingen.

De bewaker haalde zijn schouders op. 'De projectontwikkelaar, hij wilde geen problemen, geen gedoe. Hij niet bellen de politie of zo.'

'Maar,' McLoughlin keek naar het plafond en de camera die daar hing en op hen gericht was, 'jullie hebben hier cameratoezicht, en ik neem aan dat er een bij elke in- en uitgang hangt. Hebben jullie die niet gecontroleerd?'

'Jawel,' zei de bewaker. 'Dat hebben we gedaan. Wij niet gezien het schrijven op de muren. Wij zien paar mannen gebouw binnenkomen. Hier, als u wilt zien.' Hij stond op, pakte een grote sleutelbos en maakte een kast open die achter hem verborgen zat in een gedecoreerd wandpaneel. In de kast zag McLoughlin een hele rij monitoren en een serie dvd-spelers. De bewaker stond alweer in een andere la te rommelen.

'Mijn baas hij is kwaad. Hij zegt wij moeten hiermee ophouden. Hij bekijkt de schijfjes. Hij ziet de man die hij denkt heeft ingebroken. Hij vertelt ontwikkelaar. Die zegt hij heeft geen belangstelling. Wilt u binnenkomen? Ik laat u zien.'

McLoughlin wurmde zich om de balie heen de kleine ruimte in. De bewaker haalde een dvd-schijfje uit een hoesje en schoof het in een van de apparaten. Toen pakte hij een afstandsbediening en drukte op een knopje.

McLoughlin zag het beeld op de monitor verschijnen. De bewaker spoelde een eindje door, stopte toen en drukte op PLAY. Gerry Leonard en Peter Feeney kwamen door de voordeur binnengelopen. Ze liepen meteen door naar de lift. 'En niemand hield ze tegen?'

'Ze zeggen ze werken voor bureau die appartementen verkoopt. Ze gaan naar boven.' De bewaker drukte op EJECT, pakte een ander dvd'tje en speelde ook dat af. 'Kijk, hier, camera in gang van penthouse. Ziet u?'

McLoughlin zag het inderdaad. Hij zag Leonard zijn mouwen opstropen en zag de slangentatoeage, het blik verf en de kwast. Hij zag de deur naar het modelappartement opengaan en vervolgens weer achter hem dichtgaan.

'Dit is geweldig, bedankt.' McLoughlin stak zijn hand in zijn zak, pakte zijn portefeuille en haalde er een biljet van vijftig euro uit. 'Bedankt,' zei hij nogmaals, terwijl hij het bankbiljet in het borstzakje van de bewaker liet glijden en de schijfjes uit zijn hand nam. 'Ik zal er goed voor zorgen. Maak je maar geen zorgen.'

De bewaker grijnsde. Zijn tanden glinsterden metaalachtig. 'Geen probleem. Ik vind Marina aardig. Zij heel aardige dame. Ik heel erg verdrietig toen zij doodgaan. Denkt u dat schilderen heeft met haar te maken?'

'Misschien. *Spasiba bolshoi.*' McLoughlin stak zijn hand uit.

'U ook erg bedankt. Graag gedaan. *Perzhalsta.*' De bewaker schudde hem geestdriftig de hand. '*Spackoyny noitch.*'

'Jij ook nog een goede nacht.'

McLoughlin stapte in de lift en drukte op het knopje voor het penthouse. Hij leunde tegen de koele marmeren wand en deed zijn ogen dicht terwijl de lift snel omhoogging. 'Ik zag jou' op de muren gekalkt. 'Ik zag jou' in haar telefoon gefluisterd. 'Ik zag jou' op de achterkant van de foto's geschreven. De lift kwam tot stilstand en de deuren gleden open. Hij liep de gang in, haalde de sleutels uit zijn zak, deed de deur open en liep de woonkamer in. Hij ging aan Harris' computer zitten en raakte het toetsenbord aan. Hij schoof het dvd-schijfje van de camera in de foyer in de gleuf en zocht tot hij Gerry Leonard zag. Hij zag hem met de bewaker achter de balie praten en op de lift wachten. Hij spoelde vooruit. Er kwam een vrouw de foyer in. Ze was slank en donker, en droeg een zomerjurkje. Ze zwaaide in het voorbijgaan naar de bewaker en zei iets tegen hem. Ze stak haar hand in een grote rieten mand en haalde er een watermeloen uit. Ze gooide hem de vrucht toe en hij ving hem op. Ze lachte, en hij lachte terug. McLoughlin haalde het schijfje eruit en stopte het andere erin, van de gang van het penthouse. Hij zag Leonard het appartement binnengaan. Toen spoelde hij door naar Marina. Ze stapte uit de lift, duwde de deur open en ging naar binnen. Hij keek en wachtte. Vijf minuten later kwam ze weer naar buiten en hield haar mobieltje aan haar oor. Ze zag er geschrokken en bang uit, en drukte op het liftknopje. Toen stopte ze haar mobieltje weer weg, draaide bij de lift vandaan, duwde de deur naar de trap open en verdween.

Hij spoelde weer terug. Hij wilde haar nog een keer zien. Haar nog een keer tot leven brengen op het computerbeeldscherm. De liftdeuren gingen open. Er kwamen werklieden naar buiten. Schilders, behangers, mannen in driedelige kostuums met brochures en aktetassen. De liftdeuren gingen weer open en Marina kwam naar buiten. Maar ditmaal was ze niet alleen. De camera liet een lange man met donker haar zien. Zijn schouders waren breed en zijn gelaatstrekken karakteristiek. Hij draaide zich om naar de camera en legde een hand op haar schouder. Ze keek lachend naar hem op. Die brede, gulle lach. Dominic de Paor opende de deur naar het appartement, liet haar voorgaan en volgde haar toen. De deur viel achter hen dicht.

McLoughlin staarde naar het computerscherm en speelde de scène nog een keer af. Hij keek hoe ze uit de lift kwamen en in de gang stonden. Hij controleerde de datum. Het was twee dagen voor het rode-verfincident. Hij wisselde de dvd's weer om en zag haar de foyer binnenkomen. In het voorbijgaan zwaaide ze naar de bewaker. Ze was alleen. Ze bleef even staan om naar een grote plant in een enorme terracotta pot te kijken. De Paor kwam binnen door de automatische deuren en keek haar niet aan. Ze stonden samen op de lift te wachten, maar ze zeiden niets tegen elkaar. Ze keken elkaar zelfs niet aan. Ze stapten in de lift en de deuren gingen dicht. McLoughlin pakte nu weer de andere dvd. De liftdeuren gingen open en Marina stapte naar buiten. De Paor legde zijn hand op haar schouder. Ze lachte naar hem en maakte de deur open. Hij deed een stapje terug en toen ging ze naar binnen. Hij volgde haar en de deur viel achter hen dicht.

'Waar was je mee bezig, Marina?' fluisterde hij.

En hij hoorde haar stem. 'Help, help me alsjeblieft.'

En hij dacht weer aan wat Poppy had gezegd. Over Mark Porter en Dominic de Paor. Dat Porter altijd op kwam draven met bloemen en cadeaus. En dat Porter, wanneer De Paor op een vrouw was uitgekeken, de restjes mocht hebben.

Zijn mobieltje ging over, en hij haalde hem uit zijn jas. Hij keek op het schermpje. Het was het plaatselijke politiebureau.

'Inspecteur McLoughlin,' de stem was jong, vrouwelijk, 'u spreekt met bureau Stepaside. Ik wilde u even laten weten dat uw huisalarm is geactiveerd. We hebben de procedure gevolgd en uw vaste telefoon gebeld, maar er werd niet opgenomen. Waar bevindt u zich nu?'

'Ik ben in de stad. Ik ga meteen naar huis.' Hij drukte op EJECT en de dvd gleed uit de computer.

'We hebben hier het nummer van uw sleuteladres ter plaatse. Zal ik dat bellen?' De stem klonk heel rustig.

'Nee, laat maar. Ik ben over een halfuurtje thuis.' Hij stak beide dvd-schijfjes in zijn zak. 'Het zal wel vals alarm zijn. Bedankt.'

Hij moest Johnny wakker maken. Zijn auto lenen. Zijn eigen wagen stond nog waar hij die vanmiddag had achtergelaten.

'Prima, maar intussen is er een wagen van Stepaside onderweg. Ik laat het u weten als er zich problemen voordoen. Goed?'

'Ja, prima. Ik kom zo snel mogelijk. Bedankt.'

Hij liet zijn blik door de kamer glijden. Die zag er nog hetzelfde uit als eerst. Vrolijk, fris, gastvrij. Hij haastte zich de trap af, Harris' slaapkamer in. Hij lag op zijn buik, met zijn armen en benen wijd gespreid op het bed.

'Johnny.' Hij schudde aan zijn schouder. 'Johnny, wakker worden. We hebben een probleem. Je moet me helpen.'

24

De bus liet het meisje uitstappen bij de bocht naar Sally Gap. De chauffeur keek nog hoe ze de weg overstak en de heuvel op begon te lopen. Het was de derde keer deze week dat ze met hem mee was gereden. Een mooi meisje, dacht hij, met haar glanzende bruine haar, dat rode sjaaltje om haar hoofd, de lange, gedessineerde rok en haar sandalen. Ze deed hem aan de meisje denken dat hij had gekend toen hij jong was, ergens in de jaren zestig. Hippiemeisjes die net zo roken als dit meisje, naar dat Indiase parfum – patchouli, heette het – en klompschoenen of sandalen droegen, met een leren enkelbandje. Hij had haar gewaarschuwd dat ze voorzichtig moest zijn op die bergweg. 'Je weet maar nooit,' zei hij, terwijl hij de bus langzaam tot stilstand bracht. 'Van niemand een lift aannemen, hoor.'

Maar ze had lachend haar hoofd geschud, zodat haar zilveren oorbellen rinkelden, en nog even naar hem gezwaaid toen ze naar de overkant van de weg liep. Hij wachtte tot ze om de eerste bocht was verdwenen en reed toen langzaam verder richting Roundwood. Zelf zou hij zijn dochters hier niet in hun eentje laten rondlopen, dacht hij.

Vanessa hoorde de bus wegrijden. Ze keek niet achterom. Malle man, dacht ze, met al zijn waarschuwingen over de verschrikkelijke dingen die haar konden overkomen op de weg naar Sally Gap. Hij wist niet hoezeer ze bofte. Hij wist niet dat zij geen domme, avontuurlijke dingen deed. Hij wist niet dat ze naar huis ging, terug naar Lake House, dat ze deel uitmaakte van de familie die dat huis in haar bezit had en dat het over drie dagen, wanneer ze achttien werd, voor een deel van haar zou zijn. Voor altijd en eeuwig.

Ze zocht in haar tas naar haar iPod en stopte de dopjes in haar oren. Helena had haar operamuziek laten horen. Gezongen door iemand die Maria Callas heette. Ze had haar verteld over 'La Callas', zoals zij haar noemde. Dat ze was opgegroeid in een arm gezin in Athene. Dat ze een stem had die mannen tot tranen toe had ontroerd. Dat ze verliefd was geweest op Onassis, een kleine, lelijke man, maar een man met macht en invloed die haar vervulde met hartstocht en verlangen. Maar hij had haar in de steek gelaten, verlaten voor Jackie Kennedy, een bleke, bloedeloze vrouw, zei Helena, met wie hij was getrouwd voor de show en om respect af te dwingen van de buitenwereld. Terwijl ze snel over de smalle weg liep, vulde Callas' stem haar hele hoofd. Helena had haar de oude grammofoonplaten laten zien die ze had verzameld. Een enorme stapel. De hoezen waren prachtig om te zien. Net als Callas zelf. Helena had haar foto voor haar gezicht gehouden en hem gekust. 'Moet je zien,' zei ze, 'vind je niet dat er een gelijkenis is tussen ons?'

En Vanessa had het beaamd. Het gitzwarte haar rond het witte gezicht met de hoge jukbeenderen, de krachtige neus en de zwarte eyeliner rond de ogen.

Ze bleef even staan om op adem te komen en sprong in de schaduw toen er een konvooi legertrucks voorbij denderde. Je zag hier altijd soldaten. Ze had er nog nooit zoveel gezien. Ze zwaaiden en lachten naar haar en zij zwaaide en lachte terug. Toen ging ze weer in de zon staan, om even van het uitzicht te genieten. De weg, die zich aan één kant van de berg ontrolde als een smal, donker lint, terwijl aan de andere kant nog net de diepe vallei zichtbaar was, en het meer, dat erbij lag als een antieke spiegel, zoals ze er een in Lake House had zien liggen, het zilverachtige glas onregelmatig en vlekkerig, zodat de weerspiegeling net niet helemaal perfect was. Ze was nog te ver ervan verwijderd om het huis al te kunnen zien. Het lag diep verscholen in de vallei, maar ze zag wel de toppen van de bomen die het huis omringden. In gedachten zag ze het al voor zich. De voordeur wijd open om haar te verwelkomen. En Helena die in de keuken scones stond te bakken, de hond slapend in een hoekje bij het Aga-fornuis. De hond, die haar niet langer zoveel angst inboezemde, die niet blafte maar opstond en met zijn lange staart kwispelde, zijn roze met zwarte bek opende en naar haar toe kwam om aan haar rok te snuffelen en zijn kop op haar been te leggen, zijn grote, gelige ogen vochtig en glanzend als klaverhoning. Terwijl ze zo stil stond als een standbeeld, haar hart bonkend in haar borst, en zich vervolgens bukte om hem te aaien.

Ze liep weer verder. Ze kon bijna niet wachten tot ze er was, want ze wilde geen seconde verspillen van de tijd die ze met Helena zou doorbrengen. Helena was zo interessant. Ze wist zoveel. Over kunst en boeken, over muziek en antiek, over geschiedenis en archeologie. Het was geweldig om bij haar te zijn. Ze had het vermogen al haar kennis tot leven te laten komen. Ze kon beschrijven hoe het landschap rond het meer was ontstaan en wist dat veel levendiger en realistischer te maken dan alle speciale computeranimaties in televisieprogramma's over dinosauriërs bij elkaar. Ze was ontzagwekkend. In de letterlijke zin van het woord.

Even later zag Vanessa in de verte het hek al. Ze bleef even staan om een flesje water uit haar tas te halen, draaide de dop eraf en dronk gulzig, waarna ze de helling opliep naar het druktoetsenpaneel naast het hek. Ze tikte de code in, het hek zwaaide open en ze ging naar binnen. Ze liep over het drukpaneel aan de andere kant en wachtte tot het hek zich weer zou sluiten. Ze kon het nog steeds amper geloven. Helena had haar de code gegeven.

Die dag, nog maar kortgeleden, de eerste keer dat ze elkaar hadden ontmoet, had Vanessa over de pier gewandeld. Ze liep te dagdromen en deed haar best om niet aan haar moeder en Marina te denken en aan het verdriet dat als een reusachtige zwarte sluier over het huis hing. Toen had ze de lange, donkere vrouw gezien met de enorme hond. De hond, die naast haar had gelopen, heel kalm, heel rustig, volkomen op zijn gemak. En de vrouw had haar laten zien dat de hond haar niets zou doen. Ze had haar een veilig gevoel gegeven, machtig zelfs. Ze hadden samen over de pier gewandeld. En toen het moment was aangebroken om afscheid te nemen, had de vrouw haar verteld dat ze wist hoe ze heette, dat ze wist wie ze was. En dat ze haar vriendin wilde zijn.

'Ik weet niet wat je over mij hebt gehoord.' De vrouw had haar hand vastgepakt. 'De verschrikkelijkste dingen waarschijnlijk. Maar het leven is te kort om wrok te koesteren. Nog even en we zullen buren zijn. Ja toch? Straks ga jij Dove Cottage erven. Dus, kom gerust eens bij me langs. Het is niet zo ver. Er rijdt een bus die je tot heel dicht bij het landgoed brengt.' Ze had stevig in haar hand geknepen. 'Je bent sinds je een baby was nooit meer in Lake House geweest, hè? Nou, dan wordt het hoog tijd om daar wat aan te doen. Je bent James' dochter. Ik hoef je alleen maar aan te kijken om dat te kunnen zien. Je doet me heel erg aan mijn zoon Dominic denken toen hij zo oud was als jij nu. En als mijn dochter nog had geleefd, weet ik zeker dat zij ook op jou had geleken. Dus maak een oude vrouw gelukkig en kom een keer bij me langs.'

'Uw dochter? Ik wist niet dat u een dochter had,' zei Vanessa. 'Wat is er met haar gebeurd?'

De vrouw gaf geen antwoord.

'Sorry.' Vanessa kromp ineen. 'Dat had ik niet moeten vragen. Mijn moeder zegt altijd dat ik eerst moet nadenken voordat ik iets zeg. Sorry, dat gaat mij niets aan.'

'Jawel, het gaat je wel aan,' zei de vrouw. 'Per slot van rekening was mijn dochter jouw halfzusje.' Het bleef een ogenblik stil. 'Het was wat ze wiegendood noemen. Ze was zes maanden. Ze was gezond, sterk, mooi. Op een ochtend ging ik haar kamertje binnen en dacht dat ze nog lag te slapen. Opeens zag ik dat ze heel erg bleek was. Toen ik haar wangetje aanraakte was ze helemaal koud. Ik pakte haar op en haar lijfje was wit en stijf. Net een harde plastic pop. Volgens de dokter was ze vlak nadat ik haar naar bed had gebracht gestorven.'

De hond leunde tegen het been van de vrouw. Hij jankte.

'Dus jij bent Helena – klopt dat?' Vanessa probeerde kalm te klinken.

Helena glimlachte. 'Ja, en jij bent Vanessa. Zo'n mooie naam. De peetmoeder van je vader heette Vanessa. Wist je dat?'

Vanessa schudde haar hoofd.

Helena aaide de hond over zijn kop. Hij keek naar haar op. 'Ja. James hield erg veel van haar. Hij heeft me eens verteld dat hij nog meer van haar hield dan van zijn eigen moeder. Je weet vast wel hoe die dingen kunnen gaan. Soms is je eigen moeder niet de gemakkelijkste persoon op aarde om mee te praten.'

Vanessa knikte. 'Dat is zo. Ze zeggen dat dat komt doordat moeder en dochter te veel op elkaar lijken. Hoewel ik volgens mij niet zo heel erg op mijn moeder lijk. Ook uiterlijk niet.'

'Nee,' zei Helena langzaam. 'Nee. Je hebt duidelijk veel meer weg van de De Paor-kant van de familie. Maar goed,' ze glimlachte, 'je komt me dus opzoeken? Ik ben soms een beetje eenzaam, hoewel Dominic elke week komt, en soms nog vaker, en me heel vaak belt. Hij is een fantastische zoon. Ik heb zo met hem geboft. Hoewel,' zei ze fronsend, 'je er misschien niet zo veel voor voelt om langs te komen, na wat er met je andere halfzus is gebeurd. Zo verdrietig, maar ook zo eigenaardig dat zij in hetzelfde meer is verdronken. Verschrikkelijk voor je moeder. Hoe is het met haar?' Ze keek meelevend en bezorgd.

En Vanessa kon niet anders dan antwoorden: 'Ze is heel verdrietig. Ze mist Marina heel erg en ze kan niet geloven dat Marina zelf een einde aan haar leven heeft gemaakt. Volgens haar was dat niets voor haar.'

'En wat denk jij?' Helena reikte omlaag en drukte haar vingers in de dikke vacht van de nek van de hond.

Vanessa vond het een lastige vraag. 'Ik weet het niet. Ze leek me niet iemand om zoiets te doen.'

'Het moet voor jou ook heel moeilijk zijn geweest. Hadden jullie een hechte band?' Helena's stem klonk zacht en vriendelijk.

'Dat weet ik eigenlijk niet. Ze was een stuk ouder dan ik. Ze nam me wel eens mee om te winkelen of zoiets en meestal kwam ze 's zondags lunchen, maar ik had vaak het gevoel dat ze het meer voor mijn moeder deed dan voor mij.'

Ze hadden een ogenblik zwijgend tegenover elkaar gestaan. Vanessa wist dat ze nu eigenlijk naar huis moest, maar op de een of andere manier wilde ze de vrouw niet verlaten. En Helena begon haar te vertellen over Lake House en de omgeving, het meer en de herten, de bossen en de bergen, en Dove Cottage. 'Het is zo'n snoezig huisje. Perfect voor een stelletje. Jaren geleden, toen je grootvader nog leefde en in het grote huis woonde, nam je vader me er vaak mee naartoe. Het was net een poppenhuis. Alles was heel erg klein. De kamers waren klein en de plafonds laag. Maar het was schattig. Het is nu wat verwaarloosd, dus is het wel fijn dat jij er nu wat aandacht aan kunt besteden.' En Helena had een pen uit haar tas gehaald, had Vanessa's arm gepakt, hem omgedraaid en een nummer op haar dunne, blanke huid geschreven. 'Je hebt een code nodig om het terrein op te komen. Je weet hoe je er moet komen, hè?' En Vanessa had geluisterd terwijl Helena haar alles uitlegde. 'Hiermee kom je door het hek. Je kunt komen wanneer je wilt. Ik vind het altijd leuk je te ontvangen.' Toen liep ze weg, met de hond aan haar zijde. De trap op en de voetbrug over het spoor over.

Vanessa begon de heuvel af te lopen. Aan haar linkerhand zag ze in de verte het meer liggen. Het water glansde als gepolijst metaal. Het zag er stevig uit, hard, alsof het gewicht kon dragen. En toen waaide er een briesje door de bomen en een golf die eruitzag als een in inkt gedoopt veertje rimpelde een patroon op het water. Ze verliet de grote oprijlaan en volgde een smal pad dat naar het water voerde. En daar lag het huisje, met zijn eigen tuintje voor en achter, omringd door een hoge heg met een mooi smeedijzeren hek. Vanessa haalde de sleutel uit haar zak die Helena haar bij haar eerste bezoek aan Lake House had gegeven, opende de roze voordeur en ging naar binnen. Het was er koel en donker. Ze liep door de kamers, de zitkamer, de eetkamer, de ouderwetse bijkeuken en de keuken. Toen liep ze de smalle trap op naar de twee slaapkamers en de badkamer. Ze vond het heel spannend en kon bijna niet geloven hoezeer ze bofte. Ze keek uit de ramen naar de bossen en het meer en liep toen naar de ramen aan de achterkant van het huis. In de tuin stonden een kleine kas en een schuur, waar ze al naar binnen had gekeken. Er stond een grasmaaier in en allerlei tuingereedschap, zoals heggenscharen, snoeischaren en flessen onkruidbestrijdingsmiddel, waarop in verbleekte inkt het woord VERGIF stond. Ze ging voortaan alle tuinprogramma's op tv volgen en zou er iets moois van maken. Groenten kweken en fruit, en haar moeder uitnodigen om langs te komen en haar de heerlijkste maaltijden voorzetten. En misschien konden Sally en Helena dan wel vriendinnen worden, en zou er uit al dat verdriet en al die boosheid toch nog iets goeds voortkomen.

Opeens hoorde ze hoefgetrappel en ze haastte zich terug naar de ramen aan de voorkant van het huis. Helena kwam de oprit op rijden. Ze bereed een reusachtig paard, dat net zo zwart was als haar haar. Vanessa werd een beetje nerveus van het dier, ook al zei Helena dat het een schat was, en heel rustig. Helena had gezegd dat ze er gerust op mocht rijden, maar Vanessa had geantwoord dat ze nog nooit op een paard had gezeten. Toen had Helena haar foto's laten zien van James toen hij jong was, boven op zo'n paard als dit, over hoge hekken springend en prijzen in de wacht slepend.

'Heeft je moeder je nooit verteld wat hij allemaal kon?' Er klonk iets van afkeuring in Helena's stem. 'Hij had zoveel talenten. Toen ik hem pas kende, we waren nog tieners, gingen we heel vaak samen een eind rijden. Later bleven we hier 's zomers vaak een paar weken en trokken dan met de paarden de bergen in. En dan deed ik altijd net alsof we pioniers waren en we deze prachtige wereld gingen verkennen die helemaal alleen voor ons was.'

Ze keek toe hoe Helena voor het hek bleef staan en zich bukte om het open te maken, waarna het paard erdoorheen liep, gevolgd door de hond. Ze riep: 'Vanessa, ben jij hier? Wat fijn dat je vandaag kon komen. We gaan allemaal leuke dingen doen. Kom maar eens kijken wat ik voor je in petto heb.'

Vanessa zwaaide naar haar en haastte zich toen de trap af en naar buiten door de lage voordeur, de zon in.

25

Het huis was één grote rotzooi. De patiodeuren waren geforceerd en de sloten vernield. Iemand was als een dolle tekeergegaan in de keuken, had glazen en borden stukgegooid en etenswaar uit de kastjes gerukt. McLoughlin stapte over de restanten van de glazen karaf die hij cadeau had gekregen bij zijn pensionering. Hij had nog niet de kans gehad hem te gebruiken, en dat zou nu niet meer gebeuren ook. In de woonkamer wachtte hem een nog verschrikkelijker tafereel. Alles lag overhoop. De tv was opgetild van zijn tafeltje en op de grond gesmeten. De kussens van de bank waren met een mes opengereten en alle schilderijen die aan de muur hadden gehangen waren van hun haakjes gerukt en in elkaar gestampt. Glassplinters knerpten onder zijn voeten toen hij zich een weg door de kamer baande naar de tafel waar hij Marina's laptop had achtergelaten. Hij stond er niet meer. En dat gold ook voor de kartonnen dozen waarin haar dossiers hadden gezeten, haar boeken, haar rekeningen en brieven. En zijn eigen computer was kapotgeslagen.

Hij liep door de gang naar zijn slaapkamer, waar het er niet veel anders uitzag. De laden van zijn nachtkastje lagen op de grond en iemand had in zijn brieven zitten snuffelen. Ze hadden de velletjes uit hun enveloppen getrokken en door de hele kamer verspreid. En ze moesten ook de foto's van Marina hebben gevonden, want die lagen er niet meer. Evenmin als het velletje papier dat hij uit Marina's computer had gehaald met in hoofdletters de woorden IK ZAG JOU. Hij ging op zijn knieën zitten en begon alles uit te zoeken en op nette stapeltjes te leggen.

Hij was misselijk en dacht aan alle inbraken die hij in de loop der jaren had gezien. Hij had aantekeningen gemaakt, adviezen gegeven over beveiliging en hier en daar zelfs een kopje thee gezet. Maar hij had het nooit echt begrepen. Hij was in huizen geweest met ingetrapte voordeuren, verbrijzelde ramen – en hij herinnerde zich zelfs een zaak waarbij een inbreker een paar dakpannen had weggehaald om binnen te komen. Hij was van die huizen weggelopen, had zijn notitieboekje dichtgeslagen, was in zijn auto gestapt en had er verder niet meer aan gedacht. Maar nu proefde hij gal in zijn keel en hij stond snel op, rende bijna naar de badkamer en boog zich over het toilet om over te geven.

De jonge geüniformeerde agente die achter hem in de deuropening stond vulde een glas met water en gaf het aan hem.

'Bedankt.' McLoughlin ging op de rand van het bad zitten en nam een paar slokjes.

'Ze hebben er wel een zooitje van gemaakt, hè?' zei ze. 'Hebt u enig idee wie het kan hebben gedaan?'

McLoughlin was niet van plan haar over Gerry Leonard en zijn vriend te vertellen, dus zei hij niets.

'Denkt u dat u, afgezien van de schade, veel mist?' Hij liep achter haar aan door de gang en wierp in het voorbijgaan een blik in de andere slaapkamers.

'Eerlijk gezegd niet, nee. Het enige dat ik niet kan vinden is een laptop die van de dochter van een kennis van me is. Een Apple iBook G4. Vrij nieuw, denk ik, maar niet zoveel waard.' Hij kon gewoon niet geloven dat hij zo stom was geweest om die foto's zomaar te laten rondslingeren. Maar gelukkig had hij het dvd-schijfje met het filmpje van het feest. Hij klopte op zijn binnenzak en voelde het harde plastic hoesje.

'We gaan nog bij de buren vragen, maar ik denk niet dat we hier erg ver mee komen.' Ze glimlachte verontschuldigend. 'U weet hoe het is met inbraken.'

'Ja.' Hij trok de koelkast open en haalde er een flesje Erdinger uit. 'Jij ziet zeker ook niet toevallig de flesopener ergens liggen?'

Ze bukte zich en keek onder de tafel. 'Kijk eens,' en ze gaf hem de opener.

Hij opende het flesje, vond nog een gave beker op het aanrecht en schonk het schuimende drankje in.

'U ziet eruit alsof u wel wat slaap kunt gebruiken – en wat is er met uw gezicht gebeurd?' Ze keek bezorgd.

'Ik ben van de trap gevallen. Ik zal wel een nieuwe bril nodig hebben. Hoe dan ook,' hij proostte met de beker in haar richting, 'je kunt nu wel gaan. Ik neem aan dat de man van de vingerafdrukken morgenochtend wel zal komen.' Hij zag haar sceptische uitdrukking. 'O, ik begrijp het al, bezuinigingen zeker?'

'Ik zal mijn best doen, maar gezien het feit dat er niet veel ontvreemd is, zal het niet boven aan de lijst komen.' Ze stapte door de kapotte patiodeur. 'Fijn om u nu eindelijk eens te ontmoeten. U hebt een behoorlijke reputatie. Ik heb veel over u gehoord van uw oude vrienden.' Ze stak haar hand uit. 'Ik zou maar proberen wat te slapen.' Ze keek op haar horloge. 'Het is laat, al over tweeën. Slaap zou u goeddoen.' Hij voelde tranen prikken en wendde zich gegeneerd af. Hij snapte er niets van. Waarom huilde hij? Heimelijk veegde hij met zijn hand de tranen weg.

Het was al halverwege de ochtend toen hij wakker werd. Hij had de ergste rotzooi opgeruimd en een slotenmaker gebeld. Hij had met een biertje in zijn hand zitten wachten tot de man kwam, de patiodeur repareerde en, je weet tenslotte maar nooit, nieuwe sloten op de voordeur en alle ramen zette. Het was bijna al te toevallig dat de inbraak had plaatsgevonden op dezelfde dag dat hij door Gerry Leonard in elkaar was geslagen. En toen hij erover nadacht wat er nu eigenlijk was meegenomen, de dozen met Marina's boeken en papieren, haar laptop, leek het wel erg voor de hand te liggen wie de dader was.

Hij was nu klaar om naar bed te gaan, maar kon zichzelf er niet toe brengen om in zijn eigen bed te gaan slapen. In plaats daarvan ging hij in het smalle eenpersoonsbed in de bergkamer liggen en trok de dekens zo hoog mogelijk op. Het was, hoe kon het ook anders, de telefoon die hem wakker maakte. Hij tuurde slaperig naar het beeldschermpje. Hij had drie nieuwe sms'jes. Hij ging zitten en las ze een voor een door. Ze waren allemaal van Gwen Simpson. De eerste en de tweede waren gisteravond verzonden, de laatste een paar minuten geleden. Ze wilde met hem afspreken. Ze moest hem iets vertellen. Hij stapte uit bed en liep langzaam naar de keuken, rommelde wat in de koelkast en vond nog een pak sinaasappelsap. Hij schoof de glazen deuren open en liep het terras op, zette het pak sap aan zijn mond en dronk. Toen pakte hij zijn telefoon. 'Hallo, Gwen, met Michael McLoughlin. Wat kan ik voor je doen?'

Ze ontmoetten elkaar in de grote, lelijke pub tegenover de Mount Jerome-begraafplaats. Gwen, in het zwart, zat al in haar eentje aan een tafeltje in de hoek. Het was druk in de pub en erg warm. De meeste klanten waren eveneens in het zwart gekleed. Het was er heel lawaaierig. De tafeltjes stonden vol glazen en volle borden. McLoughlin herkende nog een paar gezichten. Anthony en Isobel Watson zaten, hoogst ongemakkelijk en helemaal niet op hun plek, aan een tafeltje, en aan de bar stonden Dominic de Paor met zijn vrouw en Sophie Fitzgerald.

McLoughlin baande zich een weg door de menigte. Het was heel gebruikelijk dat mensen na een begrafenis naar deze pub kwamen, maar hij had niet verwacht dat de mensen die Mark Porters crematie hadden bezocht het te min zouden vinden. Ze zullen wel erge dorst hebben gekregen, dacht hij, waarna hij Gwen zag zitten.

'Ik had er niet bij stilgestaan dat Mark Porter vandaag werd gecremeerd,' zei hij, terwijl hij naast haar ging zitten.

'Je gezicht, wat is er gebeurd?' vroeg ze.

'O, niks bijzonders. Ik keek weer eens niet goed uit waar ik liep.' McLoughlin wenkte een serveerster. 'Hoe was de dienst?'

Gwen trok een gezicht.

'Nog een keer hetzelfde voor mevrouw,' zei hij tegen het meisje – Gwens glas was halfleeg. 'En een Guinness, alsjeblieft.'

McLoughlin wachtte tot ze iets zou zeggen. Hij voelde dat hij in de gaten werd gehouden. De Paor keek onwillekeurig telkens zijn kant op, en dat gold ook voor anderen. Poppy Atkinson en haar man zaten aan een tafeltje in de buurt. Ze was niet meer helemaal nuchter.

Uiteindelijk zei Gwen: 'Ik rook al jaren niet meer, maar nu zou ik een moord doen voor een sigaret.' Ze lachte. 'Ik wilde met je afspreken omdat ik, zoals ik al heb gezegd, je iets wil vertellen. Maar dit is niet de juiste plek om dat te doen. Ik wilde er eigenlijk nog mee wachten, maar kon het niet langer voor me houden. Het spijt me dat ik het je niet heb verteld toen je die eerste keer bij me langskwam. Toen zat ik nogal met het aspect van vertrouwelijkheid. Maar nu – ' Ze dronk in één slok haar glas leeg.

'Nu?'

'Nu lijken die overwegingen niet belangrijk meer. Wel belangrijk is dat er een eind komt aan deze afschuwelijke toestand.' Ze stond op. 'Kom mee. Mijn auto staat hier vlakbij. Laten we daar maar naartoe gaan.' Ze pakte haar tas, en voordat McLoughlin zijn glas leeg kon drinken, liep ze al naar de uitgang. Hij stond snel op en liep achter haar aan. Hij voelde allerlei ogen op zich gericht. Hij keek om zich heen. Geen Gerry Leonard.

Gwen was al vooruitgelopen en opende het portier van haar auto. Ze stapte in en reikte naar de andere kant om het passagiersportier voor McLoughlin te openen. Hij ging naast haar zitten. 'Zo,' zei hij, zich naar haar omdraaiend, 'wat is er nu precies aan de hand?'

Het was een warme zaterdag eind juli. Marina was niet blij. Ze haatte het om in het Lake House te zijn. Ze haatte het om hier opgesloten te zitten met hem en zijn zoon. Ze haatte hem zó erg dat ze zich er niet eens toe kon brengen hem bij zijn naam te noemen. Maar ze moest aardig doen, omdat haar moeder het zo erg vond als ze vervelend deed. En ze hield van haar moeder en moest er niet aan denken haar kwijt te raken. Ze was doodsbang om net als een van die meisjes op school te worden wier moeders niets om hen gaven en zowat nooit iets van zich lieten horen. Die zelfs in de vakanties hun best deden om zo min mogelijk tijd met hen te hoeven doorbrengen. Bovendien was er één compensatie. Hij wilde zó graag dat ze hem aardig vond dat hij haar altijd cadeautjes gaf. En het mooiste cadeau was de boot. Het was een Enterprise, groter en sneller dan alle andere boten waarmee ze ooit had gezeild. Een blauwe boot met bijpassende zeilen en een

lichte Seagull-buitenboordmotor. Ze had de jol *Bluebird* genoemd, ook al had Dominic haar erom uitgelachen en gezegd
dat het zo'n cliché was. Maar dat kon haar niet schelen. Het
maakte haar blij om uit te varen met de *Bluebird*, ver weg van
de anderen.

Een warme middag. Die avond zou er een feestje zijn. Mama
maakte zich er erg druk om, want er zouden heel veel mensen
komen. Veel vrienden van hem. Mama rustte nog even uit voordat ze zich moest gaan klaarmaken. Zij en de baby, Vanessa,
lagen te slapen op het strand. Marina kon er niets aan doen,
maar ze was dol op de baby. Dat was niet haar bedoeling geweest, maar Vanessa kon zo leuk lachen en ze was zo grappig.
Ze kroop overal naartoe, zwaaide naar iedereen en klapte in
haar handjes. En Marina hield van haar zachte, ronde lijfje. Ze
hield ervan om met haar te kroelen en haar dicht tegen zich aan
te houden. Dominic hield niet van haar. Maar die hield alleen
van zijn arrogante vrienden. Vier van die vrienden logeerden
hier. Ben Roxby, die zijn spuuglelijke, lawaaiige speedboot had
meegebracht. Die arme Mark Porter, die door iedereen werd gepest vanwege zijn lengte. En de twee meisjes: Gilly Kearon, die
niets anders deed dan giechelen en pruilen, en Sophie Fitzgerald,
die lang en elegant was en heel intelligent. Meestal gingen ze met
elkaar weg. Dominic had geheime plekjes in het bos die hij niet
aan Marina en Tom wilde laten zien. Tom zat daar niet mee. Het
enige wat hij wilde was de herten volgen, de bergen beklimmen,
vuurtjes stoken en net doen alsof hij een indiaan was. Marina
wilde dat ze net zo was als Tom. Hij was altijd vrolijk, altijd zorgeloos. Ze begreep hem niet.

Alles was rustig en stil. De hemel blauw, geen wolken, geen
wind. Toen, opeens, het gebrul van een motor. Er zat iemand in
de speedboot. Hij had in het kleine, stenen haventje aan de andere kant van het meer gelegen. Maar nu racete hij snel, veel te
snel, over het meer. Het leek alsof hij zou omslaan, zo snel ging
hij. Zo onbeheerst. Marina stond ernaar te kijken, maar ze kon
niet zien wie de boot bestuurde. Zo te zien was het niet iemand
die zij kende.

Terwijl ze stond te kijken leek de boot pal op het strand af te stormen, om op het allerlaatste moment weg te zwenken, als een paard dat een hindernis weigert. De golven die hij maakte spoelden over haar voeten en deden haar bootje wild heen en weer deinen. Toen hoorde ze hem schreeuwen en draaide zich om. Hij kwam aangerend vanuit het huis en riep: 'Marina, stap in de jol. Stap in, dan gaan we kijken wat daar in vredesnaam aan de hand is.' En voordat ze hem kon tegenhouden, had hij haar uit het bootje geduwd en sprong hij er zelf in.

En ze zei tegen hem: 'Je hebt geen zwemvest aan. Je hebt een zwemvest nodig.'

Maar hij negeerde haar, boog zich over de buitenboordmotor en gaf een ruk aan het koordje, zodat een klein wolkje blauwe rook de lucht eromheen kleurde. 'Duw ons af, Marina, en spring er dan in,' riep hij.

Ze hees zich moeizaam over het dolboord. Haar korte broek was kletsnat en haar zwemvest onhandig groot, zodat ze zich moeilijk kon bewegen. Intussen rukte hij aan het roer en liet het bootje kleine rondjes draaien. 'Kijk uit!' riep ze met boze stem. 'Kijk uit wat je doet!'

Maar hij had nu de leiding en hij zette koers naar het midden van het meer, waar de speedboot met draaiende motor stillag. De jongens aan boord zaten op de boeg en lieten hun voeten overboord bungelen. Hij stond achter in de zeilboot naar hen te schreeuwen, terwijl Marina het bootje in balans probeerde te houden, ontstemd over zijn roekeloosheid, zijn gebrek aan gezond verstand. Ze herinnerde zich wat haar vader haar al heel jong, toen ze vijf, zes jaar oud was, had bijgebracht: Nooit gaan staan in een boot. Altijd een zwemvest dragen. Denk aan het gevaar. Wees voorzichtig.

En toen ze de speedboot naderden, begon de motor weer te brullen en kwam de boeg weer omhoog uit het water, terwijl een golf met een witte kop voor de boot uit schuimde alsof hij door het water ploegde. En voor Marina, die diep weggedoken zat in de *Bluebird,* leek het alsof ze erdoor overspoeld zouden worden. Maar op het allerlaatste moment draaide hij weg, zodat het alleen de golfslag was die op hen af stormde en hen zo hard heen en weer deed schommelen dat de propeller van de buitenboordmotor uit het water omhoogkwam en gierend door de lucht tolde. Maar toen kwam de speedboot weer terug, en deze keer dacht Marina echt dat hij regelrecht op hen in zou varen. En ze draaide zich om en gilde naar James, die zo'n harde ruk aan het roer gaf dat ze bijna omsloegen en de motor haperde, sputterde en toen afsloeg.

'Shit.' Zijn stem klonk razend van woede, en hij boog zich over de achtersteven terwijl het bootje hevig slingerde en het water onderin heen en weer klotste. En terwijl hij voorovergebogen aan de brandstoftoevoer stond te frunniken, zetten de jongens in de speedboot opnieuw koers in hun richting en weer kwamen ze zo dichtbij dat Marina haar handen voor haar ogen sloeg, het gieren van de motor hoorde en voelde dat de jol van links naar rechts slingerde toen de boeggolf hen bereikte. Ze hoorde James roepen: 'Marina, help me!' en zag hem zijn evenwicht verliezen, waarbij hij zich nog even aan de achtersteven probeerde vast te grijpen, maar toen voorover in het water viel. Met doodsangst in zijn stem schreeuwde hij: 'Help, Marina, help!' terwijl zij als bevroren naar hem zat te kijken en dacht: *Stomme vent, ik had nog zo gezegd dat je je zwemvest aan moest trekken. Je wilde niet naar me luisteren. Je dacht het weer beter te weten.* Ze herinnerde zich iets. Toen hij een keer vanaf het strand het water in was gelopen, met de baby tegen zijn borst gedrukt, had haar moeder hem nageroepen: 'Kijk uit, James, vergeet niet dat je niet kunt zwemmen.' En hij had gelachen, was een beetje door het warme, ondiepe water gelopen en had de baby in de lucht gehouden, zodat ze het uitkraaide van plezier en met haar mollige armpjes zwaaide.

Maar nu zag ze paniek op zijn gezicht toen hij kopje-onder ging. Even later kwam hij happend naar adem weer boven en riep: 'In godsnaam, Marina, help me! Gooi me iets toe – een touw, een roeispaan, wat dan ook!' Toen ging hij opnieuw kopje-onder, en ditmaal duurde het langer voordat hij weer bovenkwam en waren zijn bewegingen en zijn stem zwakker. En

Marina keek naar hem. Ze bleef zitten waar ze zat en keek naar hem. En deed niets.

Een warme middag. Een warme zaterdagmiddag. Het meer, de blauwe lucht, de bossen, de bergen, de speedboot met zijn ronkende motor en de man die voor haar ogen verdronk.

En opeens was het alsof ze wakker schrok uit een droom. Ze sprong in het koude, donkere water. Haar zwemvest hield haar hoofd boven water, zodat ze kon ademen. Ze riep hem. Ze schreeuwde keer op keer zijn naam. Toen probeerde ze te duiken om hem te vinden, kreeg zijn arm te pakken en begon hem naar de boot te trekken. Maar hij was zwaar, zo verschrikkelijk zwaar. En ze trok en trok, en sleepte toen een touw uit de boeg en bond het om zijn middel, waarna ze zichzelf weer in de jol hees. Het lukte haar niet hem mee te trekken. En ze begon te schreeuwen: 'Help, alsjeblieft, laat iemand me helpen! Help!'

En ze zag de jongens in de speedboot rechtsomkeert maken, terug naar de kant. Waar ze eruit sprongen en de heuvel op renden, naar de weg. Haar achterlatend met het lichaam van de man die ze haatte.

'Haar achterlatend met het lichaam van de man die ze haatte,' herhaalde Gwen.

'Ik zag jou,' fluisterde McLoughlin.

'Dat weet je dus?' Gwen trommelde met haar vingers op het stuur.

'En jij kennelijk ook.'

'Ze heeft het me verteld nadat ze het eerste sms'je had ontvangen Ze dacht eerst nog dat het van een kind kwam of dat het een grap was of zoiets. Het duurde een tijdje voordat ze weer iets kreeg, wel een paar maanden. Toen kreeg ze telefoontjes. Allemaal andere stemmen, die allemaal hetzelfde zeiden. Toen bleef het weer een tijdje stil. En toen stuurde iemand haar foto's die in haar eigen huis van haar waren gemaakt. En de druppel die de emmer deed overlopen, was wat er in de appartementen gebeurde. Weet je dat ook?'

'Ja.' Het was heel erg warm in de auto. McLoughlin tikte tegen het raampje. 'Kan dit open?'

Gwen draaide het contactsleuteltje om, drukte op het knopje en het raampje gleed omlaag. En McLoughlin zag, in de buitenspiegel, Dominic de Paor naar hen kijken. 'Wie dacht ze zelf dat het was?'

De Paor haalde zijn mobieltje uit zijn zak.

'Ze wist natuurlijk dat het iemand moest zijn die er die dag bij was geweest. Maar ze had geen idee wie. Aanvankelijk dacht ze dat het misschien iemand was die in het bos had gezeten, mogelijk met een verrekijker. Op een ochtend belde ze me in alle vroegte op, heel vroeg, want ik lag nog in bed. Ze was hysterisch. Ze zei dat het een van de jongens op de speedboot moest zijn geweest, dat kon niet anders. Ze waren kennelijk toch dichterbij geweest dan ze had gedacht. Maar toen veranderde ze weer van gedachten en zei dat ze het toch niet konden zijn geweest, want hoe hadden ze immers kunnen weten wie zij was? Ze wist gewoon niet meer waar ze het zoeken moest.' Gwen wreef met haar handen in haar ogen. 'Ze was heel erg overstuur. En haar grote angst was natuurlijk dat wie het dan ook was geweest, hij of zij het aan haar moeder zou vertellen.'

'Haar moeder wat zou vertellen? Dat ze James had zien verdrinken?'

De Paor had zich omgedraaid en liep rusteloos heen en weer.

'Haar moeder zou vertellen dat ze hem had laten verdrinken. Niet dat ze hem had zíén verdrinken, maar dat ze hem had láten verdrinken.'

'En heeft ze dat gedaan?'

'Ze zei zelf van wel. Ze zei dat ze hem haatte, dat ze hem dood wenste. Ze zag haar kans en greep die met beide handen aan.'

'Maar ze was pas vijftien.'

De Paor had zijn mobieltje weer weggestopt maar stond nog steeds naar de auto te kijken.

'Oud genoeg, sterk genoeg, en ze kon goed genoeg zwemmen. Ze had in elk geval iets kunnen proberen. Zij droeg een zwemvest, hij niet. Misschien was de afloop hetzelfde geweest en zou hij toch wel verdronken zijn. Maar dan had ze in elk geval haar best gedaan. En nu wist ze dat ze dat niet had gedaan. En die wetenschap verteerde haar. Nog voordat ze die boodschappen en al dat andere begon te krijgen, had ze zichzelf al nooit kunnen vergeven wat ze had gedaan,' zei Gwen. 'Of liever gezegd, wat ze níét had gedaan.'

Ze begon te citeren: 'De dingen die we hadden moeten doen hebben we ongedaan gelaten, en de dingen die we niet hadden moeten doen hebben we juist wel gedaan; en we voelen ons er niet wel bij.'

Ze zaten een ogenblik zwijgend naast elkaar. Toen zei McLoughlin: 'Haatte ze hem zó erg? Waarom? Wat was er gaande tussen die twee? Hij zal toch niet – je weet wel?'

Ze schudde haar hoofd. 'Nee. Dat heb ik me ook afgevraagd toen ze zo fel over hem praatte. Maar ik denk dat het veel eenvoudiger was. Ze was jaloers op James. Zij, haar moeder en haar broer waren een heel hecht gezinnetje.' Ze streek een plukje haar achter haar oor. 'Maar toen Sally James leerde kennen is hij daartussen gekomen. En dat deed Marina verschrikkelijk veel verdriet.'

Ze leunde over McLoughlin heen en opende het handschoenenkastje. Hij voelde haar tegen zijn bovenbeen leunen.

'Er is nog iets wat je moet weten.' Ze ging weer rechtop zitten en had een cassettebandje in haar hand, dat ze in de gleuf van het cassettedeck stak. 'Dit kreeg ze vlak voor haar dood. Ze heeft het bij mij achtergelaten.'

Ze drukte op PLAY. Het bleef even stil, maar toen begon er een stem te zingen. McLoughlin herkende het nummer. Hij had het gehoord op een verzamelalbum van Amerikaanse folkzangers. Janey was er dol op geweest en had het vaak gedraaid.

> *'I'm gonna tell,*
> *I'm gonna tell,*
> *I'm gonna holler and I'm gonna yell,*
> *I'll get you in trouble for everything you do,*
> *I'm gonna tell on you.'*

Hierna klonk nogmaals het refrein. McLoughlin haalde het bandje uit het apparaat. 'Staat er verder nog iets op?' Hij draaide het bandje om in zijn hand.

'Alleen dat ene liedje. Ken je het?' Ze leek verrast.

'Ja, ik ken het.' Hij floot een paar noten. 'Grappig melodietje, vind je niet? Ik heb het altijd nogal sinister gevonden, een beetje griezelig. Heel bedreigend ook voor haar, zo'n tekst over iemand die je wil gaan verklikken en die er alles aan zal doen om je in moeilijkheden te brengen vanwege iets wat je gedaan hebt. '

'Marina stond doodsangsten uit toen ze het kreeg. Ik wilde dat ze naar de politie zou gaan met alles wat er was gebeurd. Vooral met de foto's. Maar dat wilde ze niet. Zodra haar opdracht met de appartementen was afgerond, zei ze, zou ze uit Dublin weggaan. Ze had nog vrienden in New York. Ze zei dat ze daarnaartoe wilde. Haar moeder kon haar in Amerika komen opzoeken. Ze dacht dat ze alles achter zich kon laten.'

McLoughlin keek nog een keer in de buitenspiegel. De Paor was nu verdwenen.

'Weet je, er zijn een paar dingen van Marina die ik niet begrijp,' zei hij. Hij stopte het bandje in zijn zak. 'Ik begrijp haar vriendschap met Porter niet en waarom ze naar dat feest is gegaan. Het klopt gewoon niet.'

'Ze heeft me niet verteld dat ze zou gaan. Ze zei wel dat Mark het haar had gevraagd. Ik heb haar afgeraden te gaan. En dat is iets wat ik niet vaak doe. Ik heb haar verteld dat het alleen maar tot narigheid kon leiden.'

McLoughlin haalde zijn sleutels uit zijn zak.

'En het tweede?' vroeg Gwen. 'Het tweede dat je niet begrijpt?'

'Ik heb met haar moeder gesproken en met haar broer gemaild.' McLoughlin krabde aan zijn kin. 'Ze zeiden allebei dat Marina absoluut niet met Dominic de Paor kon opschieten. Het woord "haten" is zelfs gevallen. Volgens Sally was Dominic jaloers op Marina en Tom en voelde hij zich door hen bedreigd. Tom zei dat hij het idee had dat Dominic en Marina een soort spelletje speelden. Dat ze aanvankelijk heel goed tegen hem opgewassen was. Dat er pas na James' dood sprake van was dat hij haar intimideerde. En toch heb ik reden om te geloven dat ze een relatie met hem had – niet lang voor haar dood. Wist je dat ook?'

'Met Dominic?' vroeg Gwen. 'Nee, dat wist ik niet. Hoewel het me eerlijk gezegd niet eens verbaast. Marina's persoonlijkheid heeft altijd een neiging tot zelfvernietiging gehad.. Het misbruiken van drugs en alcohol, de manier waarop zij haar seksuele relaties depersonaliseerde. Ze wist dat Dominic slecht voor haar was. Ze praatte over hem. In bepaalde opzichten bewonderde ze hem. Ze zei dat hij heel knap was, heel intelligent, succesvol. Allemaal dingen waarin zij volgens mij zelf tekort meende te schieten.' Ze zuchtte. 'Maar als ze iets met hem had, op welke manier dan ook, dan is dat het enige geweest wat ze mij nooit heeft verteld. Ze sprak uitsluitend in de verleden tijd over hem. Waarom denk jij dat zij een relatie hadden?'

McLoughlin beschreef de beelden van de bewakingscamera.

'Dus bevonden ze zich op hetzelfde tijdstip in dat appartementenblok. Misschien had Dominic een afspraak met de projectontwikkelaar. Misschien was dat het?'

'Ik ben geen expert op het gebied van lichaamstaal, maar dat hoef je ook niet te zijn om aan die beelden te kunnen zien wat er gaande was. Ze gingen maar met één doel dat appartement binnen, en dan bedoel ik ook echt maar één doel. En dat was niet het bekijken van staalkaarten of het uitzoeken van een paar kussenhoezen.' Hij keek haar glimlachend aan. 'Maar goed, ik ga er maar weer eens vandoor. Er is vannacht in mijn huis ingebroken en het is er nog steeds een enorme rotzooi.'

'Is er veel gestolen?'

'Nee, maar er is wel veel schade aangericht, en ik ben bang dat die rommel zichzelf niet opruimt.'

Ze legde een hand op zijn arm en gaf hem een kus op zijn wang. 'In dat geval ben ik je nog dankbaarder voor je komst. Dit is helemaal niets voor mij, weet je, ik ben niet zo van de bekentenissen. Maar ik wilde je dit toch vertellen. Het zit me zo dwars wat Marina is overkomen. Als ik in staat was geweest haar ervan te overtuigen dat zij geen schuld had aan de dood van haar stiefvader, dan zou dit allemaal misschien niet gebeurd zijn.'

'En je weet zeker dat ze niet aan zijn dood heeft bijgedragen?'

'Dat weet ik absoluut zeker.' Haar stem klonk heel kalm.

Hij klopte op zijn jaszak en opende het portier. 'Als je het niet erg vindt, hou ik dit bandje nog even bij me.' Hij stapte uit. 'Ik bel je vanavond, en als er iets is dan heb je mijn nummer.'

Hij keek hoe ze wegreed en ging toen zijn eigen auto zoeken. Het was druk op de weg en hij schoot niet erg op. Hij was moe. Het was warm. Toen hij stond te wachten tot een stoplicht op groen zou springen, vielen zijn ogen dicht. Hij moest moeite doen om ze weer open te krijgen. Hij drukte op een knopje en zijn raampje gleed omlaag. Hij probeerde zich met zijn hand wat koelte toe te wuiven. Het was benauwd, stoffig. Net als de lucht in een gevangeniscel. En terwijl hij zo in zijn auto zat, met een stationair draaiende motor, kon hij zich de extra beveiligde gevangenis van Portlaoise voorstellen. De gevangenisbevolking was een krachtige mix van paramilitairen, drugdealers, moordenaars en wat door de kranten topcriminelen werden genoemd. Ene Gerry Leonard zit in een klein, raamloos hokje en wacht op zijn advocaat. Ze gaan het hoger beroep tegen zijn straf bespreken. Hij heeft geluk gehad dat hij juist deze man toegewezen heeft gekregen. Hij heeft een eersteklas reputatie. Hij is de beste. Gerry heeft hem nog nooit ontmoet, maar hij weet hoe hij eruitziet.

De deur gaat open. Hij staat niet op en zegt niets. Dominic de Paor neemt plaats. Hij opent zijn aktetas, haalt zijn dossiers eruit en neemt de zaak door. Hij legt zijn verdediging aan hem uit. Leonard knikt en glimlacht. Dat klinkt goed.

'Oké, meneer Leonard, had u verder nog iets te melden? Hebt u nog vragen?' De Paor maakt zich op om te vertrekken.

Leonard kijkt hem aan en glimlacht nogmaals. 'Vreselijk wat er met uw pa is gebeurd. Vreselijk om zo te sterven.'

De Paor antwoordt niet en trekt zijn jas aan.

'Het was de schuld van dat meisje. Dat vuile kreng zat daar maar. Ze zat gewoon toe te kijken hoe hij verdronk.'

De Paor kijkt hem aan. 'Wat zeg je daar?'

Leonard gebaart naar de stoel. 'U hebt het zeker zelf niet gezien, meneer De Paor. Waarom gaat u niet even zitten?' Hij draait opzij en slaat zijn benen over elkaar. 'Ik wil u een verhaaltje vertellen. Als u goed zit, ga ik nu maar beginnen. Er was eens een groepje jonge knapen en die gingen op een dag naar Wicklow. Het was een snikhete dag. En ze hadden zin om te zwemmen, of nog liever, een eindje te varen in een grote, snelle boot.'

Het licht was op groen gesprongen. De auto achter hem claxonneerde. Het geluid overspoelde hem. 'Oké, kalm een beetje.' McLoughlin schoot naar voren. De auto achter hem zat bijna boven op zijn bumper. Hij keek in zijn binnenspiegel. 'Klootzak,' riep hij.

De bestuurder lachte. Hij stak zijn hand uit het raampje en hield zijn middelvinger op. De mouwen van zijn overhemd waren opgerold. De slang kronkelde om zijn pols, zijn kaken wijd open. En de giftanden in de aanslag.

26

Het water was koud, maar niet ondraaglijk koud. Vanessa dreef op haar rug. Het was zo'n heerlijke dag geweest. Helena had een picknick meegenomen en ze waren de heuvel afgewandeld naar de kleine open plek aan de oever van het meer. Het paard was achter hen aan gelopen en de hond ook. Helena had in de cirkel van stenen een vuur aangelegd en water gekookt voor thee. Toen de stenen heet waren had ze een koekenpan verhit en eieren gebakken. Ze had dikke boterhammen afgesneden en met boter besmeerd en Vanessa had haar ei helemaal opgegeten. Het eigeel was op haar rok gedropen en ze had het de verrukkelijkste maaltijd gevonden die ze ooit had gegeten.

'Wanneer ben je jarig?' had Helena gevraagd. En Vanessa had haar verteld dat het overmorgen was.

'Hoe ga je het vieren? Je achttiende verjaardag is een belangrijke dag.' Helena porde met een stok in de sintels en er schoot een vlam omhoog, gloeiend oranje met hier en daar wat groen.

'Ik weet het niet. Mijn moeder is momenteel niet de vrolijkste en al mijn vriendinnen zijn met vakantie. Dat is een van de problemen die je nu eenmaal hebt wanneer je begin augustus jarig bent.' Vanessa hield haar beker op voor nog wat thee. 'Als mijn zus niet was overleden zou ik ook op vakantie zijn gegaan. Ik zou de hele zomer naar Italië gaan, naar een gastgezin.'

'Wat leuk.' Helena brak een paar takken in stukjes en gooide ze op het vuur. 'Maar misschien niet zo leuk als hier. En trouwens, als je zo ver weg was geweest, had je je nieuwe huis niet officieel in bezit kunnen nemen.' Ze brak een twijgje tussen haar handen. De hond keek op. 'Ga je morgenochtend naar de notaris om de papieren te tekenen?'

'Ik weet het niet. Daar hebben we het nog niet over gehad. Bovendien hoef ik dat helemaal niet te doen. Ik kan hier gewoon naartoe komen. Jij hebt me zelf de sleutel gegeven.'

Helena zei niets. Ze stond op en liep naar het paard, dat van het malse gras stond te grazen dat in de rotsspleten groeide. Ze zocht in een van de zadeltassen en haalde er een kleine videocamera uit. 'Hier,' ze hield hem omhoog, 'ik maak graag kleine filmpjes. Ik vind het leuk om de echt belangrijke dingen die er gebeuren vast te leggen. Toen Dominic nog klein was, had ik een cinecamera. Ik heb al die oude filmpjes nog. Ik zal ze je wel eens laten zien. Toen ben ik heel lang ziek geweest en kon ik zulke dingen niet meer doen. Maar toen ik weer beter was en hier kwam wonen, heeft Dominic deze camera voor me gekocht, en het is een leuk en handig ding. Zo,' ze hield de camera omhoog, 'dan gaan we nu eens uitzoeken wat voor iemand de jonge Vanessa is. Wat heb je daar in die grote tas zitten? Laat me eens zien wat erin zit.'

Vanessa rommelde door haar tas. 'Nou, mijn mobieltje en mijn portemonnee, een appel en een make-uptasje. En mijn iPod. En een paar boeken.'

'Wat voor boeken?' Laat eens zien.' Helena zoomde in.

'Dit is van Sylvia Plath, de dichteres. Het is haar roman, *The Bell Jar*. Nou ja, eigenlijk is het niet echt een roman, maar meer een autobiografie.' Ze hield het boekje voor de camera. 'Het is van mijn zus geweest. Zij was dol op de poëzie van Sylvia Plath.'

'En jij ook?'

'Ik had me er nooit zo in verdiept. We hebben haar wel behandeld voor het eindexamen, maar toen Marina stierf ben ik het boek gaan lezen. Het is allemaal heel droevig, vooral wanneer je bedenkt wat er is gebeurd.'

Helena legde de camera neer. 'Zo is het wel weer even genoeg. Het is een mooie dag en ik heb zin om te zwemmen. Jij ook?'

'Ik heb geen zwemkleding bij me.' Vanessa deed haar tas dicht.

'Dat geeft toch niet? Er is hier in de wijde omtrek geen levende ziel te bekennen. Alleen ik. En mij kan het niet schelen.' Ze begon haar blouse uit te trekken. 'Toe maar, het geeft niks.'

Vanessa lag in het water en ze dreef op haar rug. Ze bewoog haar armen, dreef langzaam verder het meer op en tuurde omhoog naar de hemel. Ze trappelde met haar voeten en zag het schuimende water voorbijdrijven. De grote kop van de hond kwam boven water. Hij zwom heel snel, zijn vacht glanzend en glimmend. En achter hem stond Helena, haar grote lichaam wit in de zon. Haar zware borsten bungelden omlaag. Ze ging nog een stap verder het water in en haar bovenbenen trilden. Ze hurkte neer en liet het water over haar lichaam stromen. Toen richtte ze zich weer op en tilde haar armen hoog in de lucht. Waterdruppels stroomden over haar witte huid. Ze waadde verder het water in.

Het meisje dreef op haar rug, net buiten haar bereik. Haar huid was vaal, bleek op haar borsten en buik. Haar haar dreef achter haar hoofd als lange slierten wier. Nog meer wier krulde over haar schaamstreek. Haar tepels staken klein en donker af tegen de bleke huid van haar kleine borsten. Helena wilde haar hulpeloze kleine lichaam vastgrijpen. Het leven uit haar zuigen. De restanten uitspugen. Op dezelfde plek waar zij die andere indringster had achtergelaten. De vrouw die zij door de lens van haar camera had bespied. Op de grond met Mark Porter. Dominic had haar verteld dat zij degene was die James had laten verdrinken. Ze had vanuit de jol naar hem zitten kijken. Zonder iets te doen.

'Je moet haar laten lijden,' zei Helena tegen hem, tegen haar zoon. 'Stel je voor hoe je vader zich heeft gevoeld toen het water hem omlaagtrok. Stel je voor hoe elke seconde voor hem een jaar moet hebben geleken. Ik ken dat gevoel,' zei ze, 'wanneer de tijd vertraagt. Je voelt je alsof je verdrinkt in slijm en modder. Dat moet je haar dus betaald zetten. Je moet haar ook laten lijden.'

Helena voelde de kou omhoogkruipen vanuit haar onderbenen, in haar knieën en haar dijen. De hond zwom om het meisje heen. Hij kon goed zwemmen en had die ochtend samen met Helena al gezwommen. Die ochtend toen ze hier waren gekomen en de jol hadden aangetroffen, zachtjes deinend langs de muur van het haventje. De vrouw had in de jol gelegen, op haar buik, met een plas braaksel naast zich op de houten bodem. En de hond was in het bootje gesprongen, had aan het braaksel gesnuffeld, en toen aan het gezicht van de vrouw. Ze deed haar ogen open en staarde in die van de hond. 'Ik heb dorst. Ik heb zo'n verschrikkelijke dorst. Help me.'

Toen zakte ze weer weg in een diepe, diepe slaap. Toen de hond weer uit de boot sprong deinde de jol heftig heen en weer en klotste er water over de rand. Helena leunde op de boot, duwde hem omlaag en keek hoe de vrouw op haar zij viel en haar hoofd stootte aan de roeiklampen. Haar ogen gingen een klein stukje open. Ze leken op de ogen van een baby, vlak voordat hij in een heel diepe slaap valt. Helena trok zichzelf omhoog aan de dolboorden en het water stroomde naar binnen en de vrouw viel half in het meer. Helena pakte haar jurk, trok haar uit de jol en gaf haar een duwtje. En de vrouw dreef, boven water gehouden door de lucht die zich onder haar rok had verzameld, in de richting van de kleine stroomversnellingen. Toen werd het gewicht van haar natte kleding te zwaar en werd ze naar de diepte getrokken. Dieper, dieper en dieper. En ze verzette zich, hoestend en proestend. Maar dat duurde niet lang. Nog geen minuut. En een spoor van grote luchtbellen dreef naar het wateroppervlak, aangevend waar ze was verdwenen.

27

Vier augustus 2005. Overmorgen was de tiende gedenkdag van Mary's verdwijning. Tien jaar sinds Margaret haar dochter voor het laatst in levenden lijve had gezien. Nu stond ze voor de voordeur van het ouderlijk huis van Jimmy Fitzsimons, hoog in de heuvels boven Killiney Bay. Ze belde aan en wachtte Er werd niet opengedaan. Ze belde nog een keer aan en liep toen naar de achterzijde van het huis om door het keukenraam naar binnen te gluren. Het meisje, zijn jongste zus, stond aan het aanrecht. Ze had een theedoek in haar ene hand en een bord in de andere. Ze zwaaide en gebaarde naar haar, verdween toen en kwam enkele minuten later terug met een oudere vrouw op haar hielen.

Mevrouw Fitzsimons herkende haar onmiddellijk. Ze opende de achterdeur op een kier. 'Wat wilt u?' Haar stem klonk defensief.

'Ik wil graag even met u praten. Dat is het enige wat ik wil.' Margaret legde haar hand op de deurknop. 'Mag ik binnenkomen?' Ze kwam een stapje dichterbij. Het meisje, niet langer een meisje, maar een vrouw nu, met een rond lichaam en een gezicht waarvan haar leeftijd af te lezen viel, ook al gaf het syndroom van Down haar nog steeds iets kinderlijks, trok haar moeder weg.

'Kom dan maar binnen.' Mevrouw Fitzsimons verdween in het huis.

Ze gingen aan weerszijden van de open haard zitten. Het haardrooster lag vol rotzooi. Kranten, lege melkpakken, eierdozen. Het meisje ging naast haar moeder op een voetenbankje zitten. Niemand zei iets.

'Dat is lang geleden,' zei Margaret.

'Wat wilt u?' De stem van mevrouw Fitzsimons klonk nu klaaglijk.

Het meisje raakte Margarets gezicht aan. 'Ik ben Molly,' zei ze.

'En ik ben Margaret.' Margaret gaf Molly een hand. 'Hoe is het met jou, Molly?'

Molly giechelde. 'Heel goed.' Ze sprak heel beleefd. 'En hoe gaat het met jou? Ben jij een braaf meisje?'

Margaret glimlachte. 'Dat hoop ik wel.'

Ze zaten enkele ogenblikken zwijgend tegenover elkaar. Toen nam Margaret het woord. 'Ik wilde u spreken, mevrouw Fitzsimons, om u te vertellen hoe erg ik het vind wat er de afgelopen tien jaar allemaal is gebeurd. We hebben allebei geleden, u en ik. We hebben allebei mensen verloren van wie we hielden – '

'Hou maar op,' viel mevrouw Fitzsimons haar in de rede. 'Zeg dat niet. Ik hield niet van Jimmy. Het spijt me helemaal niet dat hij dood is. Hij heeft uw dochter vermoord. Ik weet dat hij het heeft gedaan. En toen hij verdween was ik blij. Ik dacht dat hij misschien naar Amerika of naar Australië was gegaan. Het kon me niet schelen waar hij uithing. Ik wilde hem gewoon niet meer zien, niet langer worden herinnerd aan wat hij was en wat hij had gedaan.' Ze sloeg haar handen voor haar gezicht. Haar schouders schokten. Ze maakte geen geluid. Toen ze haar handen weghaalde lag er een verbitterde trek op haar gezicht. 'En toen ze hem vonden en hij dood bleek te zijn, was dat een opluchting voor me. Hij was van deze wereld naar de volgende wereld gegaan, waar God over hem zal oordelen. En Hij zal ongenadig over hem oordelen.'

'Ongenadig over hem oordelen,' herhaalde Molly. 'Ongenadig over hem oordelen.'

Er viel weer een stilte. Totdat mevrouw Fitzsimons zich tot haar dochter wendde. 'Het boek,' zei ze. 'Ga het boek eens halen.'

Molly liep de kamer uit.

'Dit is voor u,' zei mevrouw Fitzsimons zacht. 'Ik heb het in Molly's kamer gevonden.'

Molly kwam voor haar staan. Ze stak haar een gehavende pocket toe.

'Voor u. Mammie zegt dat het voor u is.' Ze legde het op Margarets knie. Margaret sloeg het open. De titelpagina luidde: *Songs of Innocence and Experience*. De auteur was William Blake. Daaronder stond met zwarte balpen en in Mary's handschrift gekrabbeld: 'Dit boek behoort toe aan Mary Mitchell, Torbay, Auckland, Nieuw-Zeeland, zuidelijk halfrond, wereld, heelal'.

Ze liep van Killiney heuvelafwaarts in de richting van Dun Laoghaire. Ze liep snel en het zweet droop tussen haar borsten en schouderbladen. Ze wilde naar huis. In de tuin gaan liggen, haar ogen dichtdoen, slapen. Alle beelden verdringen die opeens weer naar boven kwamen. Mary's lichaam in het mortuarium. Jimmy Fitzsimons' gezicht toen ze het kleefband eromheen wikkelde.

Ze liep door het stadje en vervolgens het pad af langs de spoorlijn. Het was vandaag druk op het strand bij Seapoint. Ze trok haar sandalen uit, liep het zand op en rende naar de zee. Ze stond tot aan haar enkels in het lauwe zeewater. Kleine, vriendelijke golfjes kwamen binnenrollen van Dublin Bay en kabbelden met witte schuimranden over het strand. Een klein meisje met krulletjes kwam naast haar staan en schopte naar het water.

'Waarom is het nat?' wilde ze weten, en keek omhoog naar Margaret.

'Omdat het dat nu eenmaal is,' antwoordde Margaret. 'Omdat het water is, en water is nat.'

'Waarom komt het naar het strand?' drong ze aan, en stak een hand uit om haar evenwicht te bewaren. Ze zette haar mollige voetjes stevig in het zand.

'Omdat de wind het water naar het land duwt, en wanneer het dan aankomt op het strand zwaait het met allemaal kleine handjes, zie je wel?' Margaret bukte zich tot ze zich op dezelfde hoogte bevond als het meisje. 'Zie je hoe het water naar je zwaait? Wanneer zo'n golf een aardig meisje ziet zoals jij, met van die leuke krulletjes, dan zwaait hij naar je.' Ze wikkelde een krul om haar vinger. 'Wat heb jij een prachtige krullen! Hoe kom je daaraan?'

Het kind keek haar met een ernstige uitdrukking aan. Haar blauwe ogen stonden vastberaden. Dat had ze eerder gehoord, dacht Margaret.

'Die zijn van mezelluf,' antwoordde ze, waarop ze Margarets hand van zich afschudde, zich omdraaide en wegbeende over het natte zand. Ze begon te rennen toen ze een kleine vrouw, met donker haar en grijze plukken, zag aankomen. Margaret sloeg de begroeting gade. De manier waarop de vrouw haar in haar armen nam, haar gezicht even tegen de nek van het kind legde en haar stevig tegen zich aan hield. Toen maakte het kind zich los uit de omhelzing en draaide zich weer om naar de rollende golven, het ondiepe water, de baai, met daarachter de zee en de horizon.

En Margaret voelde opnieuw de pijn van haar verlies. Van haar nog steeds voortdurende verlies. Van haar verlies dat eeuwig zou duren. Ze liep weg en ging even verderop op een rotsblok zitten. Dat was bedekt met kleine mosselen, die scherpe, zwarte randen hadden. Ze liet haar vingers eroverheen glijden en dacht aan de pipischelpen die op de rotsen groeiden bij het huis in Nieuw-Zeeland waar Mary haar kindertijd had doorgebracht. Zij zou daar nooit meer naartoe gaan. Het bleef voor eeuwig in haar herinnering gegrift. Een fantastische plek om een kind groot te brengen. De diepe tuin die helemaal afliep naar de rand van het klif. Het houten hek en de uit de rotsen uitgehouwen treden. De enorme bloeiende pohutakawabomen die over de zee heen hingen. De diepe poel in de bocht van de kreek die onder het klif door de zee in stroomde. En de tak die erboven hing, met het dikke touw waaraan Mary en haar vriendinnetjes heen en weer slingerden, waarna ze losslieten en als een baksteen in het water plonsden. Zij had vanaf de kant naar hen staan kijken en had haar dochter het liefst tegengehouden. Ze kon bijna niet geloven dat dat kleine meisje met die magere armpjes en beentjes de zwaai en de val kon overleven, om een paar tellen later haar hoofd alweer boven water te steken en naar haar te zwaaien en te roepen: 'Mam! Zag je dat, mam? Zag je wat ik deed?'

Al die kleine overwinninkjes. Alles wat ze had geleerd en ge-presteerd. Foto's van sportdagen op school, rapporten vol ach-ten en negens. Vlekkerige schilderwerkjes en bobbelige gekleide vaasjes, die ze liefdevol had bewaard. Zoveel liefde, zoveel aan-dacht. En waarvoor? dacht ze, terwijl ze langzaam opstond van de rots om naar huis te gaan. Voor een wrede dood en een leven van verlangen. Er dreef een wolk voor de zon en opeens was het donker. Ze huiverde en liep naar het trapje dat naar de prome-nade leidde. Opeens zag ze hoe een bekende gestalte op haar af kwam gerend.

'Margaret! Margaret, ik heb je overal gezocht.' Sally's gezicht was spierwit.

'Wat is er gebeurd? Wat is er?'

'Vanessa. Ze is vannacht niet thuisgekomen. Dat is niets voor haar. Ze belt me altijd. Hier,' Sally stak haar haar mobieltje toe, 'ik bel haar voortdurend, maar haar telefoon staat uit. Luister maar.'

'Het komt heus wel goed.' Margaret sloeg een arm om Sally's schouders. Ze haalde diep adem. 'Maak je geen zorgen, je weet hoe kinderen zijn op die leeftijd.'

'Maar morgen is ze jarig. De dag voor haar verjaardag maken we altijd samen plannen. Altijd.'

'Het is haar achttiende verjaardag, Sally.' Margaret klonk heel kalm. 'Dat is een grote dag voor haar. Waarschijnlijk wil ze hem graag doorbrengen met haar vrienden. Maak je geen zorgen. Het is nog vroeg, het is nog maar net drie uur. Met etenstijd is ze vast weer thuis, dat weet ik zeker.' Ze voelde hoe een kilte zich meester maakte van haar lichaam.

'Nee, er is meer aan de hand – ik weet niet wat ik moet doen.' Sally's stem brak.

Margaret probeerde rustig te blijven. 'We gaan naar huis, drinken een glaasje wijn en gaan lekker in de tuin zitten. En als ze over twee uur nog steeds niet thuis is, nemen we een besluit. Samen.'

'Wat voor besluit? Wat gaan we dan doen?' Sally's stem beefde.

'Dan bellen we de politie en geven Vanessa als vermist op. Zij weten wel wat ze moeten doen.' En opeens zat Margaret weer midden in die warme zomermiddag, bijna tien jaar geleden. En stond ze weer in de gang in het huis in Brighton Vale. En probeerde ze beleefd te blijven. *Luister dan. Luister dan toch naar me. Mijn dochter is al meer dan vierentwintig uur weg. Ik zou jullie niet bellen als ik daar geen reden voor had. Er is iets mis. Dat weet ik zeker.* En de toon van verveelde berusting in de stem van de politieman. *Hoe oud zei u dat ze was?* En dan de stemverheffing, alle beleefdheid, alle terughoudendheid verdwenen: *Voor de derde keer, ze is twintig.* En hij zucht en zegt: *Op die leeftijd kan ze, als ze dat wil, van huis weg. Ze is niet minderjarig meer. Het spijt me, maar er verdwijnen aan de lopende band mensen.* En ze wil hem grijpen en door elkaar schudden. *Luister dan toch, neem haar signalement op. Doe iets. Ga haar zoeken.*

'Maak je geen zorgen, Sally.' Ze sprak langzaam en zorgvuldig. 'We zullen Michael McLoughlin bellen.'

'Wil jij het hem dan uitleggen? Ik kan niet meer nadenken. Ik weet het niet meer.' De tranen stonden in haar ogen. Margaret trok haar hoofd naar haar schouder en leidde haar door de menigte. Het komt wel goed, hield Margaret zichzelf voor. Het komt wel goed. Maar ze stak haar hand in haar tas en voelde met haar vingers aan het boek. Ze streelde het. En het was alsof de jaren wegvielen. Wegvielen en een duistere afgrond voor haar ogen achterlieten.

28

Mail2Web.com. McLoughlin tikte de domeinnaam in het Google-venster. Hij drukte op return en wachtte. Het dialoogvenster vroeg hem om zijn gebruikersnaam en wachtwoord. De gebruikersnaam was gemakkelijk. Van het wachtwoord was hij niet helemaal zeker. Hij had er tegenwoordig zoveel, en hij wist nooit welk wachtwoord bij welke bankrekening, website of wat dan ook hoorde. Hij typte de letters MPJM in, zijn initialen, Michael Patrick John McLoughlin, en drukte op return. Het scherm vulde zich met e-mails. Wat een opluchting. Het was al erg genoeg dat zijn eigen computer vernield was en erg genoeg dat hij Johnny Harris had moeten overhalen hem zijn eigen computer te laten gebruiken. Maar als hij ook nog eens naar wachtwoorden had moeten raden, was dat wel de laatste druppel geweest.

Hij nam zijn berichten door. Ze waren er allemaal, de e-mails die Tony Heffernan hem had gestuurd nadat hij hem had gevraagd onderzoek te doen naar Marina's dood. Hij had hem de getuigenverklaringen gestuurd die Dominic de Paor, Mark Porter, Gilly, Sophie en de anderen op het feest hadden afgelegd. Die van Helena zat er ook bij, alsmede de forensische rapporten en Johnny Harris' autopsierapport. En de foto's die de bewuste dag waren gemaakt. Hij klikte ze aan om ze te openen en dronk zijn koffie terwijl ze op het scherm verschenen. Hij was er nog steeds niet van overtuigd dat er iets mysterieus was aan Marina's dood. Dus had ze op de een of andere manier een rol gespeeld bij de dood van haar stiefvader. Dus bedreigde iemand haar, was ze vernederd op het feest, had ze veel te veel gedronken, te veel lijntjes coke gesnoven en was toen verdronken. Het leek nog steeds op zelfmoord of op een ongeluk en niet veel meer.

Eén ding verbaasde hem echter. De jol lag heel diep in het meer en bleef nog maar nauwelijks drijven. Hij was voor meer dan de helft gevuld met water, dat bijna tot aan het middelste bankje kwam. Dat was hem eigenlijk nog niet eerder opgevallen. Hij printte de foto uit en legde hem op het bureau. Toen zocht hij in de andere e-mails naar een beschrijving van de toestand van de jol. De mensen van de forensische dienst hadden de boot uit het water gehaald voor een nauwkeurig onderzoek.

De boot is een Enterprise-zeiljol, waarschijnlijk zo'n vijfentwintig jaar oud. Hij is vervaardigd van scheepsmultiplex, afgewerkt met gevernist teakhout. Hoewel het een oude boot is, is hij goed onderhouden en zeewaardig. Rubberen stoppen zijn stevig aangebracht in het achterschip. De tuigage is verwijderd en het lijkt alsof de jol uitsluitend als roeiboot werd gebruikt. De riemen zaten nog in de roeiklampen, maar waren wel binnengehaald. Op de achtersteven is de naam *Bluebird*, hoewel aanzienlijk verbleekt, nog zichtbaar.

Bluebird, de jol die James de Paor die zomer aan Marina had gegeven. Ze had ermee gezeild. Zij en James waren ermee uitgevaren om de jongens in de speedboot aan te spreken op hun gedrag. Na James' dood had ze de jol bij Lake House achtergelaten, maar iemand had hem kennelijk goed onderhouden. Iemand had hem geschilderd, gevernist en ervoor gezorgd dat het hout niet ging rotten en er geen lekken ontstonden. Maar als de jol dus, hij las de verklaring nog eens door, 'goed onderhouden en zeewaardig' was, waarom stond er dan zoveel water in? Hoe was dat water erin terechtgekomen? Hij zette de mogelijke redenen op een rijtje. Ten eerste: regen? Hij zou de weerberichten er nog eens op moeten naslaan, maar hij was er vrij zeker van dat het de weken ervoor niet geregend had. Ruw water, wind? Nogmaals, voor zover hij zich kon herinneren, had er vrijwel voortdurend een hogedrukgebied geheerst. Vrijwel geen wind en een spiegelglad meer. Hij probeerde het zich voor te stellen. Marina, dronken, stoned, die in de boot zat en in haar eentje naar het midden van het meer roeide. Daar had ze netjes de riemen binnengehaald, zoals haar dat was geleerd, iets wat waarschijnlijk bijna een automatisme voor haar was. Toen had ze haar benen over de dolboorden gelegd en was vervolgens in het water gegleden of gevallen. Waarschijnlijk had de boot geslingerd toen haar gewicht wegviel. Maar hij dacht niet dat de jol onder water was gekomen. Er kon wel wat water over de rand zijn geslagen. Maar niet veel. Wat als ze van gedachten veranderd was? Zich had omgedraaid en had geprobeerd zich weer aan boord te hijsen? Dat zou moeilijk zijn geweest. Hij probeerde het te visualiseren. Maar hij zag nog steeds niet, zelfs als ze erin was geslaagd weer aan boord te komen, hoe er zoveel water in terecht had kunnen komen.

Hij stond op en begon door de kamer te ijsberen. Hij pijnigde zijn geheugen. Die dag toen hij naar het meer was gegaan, had hij de jol toen gezien? Hij dacht van niet. Maar hij had aan het eind van het strand wel een klein botenhuis zien liggen, vlak bij de wei waar de herten graasden. Hij dronk zijn koffie op, spoelde de beker om, droogde hem af en zette hem weg. Toen pakte hij zijn sleutels, zijn mobieltje en zijn portefeuille. Er had water in de boot gestaan. Waardoor? Hij trok de deur van het appartement achter zich dicht, stapte in de lift en drukte op het knopje voor de begane grond. Er was maar één manier om daarachter te komen.

De hondenhalsband zat strak om haar nek. Wanneer ze haar hoofd bewoog, sneed hij in haar kin. En zo nu en dan gaf Helena een ruk aan de riem, om haar te laten weten dat ze haar nog niet was vergeten.

Vanessa lag op een ruwe deken in het kleine achterkamertje van Dove Cottage. Haar lichaam sidderde van haar hoofd tot aan haar bleke voeten. Ze deed haar best om kalm te blijven en probeerde te verzinnen wat ze moest doen. Ze kon niet begrijpen hoe dit was gebeurd. Het ene moment lag ze nog heerlijk te spartelen in het meer en was ze zo gelukkig dat ze dacht dat ze zou barsten, en het volgende moment lag ze op een rots terwijl

Helena de halsband om haar nek gespte. Vanessa had wel gezien hoe Helena de halsband had losgemaakt van de hals van de hond, maar daar had ze niets achter gezocht. Eigenlijk had ze gedacht dat het voor het zwemmen was en er misschien wier tussen kon komen, zodat hij onder water kon worden getrokken. Maar deze hond liet zich niet zomaar onder water trekken. Vanessa had geprobeerd zich te verzetten, met haar armen om zich heen te maaien, maar de hond had gegromd. Zijn lippen waren teruggetrokken van zijn tanden en het geluid, een soort diep gerommel dat overging in een scherpe snauw, drong in haar oren.

'Dat zou ik maar niet doen.' Helena keek glimlachend op haar neer. 'Daar houdt hij niet van. En hij kan erg opgewonden raken als hij niet tevreden is.'

'Mijn kleren.' Vanessa trachtte vergeefs bij haar rok en haar blouse te komen. Maar Helena gaf een ruk aan de riem, zodat ze dacht dat haar nek zou breken of dat ze zou stikken.

'Waar jij naartoe gaat heb je geen kleren nodig. Het enige wat jij ooit nog nodig zult hebben is een lijkkleed. Je weet toch wel wat dat is?'

Vanessa lag helemaal opgekruld op de deken. Helena lag op het bed en de hond zat bij de deur. Ze wilde zich bewegen, haar benen strekken, haar lichaam uitrekken, maar ze durfde niet de aandacht op zich te vestigen. Ze had zo'n dorst. Sinds de picknick in het bos had ze niets meer gegeten of gedronken. Bij de gedachte aan voedsel werd ze misselijk, maar ze hunkerde wel naar water. Haar mond was droog en haar lippen waren gebarsten. Ze bewoog zich en tilde haar hoofd op van de vloer.

'Wat?' Helena tilde ook haar hoofd op en trok de riem strak door hem om haar hand te wikkelen. 'Wat nu weer?'

'Ik heb zo'n dorst. Zou ik wat mogen drinken?'

Helena grinnikte. 'Weet je wat jouw probleem is, meisje? Je had niet zo veel moeten huilen. Dan had je nu niet zo'n dorst gehad. Dus is het je eigen schuld. Jouw schuld. En hou nu verder je mond. Geniet nog maar even van je tijd hier. Blijf jij daar maar fijn op de grond liggen op die lekkere zachte deken en wees blij dat ik niet meer zo jong ben als vroeger. Dat mijn energie het een beetje laat afweten. Je blijft daar liggen tot het donker wordt. En dan wordt het denk ik tijd voor een zwempartijtje. Of,' ze duwde zichzelf omhoog op haar kussen, 'of lijkt het je wat om een eindje te gaan varen? In de boot van je zus. Die boot waarmee je zus en je vader die dag zijn gaan varen, zeventien jaar geleden, toen hij is verdronken. Dat weet jij niet meer, hè? Maar ik wel.' Ze ging weer liggen. 'Ze zijn me die avond komen vertellen dat hij dood was. Ze vertelden me dat mijn zoon geen vader meer had, en ze wilden me in het ziekenhuis niet naar de begrafenis laten gaan. Ze zeiden dat het slecht voor me zou zijn, dat ik er overstuur van zou raken en mijn genezingsproces erdoor zou worden vertraagd. Maar ik hield vol. Ik stond erop. Ik heb mijn advocaat opgedragen ze te dwingen me te laten gaan.'

Ze ging op haar zij liggen en gaf een ruk aan de riem. Vanessa's hoofd werd naar achteren getrokken. 'En ik stond naast mijn zoon en keek naar je moeder. Wat een zielig klein vrouwtje. Ze leek wel een musje. En ik wist meteen dat ik het haar op een dag betaald zou zetten. Dus,' ze gaf nog een ruk aan de riem, 'kom maar bij me, mijn kleine zwaluw. Kom bij me, mijn kleine pimpelmees. Mijn kleine merel. Mijn kleine spreeuw.' Ze begon het meisje over de vloer naar zich toe te trekken. 'En laat me dat jammerende lijfje van je verpletteren onder het mijne. Laat me voelen hoe je hart in je lichaam klopt. Laat me voelen hoe je hartslag in je polsen danst.'

Vanessa probeerde zich te verzetten. Ze greep zich vast aan een poot van het bed, maar de druk om haar nek perste alle lucht uit haar luchtpijp en ze stikte bijna. Ze begon te bidden, terwijl de tranen zachtjes over haar smoezelige gezicht gleden.

McLoughlin reed de smalle bergweg op. Hij passeerde het hek met het druktoetsenpaneel en de bewakingscamera, en volgde de kronkelende weg naar de top. In de diepte zag hij het meer liggen. Het was donker en glansde als het glimmend gepoetste metalen schild van een Romeinse soldaat. Hij zette de auto langs de kant van de weg. Toen stak hij de weg over en begon te lopen.

Het was warm, heel erg warm. Maar straks zou hij tussen de bomen lopen en daar zou het koeler zijn. Hij liep verder tot aan een stenen muur, die ongeveer tot aan zijn middel kwam en waar prikkeldraad overheen was gespannen. Hij klom op de muur en slaagde erin eroverheen te klimmen zonder met zijn broek in het prikkeldraad te blijven hangen. Hij sprong onhandig op de grond, haalde daarbij zijn hand open aan het prikkeldraad en vloekte hardop. De gemene scheurwond in zijn linkerhandpalm bloedde flink. Hij haalde een zakdoek uit zijn zak en bond die er met een onhandige knoop omheen. Zo moest het maar even. Hij richtte zich op en probeerde zich te oriënteren. Hij zag het meer en rechts daarvan het grijze leien dak van het huis, met daarachter de stallen. Hij moest nu heel dicht bij de plek zijn waar Tom Spencer die dag had gezeten. Het uitzicht was spectaculair. Hij kon helemaal over het meer kijken naar de kleine stroomversnellingen en het riviertje, dat zich als een zilveren lint een weg omlaag zocht naar de volgende vallei. Links van hem bevonden zich het poortgebouw en de oprijlaan, en terwijl hij stond te kijken, zag hij de zon op het dak van een auto glinsteren die langzaam tussen de bomen door naar het huis reed. Had hij nu zijn verrekijker maar meegenomen. Van deze afstand kon hij het merk en model van de auto niet zien. Maar hij moest wel goed uitkijken waar hij liep. Hij wilde geen onverwachte ontmoeting met Gerry Leonard of een van Dominic de Paors andere vriendjes. Hij klauterde omlaag van de rotsen. Hij kon maar beter meteen gaan. Treuzelen had geen zin.

'Dat wist je niet, hè?' Helena maakte een fles mineraalwater open.

Vanessa hoorde het gesis van de ontsnappende luchtbelletjes. Haar lippen waren gebarsten. Haar tong voelde gezwollen aan in haar mond. 'Wat wist ik niet?' Het was moeilijk om te praten. Ze moest moeite doen om haar stem in bedwang te houden.

'Hoe je aan je naam komt. Dat mijn baby ook Vanessa heette. James was dol op die naam. Hij was ook dol op de baby. Ik dacht wel eens dat hij meer van haar hield dan van mij. Het was natuurlijk onvermijdelijk dat hij jou dezelfde naam zou geven. Ook al wilde hij jou niet en hield hij niet van je. Hij hield van mijn baby, van mijn kleine Vanessa.' Ze zette de fles aan haar lippen, en terwijl ze dronk liep het water in een straaltje langs haar kin. 'Ze ligt hier begraven. Wist je dat?'

Vanessa kon aan niets anders denken dan aan het water. Kon ze maar wat drinken, de rest kon haar niet meer schelen.

'Ja, in de hertenwei. Er ligt een grote plaat graniet op haar grafje. Haar naam staat erin gebeiteld. Alleen haar naam. Dat is genoeg.' Helena zette de fles op haar buik.

Vanessa kon het water bijna ruiken. 'Alsjeblieft,' fluisterde ze. 'Alsjeblieft.'

'Ik wilde dat James daar ook werd begraven. Als ik mijn zin had gekregen had hij nu ook in de hertenwei gelegen. Ook onder zo'n plaat graniet. Maar het mocht niet zo zijn. Daar heeft jouw moeder wel voor gezorgd. Maar ik heb met haar afgerekend. Ik heb ervoor gezorgd dat ze geen enkel recht meer had op zijn naam of op zijn bezittingen. En trouwens,' ze tilde de fles op en liet het water erin ronddraaien, 'waarom zou ze ook? Het was per slot van rekening haar dochter die hem had vermoord. Ja, ja,' ze ging zitten en duwde de koude fles hard tegen Vanessa's wang, 'dat is nóg iets wat je niet wist, klein vogeltje van me.' Ze zwaaide haar benen van het bed en stond op.

'Alsjeblieft.' Vanessa stak haar hand uit naar de fles. 'Alsjeblieft.'

'Water? Wil je water? Ik zou je mee moeten nemen naar het meer. Ik zou je uit de boot moeten gooien. En ik zou moeten gaan zitten kijken hoe je verdronk. Net zoals je zus Marina heeft zitten kijken hoe je vader verdronk.' Ze tilde de fles hoog op en hield hem een beetje schuin. 'Het is echt waar, hoor. Mijn zoon is erachter gekomen wat ze heeft gedaan. En toen hebben wij besloten dat ze gestraft moest worden. Vernedering, marteling, doodsangst – ze moest het allemaal aan den lijve ondervinden.' Het water liep in een straaltje uit de fles. Vanessa keek naar de glinsterende druppels.

'En al Dominics vrienden keken toe. Die meisjes die zo dol op hem waren. Voor hem deden ze alles. En dat zielige mannetje, Mark. Zijn schaduw, noemden we hem. Op dezelfde dag geboren. In hetzelfde ziekenhuis. Zijn moeder was mijn beste vriendin. Mijn zoon was sterk en mooi. De hare zwak en hulpeloos. Misvormd. Maar Dominic is altijd goed voor hem geweest. En die avond zei hij: "Nu is het jouw beurt om eens een pleziertje te hebben. Nu mag jij Marina een keer hebben." Helena ging op het bed zitten dat naast haar stond. 'Jammer dat ze er niet meer is. We hebben van haar genoten. En nu, als blijk van dankbaarheid aan je zus, zal ik je wat laten drinken. Hier.' En ze stak de fles zó hard in Vanessa's mond dat hij tegen haar tanden sloeg en haar tong achter in haar keel duwde, zodat Vanessa bijna stikte, kokhalsde en spuugde.

'Dat noemen ze dan dankbaarheid.' Helena stond op. Ze liet de fles op de grond vallen. Hij rolde onder het bed. De tranen stonden weer in Vanessa's ogen.

'Nog meer tranen.' Helena liep naar de deur en deed hem open. De hond tilde zijn kop op. Helena bukte zich en streelde zijn oren. 'Brave jongen,' zei ze tegen hem en stapte over hem heen. Vanessa hoorde haar voetstappen op de trap. De hond stond op en liep naar het bed. Hij ging liggen, legde zijn kop tussen zijn poten en staarde haar met zijn toffeekleurige ogen aan.

McLoughlin bereikte de bomen. Het zweet droop van zijn voorhoofd. Zijn knieën deden pijn van het afdalen en hij snakte ernaar om even te kunnen gaan zitten. Hij begon een beetje spijt te krijgen dat hij hier in z'n eentje naartoe was gekomen. Veel te oud voor dit soort ongein, dacht hij. Hij keek goed uit waar hij zijn voeten neerzette op de ruwe bodem. Het laatste wat hij nu kon gebruiken was een gekneusde of verstuikte enkel. Opeens voelde hij zijn mobieltje trillen in zijn binnenzak. Hij haalde het tevoorschijn. Het was Sally. 'Ha, Sally. Luister, ik had je zelf al willen bellen. Volgens mij ben ik iets op het spoor. Ik wilde je niet ongerust maken, maar ik denk toch dat je wel eens gelijk zou kunnen hebben. Misschien is er tóch meer aan de hand met Marina's dood dan ik dacht.'

'Michael,' zei Sally. 'Michael, ik moet je spreken. Vanessa is weg.'

'Weg? Hoe lang?' Hij bleef staan.

'Morgen is haar achttiende verjaardag. We hadden afgesproken dat we die dag samen zouden doorbrengen. We vieren haar verjaardag altijd samen. We hebben een soort traditie. De avond ervoor hebben we altijd een speciaal dineetje samen. Dat is vanavond, Michael, maar ze is er niet. En haar mobieltje staat uit. Er is iets gebeurd.' Hij hoorde de hysterie in haar stem en kreeg er kippenvel van.

'Hoor eens, Sally, ik weet dat je het nu moeilijk hebt. Maar maak je alsjeblieft geen zorgen.' Hij was zich ervan bewust hoe hard zijn stem klonk in de stilte van het bos, maar voor zover hij kon beoordelen was hij alleen. Hij probeerde zachter te praten en hield de telefoon dichter bij zijn mond. 'Waarschijnlijk is Vanessa uit met haar vriendinnen. Ze heeft per slot van rekening ook een zware tijd achter de rug. Misschien heeft ze wat tijd voor zichzelf nodig, zónder jou.'

Margaret keek naar Sally. Haar gezicht was spierwit en haar lippen trilden. Margaret hield haar hand op en Sally gaf haar de telefoon. Ze pakte hem aan. Hij voelde zwaar aan in haar hand. Haar handpalmen waren vochtig en ze voelde kriebels in haar buik.

'Hallo, Michael. Weet je nog wie ik ben?' Ze wachtte op zijn reactie. Het bleef even stil. 'Michael, je spreekt met Margaret Mitchell. Weet je nog? Het spijt me dat ik je zo overval, maar ik moet je dringend spreken. Over Sally en haar dochter.'

McLoughlin kon geen woord uitbrengen. Het leek wel of zijn keel werd dichtgeknepen. Hij voelde de warmte van de zon wegtrekken. Het was een koude winteravond en hij stond in het donker te kijken naar de man die gekneveld op de grond lag.

'Michael, ben je daar nog?'

Hij schraapte zijn keel. 'Ja, ik ben er nog. Waar ben je?' Het was opeens heel belangrijk dat hij haar voor zich kon zien.

'Ik ben in mijn huis in Brighton Vale. En Sally is hier ook. En je moet echt naar haar luisteren. Net zoals je naar mij hebt geluisterd.' Haar stem klonk dringend.

'Waarom ben je daar? Waarom ben je teruggekomen? Het lijkt me geen goed idee dat je daar bent.'

Het bleef een ogenblik stil. Toen zei ze: 'Dat is nu niet belangrijk, Michael. Je moet naar Sally luisteren. Haar dochter wordt vermist. Herinner je je Mary nog? Mijn Mary?'

'Oké, Margaret. Dit is wat je moet doen. Zeg tegen Sally dat ze contact opneemt met Tony Heffernan. Ik kan op dit moment zelf niets doen. Tony is degene die ze moet hebben. Hij zal haar helpen.' McLoughlin begon weer te lopen. Hij voelde zich onbeschut en kwetsbaar.

Margaret keek naar Sally. 'Dat heeft ze al gedaan, Michael, dat was het eerste wat ze heeft gedaan. Hij heeft haar het gebruikelijke verhaal opgelepeld van rustig afwachten. De raad die ik ook te horen kreeg toen ik probeerde Mary als vermist op te geven. Michael, Sally kan niet langer wachten. Ze weet dat er iets is gebeurd. Je moet haar helpen. Alsjeblieft, Michael, zoals je mij ook hebt geholpen.'

Hij herinnerde zich alles nog. Hoe hij in de tuin had gezeten in Monkstown. Hoe hij had geprobeerd haar uit te leggen wat ze zouden gaan doen. Waar ze zouden gaan zoeken. Hoeveel vertrouwen ze erin hadden dat ze haar zouden vinden.

'Luister, Margaret, ik ben nu in Wicklow. Ik moet iets natrekken wat te maken heeft met Marina, Sally's dochter. Ze heeft je vast wel over haar verteld. Geef me een paar uur, dan ben ik terug. Ga intussen naar het politiebureau van Dun Laoghaire. Neem een foto mee. Vertel daar dat ze twee of zelfs al drie dagen weg is. Barst in snikken uit, doe wat je kunt om ervoor te zorgen dat ze iets doen.' Hij zweeg even. 'Luister, ik weet zeker dat het goed komt. Niet elk vermist meisje eindigt zoals jouw dochter.' Toen voegde hij eraan toe: 'Sorry. Dat klonk hard. Zo bedoelde ik het niet.'

'Laat maar zitten, Michael, ik begrijp het wel. Dat zullen we doen. We zullen doen wat je zegt.' Margaret glimlachte naar Sally.

'Margaret, wacht! Margaret, luister nog even!' riep McLoughlin.

'Ja?'

'Ik wil je zien. Ik kan niet geloven dat je hier bent. Dat je terug bent gekomen.'

Margaret wendde zich van Sally af en liep naar de tuin. 'Ja,' fluisterde ze, 'maar ik blijf niet lang. Er is iets wat ik moet doen. Iets waardoor ik weer weg moet.' Hij hoorde Sally's stem op de achtergrond. 'We moeten nu gaan. Ik zie je snel. Tot ziens.'

McLoughlin leunde tegen een enorme beuk. Het licht filterde door een baldakijn van takken. Zijn hart bonkte en hij voelde zich misselijk. Hij zat weer in zijn auto en reed richting Blessington. Het was donker en koud. Er lag een fles wodka op de passagiersstoel en hij dronk eruit tijdens het rijden. Hij volgde de zwarte Mercedes, de taxi waarin Jimmy reed. Hij zag hem de laan in rijden naar het huis achter de naaldbomen. Hij zette zijn wagen langs de kant, stapte uit en volgde Jimmy te voet. Hij zag de vrouw ook uitstappen Toen zag hij de andere man achter het huis vandaan komen. De lange, knappe man die hij herkende van het gerechtsgebouw. Zag dat de man Jimmy op zijn hoofd sloeg, zodat hij op de grond viel. Zag dat Jimmy naar de binnenplaats achter het huis werd gesleept. Zag wat er vervolgens gebeurde. En nu was ze terug. Hij had jarenlang van dit moment gedroomd. Hij had het al talloze malen beleefd. Alles wat hij zou zeggen. Alles wat hij zou doen. En nu liep hij hier op een heuvel in Wicklow, vanwege de een of andere idiote ingeving over water in een zeilboot. Het zou zo gemakkelijk zijn. Hij kon weer naar boven klimmen, over de muur klauteren, in zijn auto stappen en terugrijden naar de kust. Zo gemakkelijk.

'Je bent nu al zover gekomen, Michael,' zei hij. 'Nu moet je maar doorzetten ook.'

Hij liep weg van de boom. Het was niet ver meer naar het meer. Hoe eerder hij die boot had bekeken, des te eerder kon hij hier weer weg.

Vanessa lag op het bed. Ze lag half te slapen. Helena was weer terug, en ze had haar in elk geval iets te drinken gegeven. Het zag eruit als wijn, maar smaakte anders. Ze was ervan ingedommeld. Weggedommeld. Een prettig gevoel. Kalmerend, net als in slaap vallen op een groot, zacht kussen. Nu hoorde ze iets. Er zong iemand. Ze probeerde de woorden te verstaan. Een kinderliedje of een rijmpje.

Gonna tell, gonna tell, gonna tell on you.

De woorden werden keer op keer herhaald. Ze zakte weer weg, maar opeens schoot ze wakker. Vanaf deze plek kon ze uit het raam kijken. Ze zag de kleine voortuin en het pad vanaf de weg. Ze zag iemand aankomen. Een man duwde een karretje over het pad. Het was volgestapeld met kartonnen dozen. Bovenop lag een witte laptop. Het was een Apple iBook. Vanessa kende het type. Marina had er een. Ze had gezegd dat Vanessa er zo een voor haar verjaardag zou krijgen. De man liep door het hek, en Helena ging naar buiten om hem te begroeten. Ze kwamen naar de voordeur. Vanessa kon hen niet zien, maar wel horen. Ze spande zich tot het uiterste in om hun gesprek te kunnen volgen.

'Je zoon... Volgens hem zou jij wel weten wat je met deze spullen moest doen.' De man had een norse, zware stem.

'Natuurlijk. Hij zei al dat je zou komen. Breng het allemaal maar naar binnen. Deze kant op. Volg mij maar.'

Ze hoorde de mannenvoeten de trap op stommelen. Hij liep langzaam. Met zware tred. Ze hoorde een harde bons. Misschien waren het de dozen, die op de grond werden gezet. Toen hoorde ze de deur van de andere slaapkamer dichtgaan. Ze probeerde te gaan zitten.

'Help me, alsjeblieft. Help.' Haar stem was zwak.

De deur ging krakend open.

'Alsjeblieft,' fluisterde ze.

De man zei niets en deinsde achteruit. Hij deed de deur dicht. Ze hoorde weer zijn voetstappen op de trap. Ze was zo moe. Haar benen waren zwaar. Ze kon ze nauwelijks bewegen. Ze zuchtte weer. En eindelijk viel ze in slaap.

29

De vlinder zat op een bosje brandnetels. Zijn vleugels openden zich en toonden hun oranje en witte vlekken. McLoughlin hield zijn adem in en stak een vinger uit. De vlinder kwam langzaam omhoog, bleef even voor hem hangen, opende toen zijn vleugels helemaal en vloog weg. McLoughlin draaide zich om, om hem na te kijken. Hij keek tot hij hem niet langer kon zien, tot hij tussen de takken van de grote beuken was verdwenen. Toen liep hij verder de heuvel af, in de richting van het huis.

Hij kon het al duidelijk zien. Voor het huis stond een Land Rover geparkeerd. Van de inzittenden was geen spoor te bekennen. De keukendeur stond open. Hij probeerde een manier te verzinnen om ongezien langs het huis bij het botenhuis aan het einde van het strand te komen. Hij ging zitten om even op adem te komen. Hij had dorst en zijn kuiten deden pijn na de steile afdaling vanaf de top van de heuvel. Hij vroeg zich af waar Helena de Paor kon zijn en, nog veel belangrijker, haar hond. Hij had aan Tony Heffernan gevraagd: 'Is ze nog steeds knettergek?' Hij had het gezegd alsof hij het over een onschuldig oud vrouwtje had dat in de supermarkt in zichzelf liep te mompelen. Maar zo was ze niet. Ze was angstaanjagend – en gevaarlijk.

Het was inmiddels wat afgekoeld en het zweet op zijn rug voelde koud aan. Hij haalde zijn mobieltje tevoorschijn. Het was kwart over acht. Hij had zich niet gerealiseerd hoeveel tijd er was verstreken sinds hij hier was aangekomen.

Hij stond op. De enige manier om ongezien langs het huis te komen, was om achter de stallen langs te lopen. Het bos liep door tot vlak achter de stallen, en als hij tussen de bomen door liep kwam hij uit aan de andere kant bij de hertenwei. Vanaf

daar was het niet ver meer naar het botenhuis. Hoopte hij. Hij
trok de zakdoek van zijn hand, want de wond bloedde niet meer.
Hij veegde zijn voorhoofd af en haalde diep adem. Tijd om verder te gaan.

Vanessa schrok wakker. Even dacht ze dat ze thuis was, in
Monkstown. Deze kamer leek een beetje op haar eigen zolder-
kamertje. Het plafond liep schuin af naar de vloer en de ramen
waren laag en klein. Van beneden kwam het geluid van een
radio. Ze hoorde stemmen. Misschien was een van die stemmen
die van haar moeder, die aan het koken was en tegelijk naar het
avondnieuws stond te luisteren. En intussen een van haar vriendinnen aan de telefoon had. Misschien Janet wel, die ze nog van
school kende. Of Margaret – die altijd zo verdrietig was, maar
haar moeder wel had geholpen, daar bestond geen enkele twijfel
aan. Het was zo'n opluchting haar gewoon achter te kunnen
laten. Weg te gaan zonder zich voortdurend zorgen om haar te
moeten maken. Maar nu, dat wist ze zeker, maakte haar moeder
zich zorgen om haar. Het was de dag voor haar verjaardag. Ze
hadden samen al besloten waaruit haar verjaardagsdiner zou bestaan. Haar moeder had gezegd dat ze alles mocht kiezen wat ze
lekker vond.

'Ik maak een Indiase feestmaaltijd voor je klaar,' had haar
moeder gezegd. Ze zou *dal* maken, en spinazie en aardappels.
Okra, met suiker en limoen. En kikkererwten in zoetzure saus.
Ze zou komkommer klaarmaken met munt en yoghurt, en wor-
telsalade met mosterdzaad en limoensap. 'En een vleesgerecht. Je
moet één vleesgerecht uitkiezen,' had haar moeder gezegd.

Dus toen had ze *rogan josh* gekozen, met lamsvlees en yoghurt.
Er zou een schaal rijst met doperwten op tafel komen en een
berg *naan*-brood, gloeiend heet en knapperig van de grill.

'En wat zullen we erbij drinken?' had ze gevraagd.

Haar moeder had met haar pen op haar boodschappenlijstje
getikt. 'Je vader zei altijd dat je bij een Indiase maaltijd maar één
ding kon drinken, en dat was champagne. Dus die gaan we vanavond drinken. Champagne. Hoe klinkt dat?'

Goh, had ze gedacht, je zult maar een vader hebben die vindt dat je bij Indiaas eten alleen maar champagne kunt drinken. En het maakte de man die ze nooit had gekend, die altijd alleen maar een gezicht op een foto was geweest met net zulk haar als het hare, opeens heel echt en levend voor haar.

Ze rolde zich op haar rug. Ze was alleen. De hondenriem hing op de grond. Ze kwam langzaam overeind en begon naar de deur te kruipen. Die half openstond. Ze keek om het hoekje en kroop toen de overloop op. Toen zag ze het. De hond lag dwars voor de trap. Hij tilde zijn kop op en keek haar aan.

'Ah, je hebt besloten ons gezelschap te komen houden.' Helena stond naast hem. Ze had een stapeltje kleren in haar handen. 'Hier, trek deze maar aan. We gaan een eindje wandelen.' Ze gooide haar de rok en de blouse toe. 'Maar wel een beetje opschieten. Het is al laat. En je moet nog iets doen voordat we kunnen gaan. Vlug, vlug. Laat me niet wachten.'

'Mijn schoenen. Waar zijn mijn schoenen?' Vanessa stak haar hand uit.

'Godallemachtig, jij wilt ook álles, hè? Wees blij dat je iets hebt om aan te trekken. En denk maar niet dat je naar huis gaat. Dat is echt de laatste plek waar jij naartoe gaat.' Helena grijnsde. 'Je zou natuurlijk kunnen zeggen dat je wordt thuisgehaald. Maar de betekenis van die uitdrukking zal je wel ontgaan.' Ze legde een hand op de hondenkop en stond op. 'En trek nu die spullen aan. Vlug een beetje, voordat ik me genoodzaakt voel om het voor je te doen.'

McLoughlin kon het bootje door het beukenbos aan de rand van de hertenwei zien liggen. Het lag vastgemaakt aan de kleine aanlegsteiger. Hij zag nog steeds geen teken van leven in het huis. Hij haastte zich tussen de bomen door, zijn voeten knerpend over de centimeters dikke laag beukmast op de bemoste bodem. Toen was hij bij de boot. Hij bleef staan en ging ernaast zitten om even uit te rusten. Het hout van de steiger was warm. Hij leunde naar voren en schepte een handvol water uit het meer, plensde wat in zijn gezicht. Vervolgens bevochtigde hij zijn zakdoek om zijn nek nat te maken en liet het warme water over zijn rug druipen. Het voelde heerlijk aan. Hij had er heel wat voor overgehad om nu zijn kleren uit te trekken en zich in die zijdezachte duisternis te laten zakken. Maar daar was dit niet het juiste moment of de juiste plek voor, hield hij zichzelf voor. Hij ging op zijn knieën zitten en keek in de boot. Die zag er behoorlijk goed uit. De verf was verbleekt, maar hij zag geen sporen van houtrot of verval. Hij leunde op de dolboorden en de boot helde over onder zijn gewicht. Helde over, maar ging niet onder water. Hij stond op, maakte de boot los van zijn ligplaats, begon hem naar het einde van de steiger te trekken en vervolgens terug naar de waterkant en de ingang van het botenhuis. Hij duwde tegen de houten deur, die openzwaaide. Hij liep snel naar binnen en de jol volgde hem als een gehoorzame pony aan een leidsel.

Het was donker en koel. Hij stond op het houten plankier en bond de boot losjes aan een ring aan de muur. Toen stapte hij erin. De boot deinde heen en weer onder zijn gewicht. Stel je voor, dacht hij. Stel je voor dat je dronken en stoned bent en hier in het donker ligt. Hij ging op het achterste bankje zitten en liet zichzelf opzij zakken, zodat de zijkant van zijn hoofd op het dolboord lag.

'Je hebt besloten dat je er een eind aan gaat maken. Je besluit overboord te springen,' zei hij hardop, terwijl hij zijn benen over de rand zwaaide. Op het moment dat hij zijn gewicht verplaatste, kwam de boeg omhoog. Hij trok zijn schoenen uit en rolde zijn broekspijpen zo hoog mogelijk op. Toen ging hij op de rand zitten en zette zich af. De boot zakte onder hem weg. Water klotste omhoog en liep ook over de zijkant. Hij haalde zijn benen weer naar binnen en bukte zich om te kijken hoeveel water er nu op de bodem stond. Het was amper genoeg om de hoosemmer mee te vullen. Zeker niet zoveel als er in de boot had gelegen nadat Marina's lichaam was gevonden. De enige manier waarop het water in de boot had kunnen komen, was als iemand het erin had gegooid. Of? Of? Of?

Hij stapte uit de boot en liet zich ernaast in het water zakken.

Het water kroop omhoog langs zijn benen. Shit, dacht hij. Hij had zijn broek uit moeten trekken. Daar was het nu te laat voor. Hij stond naast de boot. Toen leunde hij op het dolboord en hees zich er half overheen, maar hield intussen zijn voeten stevig op de zanderige bodem van het meer. Toen de boot naar hem overhelde stroomde er water in. Hij deed een stap naar achteren, liet de boot los en keek hoe hij weer vlak op het water ging liggen. Het water klotste van de ene kant naar de andere en lag toen stil. Hij keek hoeveel water erin stond. Minstens vijftien centimeter. Niet zo veel als op de ochtend toen Marina was gevonden. Maar hij begreep nu wel hoe het erin kon zijn gekomen. Iemand die op het dolboord leunde en de boot misschien zelfs omlaagduwde, dat zou heel goed kunnen. Iemand die het dolboord omlaagduwde terwijl de vrouw lag te slapen, zodat ze in het water viel. Iemand die op het dolboord duwde en de vrouw uit de boot trok. Iemand die sterk was en zwaar en zijn hele gewicht had gebruikt om de boot te laten kantelen en de vrouw eruit te laten vallen. En terwijl zij in het meer was verdwenen, was er in haar plaats water in de boot gestroomd.

Hij hees zich weer op het plankier en dacht aan de getuigenverklaringen die hij had gelezen. Hij herinnerde zich hoe hij hier in de keuken naar Helena had zitten luisteren toen ze hem vertelde hoe zij en de hond in alle vroegte waren opgestaan om te gaan zwemmen. Ze had een levendig beeld geschetst. Ze hadden de jol zien drijven en ze was het water in gelopen om hem te pakken en vast te leggen aan de ring in de rotswand. Toen had ze het lichaam van de vrouw in de stroomversnelling zien liggen. Ze was gaan kijken en had ontdekt dat de vrouw dood was, waarna ze alarm had geslagen. Hij bukte zich om zijn broekspijpen omlaag te rollen en zijn schoenen aan te trekken. Maar wat als ze de boot had gevonden, zoals ze zei, en Marina er nog in had gelegen? Buiten bewustzijn wellicht, maar in leven. En als zij de zijkant van de boot omlaag had geduwd, zodat Marina in het water was gevallen en verdronken? Johnny Harris had gezegd dat ze was verdronken. Haar longen zaten vol met water. Dus leefde ze nog toen ze in het water terechtkwam. Ze leefde nog, maar was niet in staat geweest zichzelf te redden. Ze leefde nog, totdat Helena haar vond.

Hij trok zijn veters strak en strikte ze netjes dicht. Hij stond op. Het werd tijd dat hij Brian Dooley van dit alles op de hoogte ging brengen. Waarschijnlijk zou hij het afdoen als de op hol geslagen fantasie van een gepensioneerde politieman met te veel vrije tijd. Maar misschien ook niet. Dooley was de slechtste niet. Hij bukte zich om de jol los te maken. Hij kon hem maar beter achterlaten waar hij hem had gevonden, zodat niemand zou merken dat hier iemand was geweest. Maar op het moment dat hij zijn hand uitstak om de deur open te duwen, hoorde hij een stem. Hij deinsde achteruit, maar er was geen ontkomen aan. De deur zwaaide open.

'Wel wel, kijk eens wie we daar hebben!' Helena's stem klonk luid en triomfantelijk. Ze klikte met haar tong tegen haar verhemelte en de hond sprong naar voren. Hij bleef pal voor McLoughlin staan, plantte zijn voorpoten wijd uit elkaar en begon met opgezette nekharen onheilspellend te grommen. Maar McLoughlin had alleen aandacht voor het meisje dat in de deuropening stond, met haar kin op haar borst en een leren halsband om haar dunne, witte hals. 'Wat heb je met haar gedaan?' vroeg hij zacht.

Helena draaide zich om naar Vanessa. Ze gaf een ruk aan de hondenriem en Vanessa's hoofd kwam met een schok omhoog. 'Niet veel bijzonders. Wij vermaken ons wel samen, nietwaar?' Ze trok de leren riem strak en dwong Vanessa om op te kijken. De tranen gleden uit de ogen van het meisje. Ze zei niets.

'Laat haar gaan.' McLoughlin wilde een stap naar voren doen. De hond blafte één keer, kort en doordringend, en hij bleef staan.

Het meisje stond met schokkende schouders te snikken. McLoughlin voelde zijn eigen benen trillen. 'Laat haar gaan,' fluisterde hij. 'Laat mij haar plaats innemen.' Denk aan Mary, had Margaret gezegd. Hij dacht aan haar. Aan haar in zwart plastic gewikkelde lichaam, toen ze uit het kanaal werd gevist, mishandeld en misbruikt. Haar zwarte krullen afgeschoren. Hij dacht aan Margarets gezicht toen ze op haar dochter had neergekeken. Hij had de gezichten van andere moeders gezien. Vóór die dag, maar ook erna. Hij kon de gedachte aan Sally Spencer en de blik op haar gezicht niet verdragen.

'Jij? Wat zou ik met jou moeten? Jij interesseert me niets. Jij interesseert niemand iets. Ik ken jou, Michael McLoughlin. Jij bent een vent van niks.' Helena wendde zich tot Vanessa. 'Dit is wie ik hebben wil. Dit kleintje, dat kwettert als een vogeltje.' Ze stak haar hand uit en raakte Vanessa's haar aan. De hond jankte. 'Je weet toch wel wat voor dag het morgen is, meneer McLoughlin? Dan is het haar achttiende verjaardag. En weet je wat dat betekent? Morgen krijgt zij Dove Cottage en het land eromheen. Wat een kleine bofkont, hè?' Ze gaf weer een ruk aan de riem. 'Kijk me aan, meisje, wanneer ik tegen je praat. Wel een beetje opletten.' Vanessa's hoofd schoot omhoog. Haar ogen waren gesloten en haar gezicht had de kleur van afgeroomde melk. 'Dove Cottage, mooie naam. Alleen is het niet naar de duif genoemd, met zijn gladde veren en mooie, kleine snaveltje. Het komt van het Ierse woord, *dubh,* net als van het meer, Lough Dubh. Zwart, zwart, zwart.' Ze schudde haar hoofd, zodat haar haren eromheen zwierden. *'Black, black, black, is the colour of my true love's hair.'* Ze had een krachtige, melodieuze stem. 'Zwart vanwege het water van het moeras. Zwart vanwege de diepte van het meer. Het is bodemloos, wist je dat? Niemand weet hoe diep het is. Zal ik stenen in je zakken stoppen, Vanessa? Zal ik je laten zinken? Of wil je drijven, net als je zus? Het was zo mooi om haar met haar rode jurkje voorover in het water te zien drijven.' Ze zweeg, streek haar haar naar achteren en stopte het achter haar oren. 'Zo, en nu ter zake. Ik heb een plan.' Ze knipte met haar vingers naar Vanessa. 'Het briefje. Geef me dat briefje. Zo'n schattig briefje. Net zoiets als ik voor haar zus had geschreven. Alleen, waar moest ik het laten? Dat was de vraag.' Ze hield haar hoofd een beetje schuin. 'Toen kreeg ik opeens een ingeving. Ze had haar tas in een van de slaapkamers laten liggen. Dus heb ik het briefje in die tas gedaan en heb hem onder het bed geschopt. Geweldig idee om het daar achter te laten.'

Vanessa haalde een opgevouwen velletje papier uit haar zak. 'Lees het maar eens voor aan deze aardige meneer.' Helena stak haar hand uit en draaide een lok van Vanessa's haar om haar vingers. 'Kop op, meisje, toe maar. Luid en duidelijk.'

McLoughlin luisterde. De woorden kwamen hem bekend voor. Ze vroeg om vergiffenis, zo niet in deze wereld dan in de volgende. Toen ze bijna klaar was, brak haar stem. 'Ik hou van je, mama. Het spijt me dat ik je zoveel verdriet heb gedaan.' Ze barstte in snikken uit.

'Wanneer?' Hij staarde naar Helena, naar de glimlach op haar gezicht.

'Straks. We gaan een eindje roeien op het meer. De hond, het meisje en ik. Naar het diepste gedeelte. En dan gaat het meisje afscheid nemen. Ze laat haar kleren in de boot liggen. Het briefje stoppen we in haar zak. De hond en ik zwemmen terug naar de kant. Wij zijn goede zwemmers.' Ze klikte met haar tong. De hond kwam naar voren. McLoughlin voelde het zweet in zijn oksels prikken. Zijn mond was kurkdroog. De hond tilde zijn kop op en sperde zijn neusgaten wijd open. De binnenkant ervan was roze en glanzend. McLoughlin probeerde na te denken.

'Vertel me één ding.' Hij verplaatste voorzichtig zijn gewicht van de ene voet op de andere. De hond volgde elke beweging met glanzende ogen. 'Marina. Heb jij haar vermoord?' Hij keek naar Vanessa. Ze was gedesoriënteerd, in shock. Haar pupillen waren enorm groot.

'Vermoord? Tja, heb ik haar vermoord? Daar zou je over kunnen discussiëren. Ik leunde op de boot en toen viel ze overboord.'

Ze leunt op de boot. Het meisje doet haar ogen open. Help me, zegt ze, help me alstublieft. Het water stroomt in het bootje. Het meisje rolt op haar zij. Het water stroomt in de boot. Het meisje glijdt eruit.

'Ze verdiende het. Ze heeft mijn man laten sterven. Ze heeft er gewoon naar zitten kijken,' ze wees naar de boot, 'ze heeft daar gewoon zitten kijken hoe hij verdronk. Dat heeft die man aan Dominic verteld. Hij heeft haar gezien. Hij heeft gezien wat ze deed.'

'Ze was vijftien, Helena, niet veel meer dan een kind.' Hij stak zijn hand in zijn zak en voelde het harde plastic van zijn mobieltje.

'Vijftien? Niet veel meer dan een kind? Ze was sterk, ze was gezond, ze kon zwemmen. Ze droeg een zwemvest.'

Ze zit naar hem te kijken. Ze heeft nog zo gezegd dat hij zijn zwemvest aan moest trekken. Hij heeft niet naar haar geluisterd. Ik haat je, denkt ze, je luistert nooit naar me. Ze zit naar hem te kijken. Hij zinkt onder water, maar trapt zichzelf omhoog. Help, help me, schreeuwt hij. Ze zit in de boot en ziet hem verdrinken.

Helena stond nu te schreeuwen. 'Hij was hulpeloos! Ze heeft hem laten sterven!'

Vanessa jammerde zachtjes. 'Dat is toch niet waar, hè? Dat heeft ze toch niet echt gedaan?'

'Hou je mond! Laat dat kind haar mond houden!' Helena sloeg haar in het gezicht en Vanessa viel naar achteren.

McLoughlins vingers gleden over de druktoetsen. 'En waarom heeft ze dat gedaan, Helena? Wat heeft James gedaan dat ze hem zo haatte?'

Toen sloeg Helena hem met gebalde vuist zo hard tegen zijn neus dat hij wankelde.

'Denk je dat hij in haar geïnteresseerd was? Je snapt er helemaal niets van. Je weet niets. Je waagt je in veel te diep water. Je verdrinkt. Het water komt al tot aan je kin, over je mond, over je neus. Straks ben je helemaal verdwenen. Dan ben je weg en niemand zal je missen.' Ze gilde. Een triomfantelijk gegil. 'En dan zijn wij weer samen. Mijn zoon Dominic en ik. Wij hebben niemand anders nodig. Niemand. Wij zijn de enigen die ertoe doen.'

McLoughlin proefde bloed. Hij voelde het op zijn lippen, zijn kin.

'Arme Marina. Ze wilde zo graag dat Dominic haar aardig vond.' Helena's gezicht lichtte op. Ze straalde een licht uit dat van binnenuit leek te komen. 'Ze was zo bang dat hij erachter zou komen wat er in die jol was gebeurd. Ze deed alles om het hem naar de zin te maken. Toen ze na James' dood weer naar school gingen, had Dominic daar de tijd van zijn leven. Dat heeft

hij me zelf verteld. Marina deed alles voor hem. Hij kreeg haar
zover dat ze die jongen, Mark Porter, ging pesten. Ze deden er
allemaal aan mee. Het was zijn spel. En ze speelden het voor
hem.'

*Ze loopt naar de tennisbanen. Ze moet het doen. Dominic
heeft gezegd dat ze het moet doen. En ze is zo bang dat Dominic het weet. Dat hij weet wat er in de boot is gebeurd. En dat
hij het tegen haar moeder zal zeggen. En dat haar moeder het
haar nooit zal vergeven. Ze is bereid om alles te doen wat Dominic vraagt. Hij heeft een takenlijst. Ben Roxby staat boven
aan de lijst. Geef hem wat hij wil. En dan hebben we kleine
Mark. Met kleine Mark gaan we plezier hebben, nietwaar Marina? Arme, kleine Mark. Hij heeft niet door waar wij mee bezig
zijn. Hij wil alleen maar dat we hem aardig vinden. Hij wil dat
jij verliefd op hem bent. Toe maar, Marina, dan kijk ik toe en
vertel je of je het goed doet.*

Het bloed droop langs zijn overhemd op de houten vloer. De
hond snuffelde. Vanessa begon weer te jammeren.

'Hoe zit dat met de mannen in jouw familie en Marina?' Hij
moest zich concentreren. Hij moest rustig blijven. Hij moest nadenken. Hij probeerde zich de toetsen op zijn mobieltje voor de
geest te halen. 'Je wist toch wel dat Dominic Marina neukte?'

'Natuurlijk deed hij dat! Natuurlijk wist ik dat!' krijste Helena. 'Hij bespeelde haar. Alsof hij een forel aan het eind van zijn
lijn had. Hij liet haar een beetje gaan en haalde haar dan weer
binnen. Net zo lang tot ze niet meer kon. En toen kon hij haar
grijpen, doorboren met zijn speer, een net over haar heen gooien
en haar op het droge sleuren. Toekijken hoe ze naar adem hapte.
En vervolgens haar schedel inslaan met een steen.' Ze stak haar
armen hoog in de lucht en liet ze toen weer zakken. 'Hij was erachter gekomen wat er in de boot was gebeurd. En daar strafte
hij haar voor.'

'Daar strafte hij haar voor met al die berichtjes en foto's?'

Ze glimlachte. Hij zag dat er een veeg lippenstift op haar wang
zat. Ze klapte in haar handen. 'Ik wou dat ik erbij was geweest
om haar gezicht te zien toen ze die foto's kreeg. Maar ik heb die

avond op het feest genoeg van haar gezien. Ik heb een mooi filmpje van haar gemaakt met mijn camera. Met veel details. Jammer dat je het niet gezien hebt, aangezien je zoveel belangstelling voor haar hebt.'

Een prachtige avond. Een volle maan. Het huis vol mensen. Harde muziek. Tafels beladen met schalen vol eten, flessen wijn, wodka, whisky, gin. Mark rijdt met Marina naar het meer. Ze is bang. Ze zegt niets. Ze had nooit mee moeten gaan. Domninic zal hier ook zijn. Ze is bang van hem. Weet hij wat zij heeft gedaan? Daar moet ze achter zien te komen. Ze heeft berichtjes ontvangen en foto's. Die woorden op de muren van het appartement. Dominic moet het weten. Maar ze kan zich er niet toe brengen het hem te vragen. Het meer is zo mooi. De maan hangt erboven. Het blauwe schijnsel speelt over het water. Dominic zal hier ook zijn met zijn vrouw. Marina had niet willen komen. Maar Mark had haar gesmeekt om mee te gaan. Ze had zo met hem te doen. Ze had zo'n spijt van wat ze had gedaan, hoe ze hem had laten lijden. Maar ze wist dat het een vergissing was om hier te komen.

Ze staat bij het meer en kijkt uit over het water. Ze ziet de kleine jol bij de aanlegsteiger. Dominic pakt haar bij de arm. Kom, zegt hij, kom mee. Hij neemt haar mee naar het huis. Naar een slaapkamer op de bovenste verdieping. Hij legt een lijntje coke op de kaptafel. Ze bukt zich en houdt het opgerolde bankbiljet bij haar neus. En wat dacht je hiervan? zegt hij. Hij geeft haar een klein, wit pilletje. Lsd, zegt hij, dat heb je wel vaker genomen. Ja toch? Ze knikt. Ze slikt het door.

Ze lopen tussen de gasten door. Zij pakt een fles wodka van de tafel. Hij neemt haar mee het bos in en brengt haar naar de kleine open plek. Daar brandt een groot vuur. Ze ziet de bekende gezichten. Ze voelt zich warm, behaaglijk. Heel even voelt ze zich geliefd. Dominic kust haar. Over zijn schouder ziet ze zijn vrouw, Gilly, naar haar glimlachen. Misschien komt alles dan toch nog goed. Dan neemt Mark haar bij de hand. Hij duwt haar op de grond. Ze kijkt Dominic aan. Hij knikt en lacht.

Mark komt boven op haar liggen. Het vuur voelt warm aan op
haar blote benen. Mark trekt haar jurk omlaag en kust haar bor-
sten. Maar er is iets niet in orde. Hij staat op. Hij huilt. Ze rolt
zich op haar zij. Ze geeft over. Ze gaat staan. Ze hoort hier niet
te zijn. Er rust een vloek op deze plek. Ze raapt de wodkafles op
en loopt wankelend weg. Ze is vies. Ze stinkt. Ze heeft een sme-
rige smaak in haar mond. Ze strompelt naar het meer. En ziet de
kleine jol. Bluebird, *haar kleine* Bluebird. *Ze wankelt naar de*
steiger. Vlieg maar, kleine Bluebird, *laten we samen wegvliegen.*
Ze maakt het touw los en stapt erin. Het bootje deint op en neer
onder haar gewicht. Ze duwt het van de steiger af. Het is zo
prachtig op het meer. Stil. Vredig. Ze zet de fles aan haar lippen
en drinkt. Ze legt haar hoofd op het bankje. Ze slaapt.

'Maar ik heb dat filmpje wel gezien.' McLoughlins mond was
kurkdroog. Hij probeerde met zijn tong zijn lippen te bevochti-
gen, maar hij had geen speeksel. 'En ik heb gezien wat het met
Mark Porter heeft gedaan. Ik heb hem gezien toen hij dood was.
Ik heb gezien wat vernedering kan aanrichten. Waarom moest
Mark zo lijden, Helena? Waarom moest hij gestraft worden?'

'O,' ze schudde haar hoofd, 'bijkomstige schade – zo noemen
ze dat toch? Hoe konden wij weten dat hij niet in staat was de
daad te volbrengen? Eerder was het hem altijd wel gelukt. En belangrijk was dat Marina zou weten dat Marks belangstelling
voor haar betekende dat Dominic op haar was uitgekeken. Zo
werkte het namelijk. Mark kreeg altijd de restjes.' Helena giechelde. De hond tilde zijn kop op en keek haar aan.

'Maar waar was het allemaal voor, Helena? Wat wilde Dominic daarna gaan doen?' Hou haar aan de praat, hou haar aandacht vast. Zolang ze maar niet weggaat en het meisje mee-
neemt.

'O, dat was het mooiste van alles. Hij had besloten dat hij de
dag na het feest bij Sally Spencer langs zou gaan. Hij wilde haar
gaan vertellen wat haar dochter had gedaan. Zo ontzettend
grappig. Maar toen,' – ze wendde haar blik af – 'toen hij erachter kwam wat ik had gedaan, besloot hij – toen besloot hij – ' Ze

zweeg. Ze streelde Vanessa's wang. Het meisje stond te trillen. 'Toen besloot hij...'

'Vertel me alsjeblieft,' zegt Dominic, 'dat Marina al dood was toen je haar vond. Vertel me dat je haar niet hebt aangeraakt. Dat je haar niets hebt gedaan. Vertel me dat, moeder.'

'Ach,' zegt Helena schouderophalend, 'ze was bijna dood. Haar hoofd hing al half in het water. Ik probeerde haar nog mee te trekken naar de kant, maar ze was te zwaar voor me. Ze viel in het meer. Ik kon niets doen. Niets, eerlijk waar, helemaal niets.' Ze begint in paniek te raken. 'Zeg het alsjeblieft tegen niemand. Zeg het niet tegen de politie. Dan moet ik weer terug naar dat ziekenhuis. Alsjeblieft, Dominic, ik smeek het je. Als ze dat doen, ga ik dood. Dan ga ik echt dood.'

En hij slaat zijn armen om haar heen en trekt haar tegen zich aan. Hij kust haar haar, hij ruikt haar parfum. 'Wees maar niet bang, moeder, wees maar niet bang.' En hij doet zijn ogen dicht en houdt haar lichaam dicht tegen het zijne. En ze wiegt heen en weer. Samen wiegen ze heen en weer.

En intussen had McLoughlin zijn telefoon aangezet. Hij begon op de knopjes te drukken. Willekeurig, wanhopig. Opeens begon de telefoon te rinkelen.

Helena boog zich naar voren en trok zijn hand uit zijn zak. 'Geef hier!' riep ze.

Hij probeerde haar weg te duwen, maar het mobieltje viel uit zijn hand. Helena schopte het buiten zijn bereik. En de hond sprong op hem af. Beet naar zijn hand en klemde zijn pols tussen zijn kaken. Er ging een felle pijnscheut door zijn arm. Hij slaakte een kreet, een hoog, meelijwekkend geluid. En Helena schopte het toestel nog wat verder. Het water in. Toen draaide ze zich snel om en greep een meertouw dat op de grond lag. De hond klemde zijn kaken nog wat steviger om zijn hand. Hij kon zich niet bewegen. Helena schoof het touw in een lus over zijn hoofd en om zijn hals. Ze trok zijn hand uit de bek van de hond, draaide zijn armen op zijn rug en bond het touw vast aan een van de ringen in de muur. Ze trok het touw strak aan. Zijn keel werd dichtgeknepen. Hij hoestte. Hij stikte bijna. Hij hapte naar adem. Helena liep weg. Ze greep Vanessa bij haar haren – het meisje gilde van angst. Ze sleurde Vanessa overeind en gaf haar een harde duw, zodat ze in de boot viel. De hond blafte. Helena wenkte hem en hij sprong naast het meisje in de boot. Helena zette haar benen een eind uit elkaar. Eén op de boot en één op de steiger. De boot schommelde onder haar gewicht en kwam toen in beweging. Vanessa gilde. 'Nee!' Haar stem klonk wanhopig. 'Help me, alsjeblieft!'

Helena sprong in de boot. Toen pakte ze de riemen, drukte ze in de klampen en begon te roeien.

McLoughlin zakte tegen de muur. Het touw zat heel strak. Hij probeerde te slikken. Zijn hand lag behoorlijk open. Het touw schuurde langs de wond. Hij probeerde te schreeuwen, maar zijn stem bleef steken in zijn keel. Hij schopte met zijn benen en stampte met zijn voeten op de planken. 'Denk aan Mary,' had Margaret gezegd. 'Denk aan Mary'. Hij boog zijn hoofd. Toen hoorde hij het. Snelle voetstappen buiten. Hij probeerde opnieuw te schreeuwen en de deur van het botenhuis ging open.

Er stond een man in de deuropening. Een man met een geweer in zijn handen. 'Waar is ze? Waar zijn ze?' Dominic de Paor bracht het geweer op schouderhoogte.

'Je moeder en halfzusje zitten in de jol. Op het meer.' McLoughlin probeerde overeind te komen. 'Help me. Maak me los. Snel. Je moeder gaat haar verdrinken. Zoals ze Marina heeft verdronken.'

De Paor staarde hem aan. Hij liet het geweer zakken. 'Zij heeft Marina niet verdronken. Het was een ongeluk. Ze probeerde haar juist te helpen, heeft geprobeerd haar naar het strand te trekken. Ze heeft het niet zo bedoeld.' Hij veegde met een hand over zijn gezicht.

McLoughlin schudde wild zijn hoofd. 'Dat is niet wat ze mij heeft verteld. En ik geloof haar. Jij zou haar ook geloven, als je haar hier met Vanessa had gezien. Als je van je moeder houdt, moet je haar tegenhouden. Jij hebt dit gedaan. Jij hebt dit veroorzaakt. Het is jouw schuld. Dóé iets.'

'Ze bedoelt het niet zo. Ze is niet in orde.' De Paor zag lijkbleek.

'Niet in orde? Is dat hoe jij het noemt? Ze is volkomen de weg kwijt. Ze is gevaarlijk en heeft professionele hulp nodig.'

'Ik heb haar geholpen. Ik hou van haar. Ik heb voor haar gezorgd – ik heb ervoor gezorgd dat haar niets kon overkomen!' De Paor schreeuwde nu.

'Dat haar niets kon overkomen? Ben jij soms al even gek als zij? Je hebt haar niet geholpen. Je hebt haar de gelegenheid gegeven andere mensen kwaad te doen. Laat me gaan. Laat mij je helpen – laat mij háár helpen.'

Maar De Paor luisterde niet. Hij tilde het geweer weer op. 'Ik help haar. Ik ben haar steun en haar redding. Ik ben de enige die iets voor haar kan doen. Ze kan niet terug naar die gevangenis die ze een ziekenhuis noemen. Ik weet nog hoe het daar was. De waanzin die er heerste. De stank. De vernederingen. De medicijnen. De ECT's. Dan bonden ze haar vast. En daarna – daarna was ze een zombie. Geen enkel gevoel meer. En ik heb het haar beloofd. Dat nooit meer. Ik laat haar door niemand meer aanraken.'

Samen wiegen ze heen en weer. Hij herinnert zich de tijd dat hij klein was en zijn hoofd amper tot aan haar borst kwam. De troost, de liefde die ze uitstraalde. Hij hoorde haar hart kloppen. Kadoem, kadoem, kadoem. Hij doet zijn ogen dicht en ademt haar geur in. Hij was geliefd, hij was warm, hij was gelukkig. Nu houdt hij haar hoofd tegen zijn schouder. Hij streelt haar haren, haar donkere, donkere haren. Hij fluistert het liedje dat ze vroeger voor hem zong: 'Black, black, black is the colour of my true love's hair'. Hij pakt haar oorlelletje tussen zijn duim en wijsvinger, en wrijft er zachtjes over. Ze zucht en hij voelt haar lichaam tegen het zijne ontspannen. 'Wees maar niet bang, moeder, wees maar niet bang. Ik zorg ervoor dat niemand je pijn kan doen. Ik laat je nooit in de steek. Er is niemand die zoveel voor me betekent als jij. Stil maar, stil maar, wees maar niet bang.'

Hij liep naar de deur, maar bleef toen staan. Hij draaide zich om en zei: 'Mijn vader kon het niet schelen. Hij wilde het niet weten. Ik heb het haar beloofd. Ik heb haar gezworen dat ik haar nooit meer terug zou laten gaan. Wat er ook gebeurde.' Hij opende de deur, liep naar buiten en smeet de deur achter zich dicht.

Vanessa had het koud. Ze rilde en klappertandde. Ze had er geen controle meer over. Ze wilde dapper en sterk zijn. Ze wilde terugvechten. Maar ze had de energie niet meer om te vechten. Haar hoofd deed pijn en haar ene oog was gezwollen en zat bijna dicht. Helena roeide de boot rustig over het donkere oppervlak van het meer. De hond zat naast haar. Zijn poot lag op Helena's been. Helena zong. Vanessa kende dat liedje. Ze had het ooit op school geleerd. Het schoolkoor had het gezongen.

> *'Black, black, black is the colour of my true love's hair,*
> *Her lips are like some roses fair,*
> *She has the sweetest smile, the gentlest hands,*
> *And I love the ground whereon she stands.'*

Helena zong heel hard. Ze schreeuwde de woorden bijna uit.

> *'I love my love and well she knows,*
> *I love the ground whereon she goes,*
> *I wish the day soon would come,*
> *When she and I will be as one.'*

'Zing dan, vogeltje van me, zing dan met me mee.' Ze woelde met haar handen door Vanessa's haar.

De jager beweegt zich snel en geruisloos voort tussen de bomen. Hij is alert op de obstakels die hij tegen kan komen. Dorre takjes die met een harde knak kunnen breken. Oneffen terrein waarop hij kan struikelen of vallen. Laaghangende takken waaraan zijn haar of zijn kleren kunnen blijven haken. Hij ziet alles. Hij blijft voor de wind, zodat zijn prooi hem niet kan ruiken. Hij houdt zijn hoofd en lichaam laag zodat hij zich niet zal verraden door zijn silhouet tegen de horizon. Hij staat stil. Hij luistert. Hij kijkt. Hij ziet zijn prooi en berekent de afstand. Hij schuift een magazijn in het geweer en haalt de grendel naar achteren. De eerste kogel glijdt in de patroonkamer. Hij brengt het geweer naar zijn schouder, knijpt één oog dicht en krijgt het doelwit in zijn vizier. Hij haalt de trekker over. De kogel heeft een snelheid van negenhonderd meter per seconde. Drie keer de snelheid van het geluid. Wanneer hij de geluidsbarrière doorbreekt, echoot de supersone knal door de lucht. Hij weerkaatst van de ene rotswand naar de andere. Het doelwit stort neer. Hij haalt de grendel terug. De gebruikte huls valt uit de patroonkamer en de tweede kogel neemt zijn plaats in. Hij vuurt opnieuw, en weer galmt de knal over het meer. Het tweede doelwit valt neer. Hij haalt de grendel terug. De gebruikte huls valt uit de patroonkamer, om plaats te maken voor de derde. Hij zet het geweer neer en veegt zijn handen af aan zijn hemd. Ze zijn bezweet en glibberig. Hij pakt het geweer weer op.

Vanessa opende haar mond. Maar er kwam geen geluid uit. En dan, en dan. Een geluid dat zo hard was dat ze dacht dat haar trommelvliezen zouden scheuren. Een knal die over het hele meer leek te rollen. Van de ene rotswand naar de andere, van de bomen over het water. En Helena viel, zakte in elkaar en liet de riemen uit haar handen glijden. Haar lichaam zakte in elkaar op de bodem van de boot. Bijna onmiddellijk, voordat Vanessa de tijd kreeg om nog een keer adem te halen, nog een knal, alsof het einde van de wereld in aantocht was. En het lichaam van de hond explodeerde. Een fijne mist van bloed bedekte haar gezicht. En ze deed haar mond weer open en ditmaal had ze wel een stem. Een schreeuw die uit het diepste van haar ziel leek te komen.

'Help, help, help me! Alsjeblieft, help me!'

McLoughlin hoorde het geluid ook. De knal, gevolgd door de echo. En vrijwel onmiddellijk, het tweede schot. Een hertenjager, dacht hij. Twee schoten in drie seconden. Hij wachtte op het derde schot. Drie patronen in het magazijn. Drie schoten dus.

Dominic keek door zijn vizier. De jol dreef stuurloos rond. De riemen hingen in hun klampen. Het meisje gilde het uit. Helena en de hond kon hij niet zien. En nu zag hij helemaal niets meer. Zijn ogen stonden vol tranen. Ze vertroebelden alles. Het meer, de boot, het meisje, de hond, zijn moeder. Hij pakte het geweer. Dit was het moment om aan alles een eind te maken. Hij zette het geweer onder zijn kin. Toen haalde hij voor de derde keer de trekker over.

30

Stay near to me and I'll stay near to you.
McLoughlin kreeg de woorden niet uit zijn hoofd. Ze bleven maar rondstuiteren in zijn gedachten. *Near to me, near to you, near to me, near to you.* Aanvankelijk kon hij zich niet herinneren waar hij ze voor het eerst had gehoord. Opeens wist hij het weer. Het was Marina's lievelingsgedicht. Voorgelezen op haar begrafenis. McLoughlin ging aan de computer zitten, zocht een beetje rond en vond het. Hij printte het uit, las het een paar keer hardop, vouwde het blaadje op en stak het in zijn zak. Toen trok hij zijn jas aan, pakte zijn autosleutels en liep de late middagzon in.

McLoughlin had wijn en bloemen meegebracht. Hij had zijn auto voor het huis geparkeerd. Hij wachtte. Er verstreken tien minuten. Hij liet het telefoongesprek in gedachten nog eens de revue passeren.

'Michael, hallo, met Margaret. Hoe gaat het met je? Hoe is het met je hand? Ik hoop dat hij weer een beetje genezen is.'

Hij had niet geweten wat hij moest zeggen. Hij had geprobeerd iets te zeggen, maar had geen woorden kunnen vinden.

'Ik wil je graag zien. Er is iets wat ik je wil vertellen. Denk je dat je bij me langs zou kunnen komen?'

Hij schraapte zijn keel. 'Maar natuurlijk. Wanneer?'

Ze had hem gevraagd 's avonds te komen. Hij had de telefoon neergelegd. En toen weer opgepakt. Haar nummer ingetoetst. Maar had de verbinding vervolgens weer verbroken. Heel vlug. Hij had geen idee wat hij wilde zeggen.

Hij zat in de auto en wachtte. Het was nog steeds warm, hoewel hij kon zien dat het boven zee regende. Donkergrijze vlekken hingen laag boven de horizon. En vlak boven hem verspreidde een donderwolk witte vlekken aan de donkerblauwe hemel.

Hij keek op het dashboardklokje. Ze had hem gevraagd om acht uur langs te komen. Het was nu vijf voor. Hij was moe en zijn hand deed pijn. De arts op de Spoedeisende Hulp had de wond gehecht. Hem een injectie met antibiotica gegeven. Een recept voor pijnstillers voor hem uitgeschreven. Hem gevraagd of hij misschien wat slaappillen wilde. McLoughlin had zijn hoofd geschud.

'Goed,' de arts had een hand op zijn schouder gelegd, 'als je het zeker weet. Ik weet dat je een nogal akelige ervaring achter de rug hebt. Mocht je hulp nodig hebben, aarzel dan niet.'

Een nogal akelige ervaring. Zo kon je het ook noemen.

Hij stapte uit de wagen en opende de kofferbak. Hij pakte de twee in vloeipapier verpakte flessen wijn eruit en de bos bloemen. Nog meer ridderspoor. Hij voelde zich als een jonge knul op weg naar zijn eerste afspraakje. Hij stond met het boeket in zijn handen en duwde het hek open. Het piepte verschrikkelijk. Hij liep het pad op en klopte op de voordeur. Die had kennelijk niet goed dichtgezeten en zwaaide meteen open. Hij stapte de gang in en liep het trapje af naar de keuken. Margaret zat in de tuin een krant te lezen. Hij bleef doodstil staan, met de wijn en de bloemen in zijn handen, en keek naar haar. Ze zag er anders uit. Haar haar was kort en grijs. Maar toen ze haar hoofd oprichtte en glimlachte verdween het verschil als sneeuw voor de zon. *Near to me, near to you, near to me, near to you.*

Hij ging naast haar zitten in een van de oude ligstoelen. Ze schonk een glas wijn voor hem in. 'Nieuw-Zeeland?' Hij boog zijn hoofd om eraan te ruiken.

'Ja, deze komt uit Hawke's Bay op North Island. Een van de beste wijnstreken. Ik sta er versteld van hoeveel wijn uit Nieuw-Zeeland hier te koop is.'

'De wijn is hier heel populair. Hij drinkt natuurlijk ook heel gemakkelijk weg.' Dit was afschuwelijk. Nog erger dan hij zich had voorgesteld. Hij wilde dat hij niet was gekomen.

Ze zette haar glas op tafel. 'Michael,' zei ze.

'Ja?'

'Zoals ik door de telefoon al zei, is er iets wat ik je moet vertellen.'

Hij wilde haar gezicht bestuderen. De topografie van haar gelaatstrekken opnieuw leren kennen. Voor altijd de fijne lijntjes tussen haar wenkbrauwen en rond haar mond in zijn geheugen prenten. De enigszins slapper wordende huid onder haar kin en boven haar sleutelbeenderen. Het web van fijne rimpeltjes op de rug van haar handen. Hij wilde dicht bij haar zitten en zich koesteren in de geur van haar lichaam. Hij pakte zijn glas. 'Waarover?'

Het bleef even stil. Toen zei ze: 'Over Jimmy Fitzsimons. Over de manier waarop hij is gestorven.'

Het was bijna niet te geloven. Na al die jaren zat ze hier gewoon naast hem in de avondzon.

'Want zie je... het was namelijk zo, dat ik het niet gewoon zo kon laten. Ik wilde gerechtigheid, en dus...'

Wat was de beste manier om hem te straffen? Ik moest hem laten lijden. De straf moest bij het vergrijp passen. Jimmy had Mary vermoord. Hij had haar gemarteld. Hij had haar vernederd. Hij had haar gevangen gehouden. En toen had hij haar vermoord. Dat was dus een eerste vereiste. Ik wilde dat hij zou sterven waar Mary was gestorven. Het was niet moeilijk hem mee te lokken naar het huis, want hij wilde mij. Wanneer we uit de auto stappen kan ik, hoewel het al donker is, zien dat hij glimlacht. Hij opent de deur van het huis en doet een stap naar achteren om mij als eerste naar binnen te laten gaan. Een heel beleefd gebaar. Een dame voor laten gaan. En ik heb hulp om hem bewusteloos te slaan.

'... Ik was niet alleen. Iemand heeft me geholpen. De man die Mary's vader was.'

'Het is in orde,' zei McLoughlin. 'Je hoeft mij niet...'

'Jawel, dat moet wel. Ik wil dat jij het weet. Ik heb er in de loop der jaren heel veel over nagedacht.'

Patrick helpt me met alles. Hij heeft me zelfs met het proces ge-
holpen. Ik wilde dat Jimmy vrijgesproken zou worden. Omdat
de enige passende straf voor hem de dood was. Een gevangenis-
straf was niet genoeg geweest. Dan zou hij niet voldoende boe-
ten voor wat hij had gedaan. Dus hielp Patrick me. En daarna
helpt hij me weer. Hij slaat Jimmy buiten westen en sleept hem
naar de schuur waar Mary is gestorven. Op de muur zijn de
bloedvlekken nog zichtbaar. De sporen van haar lijden. Ik keten
Jimmy aan de ring die in het beton is bevestigd, op dezelfde ma-
nier als hij mijn dochter heeft vastgeketend. Dan wacht ik tot hij
weer bij zijn positieven komt. Patrick pakt de foto's die hij van
haar heeft gemaakt. Ik wil dat hij sterft terwijl hij die voor zich
ziet. Ik wil dat hij weet dat dit lijden een doel heeft.

'Ja, de foto's.' McLoughlin zag ze weer voor zich. Bij de gedachte alleen al draaide zijn maag zich om.

Maar hij schat me verkeerd in. Hij denkt dat ik hem zal laten
gaan. Dat ik een fatsoenlijk, beschaafd mens ben. Een goed
mens. Dat ik hem alleen maar bang wil maken. Maar hij heeft
het mis. Ik wikkel de tape over zijn mond en zijn hoofd, hele-
maal rondom, tot alleen zijn lichtblauwe ogen nog zichtbaar
zijn. En dan vertel ik hem hoe hij gaat sterven. Eerst zal hij
hevige uitdrogingsverschijnselen krijgen. Extreme dorst, droge
mond, dik speeksel. Hij zal duizelig worden en flauwvallen. Hij
zal krampen in zijn armen en benen krijgen naarmate de con-
centraties van kalium en natrium in zijn lichaam toenemen en de
vloeistoffen juist afnemen. Hij zal willen huilen, maar hij zal
geen tranen meer hebben. Hij zal verschrikkelijke maagkrampen
krijgen. Hij zal misselijk worden en voortdurend kokhalzen,
omdat zijn maag en ingewanden uitdrogen. Zijn lippen zullen
barsten en zijn tong zal opzwellen. Wanneer de resterende vloei-
stoffen in zijn bloedsomloop worden omgeleid naar de belang-
rijkste organen, in een poging hem in leven te houden, zullen zijn
handen en voeten koud worden. Hij zal ophouden met urineren
en zware hoofdpijnen krijgen, omdat zijn hersenen krimpen.

Eerst zal hij doodsbang zijn en daarna zal hij loom worden. Zijn
nieren zullen ophouden te functioneren. Er zal bloedvergiftiging
ontstaan in zijn lichaam. Hij zal hallucinaties krijgen en toeval-
len en zijn hele lichamelijke chemie raakt uit balans. Uiteindelijk
zal hij in coma raken. Zijn bloeddruk zal nauwelijks meer waar-
neembaar zijn terwijl zijn hartslag steeds onregelmatiger wordt
en ten slotte helemaal stopt.

'Dat heb ik hem allemaal verteld. Toen ben ik weggegaan. Patrick heeft een plank voor het raam getimmerd. Het laatste geluid dat hij heeft gehoord.'

'Niet helemaal. Niet helemaal het laatste geluid.' McLoughlin
keek haar aan. 'Helemaal niet het laatste geluid.'

Ze werd opeens erg bleek. Zelfs haar lippen leken bloedeloos.
'Wat bedoel je? Wat wil je daarmee zeggen?'

Hij gaf geen antwoord.

'Michael, vertel me alsjeblieft wat je bedoelt.' Er ging een ril-
ling door haar lichaam. Ze maakte aanstalten om op te staan,
maar hij stak zijn hand uit en duwde haar terug in haar stoel.

'Wat ik bedoel, is dat ik Fitzsimons nog heb gezien nadat jullie
zijn weggegaan. Ik heb jou met Patrick Holland zien weggaan.
Toen heb ik me toegang verschaft tot de schuur. Fitzsimons
schatte ook mij verkeerd in. Hij dacht dat ik hem kwam redden,
maar dat deed ik niet. Maar jou heb ik wel gered. Ik heb je vingerafdrukken van het plakband geveegd. En in tegenstelling tot
jou kon ik het niet over mijn hart krijgen om die foto's van Mary
in Fitzsimons' graftombe te laten liggen. Dus heb ik ze opgeraapt
en mee naar huis genomen. Ik heb ze al die tijd bewaard. Ze liggen op een veilig plekje. Dus je ziet, Margaret, dat je mij niets
hoeft uit te leggen. Ik weet al wat je hebt gedaan.' Hij pakte haar
hand. 'Ik heb elke dag aan je gedacht. Ik heb van je gedroomd.
Ik heb tegen je gepraat. Ik kwam pas een gedicht tegen. De eerste
regels luiden: *"Stay near to me and I'll stay near to you, As near*
as you are dear to me will do." Dat verwoordt precies wat ik
voor jou voel, Margaret. Blijf dicht bij me, dan blijf ik dicht bij
jou. Ik ben de afgelopen tien jaar heel dicht bij je geweest. Net zo

dichtbij als ik nu ben.' Hij pakte haar hand en kuste hem. Toen hield hij hem tegen zijn wang. 'Het enige wat ik niet begrijp,' zei hij, 'is waarom je hier bent. Dat is gevaarlijk. Er is niet veel voor nodig om jou die avond aan de plaats delict te koppelen.'

Ze opende haar hand en streelde zijn wang. 'Daar ben ik niet bang meer voor. Destijds dacht ik dat ik de juiste keus maakte. Het enige wat ik wilde was wraak, straf, hem kapotmaken zoals hij Mary kapot had gemaakt. Maar daar hield het niet mee op. Het heeft mij ook kapotgemaakt. Iedere keer wanneer ik iets eet, denk ik aan de manier waarop hij is gestorven. Iedere keer wanneer ik iets drink, denk ik aan de manier waarop hij is gestorven. Elke keer wanneer ik 's avonds naar bed ga om te slapen, denk ik aan de kou van die betonnen vloer. Ik weet wat hij heeft geleden.'

Ze zweeg. De lucht geurde naar jasmijn. Ze dacht aan het Latijnse *Per fumare*. Door middel van rook, wierook, de stank van de dood verdrijven.

'Het was mijn beslissing om Jimmy Fitzsimons te vermoorden. Mijn beslissing, en van niemand anders. Ik wil niet dat er nog iemand anders voor moet lijden. Ik moest wachten tot het geen kwaad meer kon voor Patrick. Hij is nu dood. Niets kan hem meer raken. Maar kan het jou raken? Ik wil niet dat jij schade ondervindt van wat ik heb gedaan. Het was jouw misdaad niet. Het was de mijne.' Ze liet haar hand omlaagglijden van zijn gezicht, over zijn borst, tot op zijn been. Toen pakte ze de wijnfles en schonk zijn glas vol. En toen het hare. Ze bracht het naar haar mond en dronk. Hij keek naar haar keel. Hij wilde hem kussen. 'Ik heb een besluit genomen, Michael. Ik heb er lang over gedaan. Ik heb het jarenlang voor me uit geschoven. Soms, wanneer ik me moedig voelde, dacht ik dat ik het kon. Dan verdween die moed weer en keerde ik hem de rug toe. Maar dat kan ik nu niet meer. Ik kan me niet verborgen blijven houden. In Australië, hier, waar dan ook. Ik wil me bevrijden van Jimmy Fitzsimons. Hij houdt me gevangen. Het is net alsof ik zelf ook ben weggerot in dat huis bij Blessington. Het is alsof ik zelf ook ben gefolterd op de pijnbank van zijn lijden.'

Hij deed zijn mond open om iets te zeggen, maar kon geen woorden vinden. Hij pakte haar pols en voelde haar hartslag onder zijn vingers.

'Doe het niet.' Zijn stem was een fluistering. 'Doe het alsjeblieft niet.'

'Ik wil je vragen of je met me mee wilt gaan. Ik ga mezelf aangeven bij de politie. Ik ga schuld bekennen aan moord. Ik zal het vonnis van de rechter accepteren en zal alles accepteren wat mij als straf wordt opgelegd. En dan is het afgelopen.'

'Nee!' riep hij. 'Nee!' Hij sloeg zijn armen om haar heen. 'Doe het niet. Niet nu. Je hebt geen idee hoe het in de gevangenis is. Je zult eraan kapotgaan. Het is echt geen soort vakantieverblijf, wát de mensen ook zeggen. Luister, Margaret,' hij greep haar bij haar schouders, 'ga terug naar Australië. Niemand weet dat je hier bent. Vertrek morgen. Ik ga met je mee.' Hij zag het al voor zich. Zij beiden. Samen genietend van de avond. Napratend over hun dag. Hij zou wel een baantje vinden. In de beveiliging, misschien. Bovendien had hij altijd nog zijn pensioen. Ze zouden het best redden. Het zou voor hen allebei een nieuw begin zijn. Ze konden dit allemaal achter zich laten. Alle duisternis, al het verdriet, de ellende. 'Het is voorbij. Het is lang geleden.' Zijn stem klonk smekend.

'Maar het is niet voorbij, Michael. Niet voor mij. Mijn leven heeft op deze manier geen enkele zin.' Ze legde haar handen op zijn schouders en duwde zachtjes tegen hem aan. 'Toen ik jaren geleden zwanger was van Mary ben ik weggelopen. Dat was een vergissing. Ik had moeten blijven en de consequenties het hoofd moeten bieden.' Ze nam zijn gezicht tussen haar handen. 'En ik weet hoe het in de gevangenis is. Ik heb er jaren gewerkt. En geloof me wanneer ik je vertel dat een leven in de gevangenis een makkie is vergeleken met mijn leven nu. Ik weet dat ik er goed aan doe. Ga je met me mee?'

Hij kon haar niet meer zien. Tranen vertroebelden zijn blik. Hij probeerde iets te zeggen, maar de woorden bleven in zijn keel steken. Hij wilde zo graag vasthouden aan de droom van hun toekomst samen. Een klein huisje, omringd door een weelderig bloeiende tuin. Een strand dat zich uitstrekte tot aan de horizon. Glinsterend wit zand en een zee van het meest onbeschrijfelijke blauw. En warmte, niet van de zon die boven hen brandde, maar van hun intimiteit, hun vriendschap. Hij kon de gedachte niet verdragen dat zij dat van hem afnam.

'Michael, alsjeblieft. Ik heb je nodig. Er is niemand anders. Ik heb niemand anders. Alsjeblieft. Doe dit voor mij.' Ze bracht haar gezicht naar het zijne. Ze hield hem dicht tegen zich aan terwijl hij huilde.

Ze zaten samen in de tuin. Het begon te schemeren. Ze lagen in de ligstoelen. Ze wisselden geen woord. Hij pakte haar hand. Ik zag jou, dacht hij. Ik heb je die avond gezien. Ik ben nooit opgehouden je te zien. Ik heb je sindsdien elke dag gezien en elke nacht. Hij staarde omhoog naar de sterren. Hij luisterde naar het geluid van haar ademhaling. Het duurde niet lang voordat ze sliep. Haar hoofd zakte opzij. Hij trok zijn jasje uit, legde het over haar heen. Hij bedekte haar hand met de zijne. Toen sliep ook hij.